Bühren
von der Raab-Thülen

Část rodokmenu Kateřiny vévodkyně Zaháňské

‚voda **Kuronský** od 1737
›90 Kalnezeem
‹ 772 Mitava

ıa **von Trotta-Treyden**
1703
1782

Gustav Bühren (Biron)
∗ 11. 8. 1695 Schlock
† 25. 2. 1746 Petrohrad

∞ 15. 5. 1732 (1735?) **Maria Alexandrovna**
princ. Menšikovová

Karl Ernst
∗ 11. 10. 1728
† 16. 10. 1801

. svatba 6. 11. 1779
·rlotta **Dorothea von Medem**
∗ 3. 2. 1761
† 20. 8. 1821

1. manželka
Anna Elisabeth
von Trotta-Treyden

2. manželka
Apollonia roz. Lodzia-Poninska
∞ 18. 2. 1778

Johanna Katharina
∗ 24. 6. 1783 Würzau
† 11. 4. 1876

nemanželský syn
‹ **Piattoli von Treuenstein**
∗ 19. 9. 1800
† 6. 4. 1849

otec **Arnoldi**

ı a rozvod 18. 3. 1801 – 18…
·cesco **Pignatelli Belmonde**
vévoda di Acerenza

Petr
∗ 23. 2. 1787
† 23. 3. 1790

Charlotta
∗ . 1. 1789
† 1791

nemanželské dítě 1816
otec **Karl Clam-Martinic**

Dorothea
∗ 21. 8. 1793 Berlín
† 19. 9. 1862 Zaháň

otec **Alexandr Batowski**
∗ 1758
† 29. 12. 1841

svatba a rozvod 23. 4. 1809 – 1838
Edmond Talleyrand-Périgord
vévoda de Dino
∗ 2. 8. 1787
† 14. 5. 1872

Louis Napoleon
vévoda Zaháňský a z Valençay
∗ 12. 3. 1811
† 21. 3. 1898

Dorothea Charlotta Emily
∗ . 4. 1812
† 10. 5. 1814

Alexandre Edmond vévoda de Dino
∗ 15. 12. 1813
† 9. 4. 1894

Josephina Paulina
∗ 29. 12. 1820
† …

utschbaltisches Lexikon 1710–1960

HELENA SOBKOVÁ

KATEŘINA ZAHÁŇSKÁ

:Kateřina Zaháňská

HELENA SOBKOVÁ

MLADÁ FRONTA

ISBN 80-204-0532-1

(I)
Předmluva

/THOMAS MOORE/

*„Abychom mohli napsat něčí životopis,
museli jsme mít toho člověka rádi. "*

Když jsem hledala a shromažďovala informace pro svou práci o narození a původu Boženy Němcové, seznámila jsem se poměrně důvěrně i s řadou dalších osob, které s mým tématem souvisely a zaujaly mou pozornost. Šlo zejména o členy rodiny Kuronských, a především o vévodkyni Zaháňskou, rozenou princeznu Kuronskou, na jejímž zámku Barunka Panklová vyrůstala a o níž byla opakovaně vyslovena a také publikována domněnka, že právě ona mohla být pokrevní matkou naší velké spisovatelky. Americká badatelka Dorothy Gies McGuiganová na poslední stránce své obsáhlé knihy, nazvané *Metternich and the Duchess*, napsala:

„Během dvacátých let minulého století žila v Ratibořicích malá dívenka, dcera služebné a kočího, čilé, radostné dítě, jež si zapamatovalo vše, co vidělo a slyšelo. Mnohem později, když se z této Barbory Panklové stala slavná česká básnířka Božena Němcová, zachytila své vzpomínky z mládí v rozkošné novele Babička.

V postavě princezny, která se stýkala s vesnickou babičkou na základě oboustranné úcty a porozumění – vzácný to příklad přátelství dvou žen bez ohledu na sociální rozdíly –, vykreslila autorka sympatický portrét vévodkyně Zaháňské, tak jak ji znala. Intuitivně zachytila vnitřní tragiku života této talentované ženy, jíž osud nedopřál, aby plně zužitkovala své nadání.

Ostatně dodnes se v okolí Ratibořic vypráví, že spisovatelka sama není ve skutečnosti dcerou oněch služebníků, ale dítětem lásky vévodkyně Vilemíny a rakouského ministra zahraničí, který strávil horké červnové dny roku 1813 pod její střechou.

Toto vyprávění by se bylo zajisté líbilo i Metternichovi."

Studiem pramenů, srovnáváním skutečností a okolností a konfrontací svých poznatků, získaných během dlouholetého bádání, jsem dospěla k jednoznačnému závěru, že vévodkyně Zaháňská ani Metternich nepřicházejí v úvahu jakožto rodiče Boženy Němcové, a své stanovisko jsem zdůvodnila v knize *Tajemství Barunky Panklové*.

Nechci se proto v této publikaci problémem narození Boženy Němcové znovu zabývat, i když doufám, že přiblížením osobnosti Kateřiny Zaháňské podám nový důkaz o tom, že tato žena nebyla a nemohla být matkou Barunky Panklové.[1]

Mým cílem je tentokrát seznámit čtenáře blíže s postavou Kateřiny Vilemíny Zaháňské, jak jsem ji poznala studiem monografií Clemense Brühla a Dorothy Gies McGuiganové i četbou dalších knih, ale především z deníků a dochované korespondence. Jde zejména o dosud nezveřejněné deníky její matky vévodkyně Kuronské, dále o deníky její tety Elisy von der Recke, o deníky Metternichova sekretáře a dopisovatele Friedricha von Gentze, o vzpomínky Kateřininy schovanky Emilie von Gerschau a o pramen nejcennější, jímž jsou dopisy Kateřiny Zaháňské a Klemense Metternicha. Tato korespondence, nalezená v roce 1949 Marií Ullrichovou na zámku v Plasech a vydaná pod názvem *Clemens Metternich – Wilhelmine von Sagan, Ein Briefwechsel 1813 bis 1815*, se stala nejcennějším zdrojem pro poznání charakteru a nejvýznamnějšího úseku života hlavní postavy této knihy.[2]

Protože Kateřina Zaháňská otiskla v sobě přirozeně i genetické prvky svých rodičů a dalších předků a vstřebala do sebe atmosféru a ducha prostředí, v němž vyrůstala a jež spoluutvářelo její osobnost, zmíním se i o jejích rodičích a prarodičích a zajímavých událostech z jejich života.

Škoda, že nám není dopřáno pročítat deníky samotné vévodkyně Zaháňské. Žádný nebyl nalezen s výjimkou itineráře ze Sicílie. A pokud jsme mohli v poslední době číst v tisku zprávu, že její deníky existovaly a že byly dokonce v nedávné době viděny, jde o pouhou fámu.[3]

Největší životopisec Kateřiny Zaháňské Clemens Brühl napsal:

„Nevedla deník, nepsala romány, jakkoli to tehdy u dam bylo velmi hojné; nemalovala ani nekreslila, nehrála na žádný hudební nástroj."

Přes toto konstatování byla Kateřina Zaháňská pozoruhodnou ženou, která rozčeřila hladinu společenského i politického života na počátku minulého století, a to nejen v Rakousku, kde převážně žila.

Pokusme se přiblížit si portrét i životní příběh ženy, jež se díky Boženě Němcové dostala do povědomí snad každého příslušníka našeho národa a která byla historií zařazena do kategorie žen, jimž se dostalo přiléhavé pojmenování „femme fatale" – osudová žena.

(II)
Portrét Kateřiny Zaháňské

Kateřina Zaháňská se do mysli podstatné části naší veřejnosti promítla jako paní kněžna, jak nám ji v *Babičce* mistrně, i když prostřednictvím vzpomínek na „šťastné dětství", přiblížila Božena Němcová.

Od dětských let nás tak vedle obrázku moudré stařenky, čiperných vnoučat, něžné komtesy Hortensie a tajuplné Viktorky provázela představa krásné, urostlé zámecké paní, oděné do černých šatů, s vlajícím závojem na klobouku, proháňející se na koni ratibořickým údolím nebo se procházející zámeckými komnatami a přilehlým parkem.

Paní kněžna uměla citlivým srdcem naslouchat a porozumět vesnickému lidu, vždy připravena pomoci chudým a potřebným, sama vznešená, vzdělaná a znalá velkého světa.

Více se o Kateřině Zaháňské dovídají návštěvníci ratibořického zámku, který se v rozmezí let 1810–1839 stal jejím oblíbeným letním sídlem. Její portrét tu podbarvuje zámecký interiér a vzácnými dřevinami osázený park, na jejichž přestavbě a budování se Kateřina osobně výrazně podílela, i rozsáhlá knihovna, rovněž dílo vévodkyně, čítající za jejího života na 6 300 svazků.

Přerod barokového zámku v moderní empírové sídlo v krásném přírodním okolí dokládá vztah majitelky panství k prostředí, její nároky, vkus a zájem o životní styl a přehled o palácové a zahradní architektuře.

Tito mlčenliví svědkové, zachycující atmosféru doby, vypovídají rovněž o rodinném jmění a dobových tradicích, jejichž nositelkou se princezna Kuronská stala již ve svých nedovršených devatenácti letech, kdy po smrti otce Petra Birona převzala titul „vévodkyně Zaháňská".

Platila za jednu z nejatraktivnějších a nejvlivnějších žen začátku 19. století. Proslula krásou, inteligencí, obratností v konverzaci, důvtipem a politickým rozhledem i prozíravostí. Její slovo a názor měly váhu u nejvýznamnějších politiků. Byla ženou velkých měst a lázní, známá v Paříži, Londýně, Praze, Římě, ve Florencii i v Neapoli. Patřila k lázeňské sezoně v Karlových Varech, Badenu i v Teplicích. Ale doma byla především ve Vídni a v Ratibořicích.

V Čechách označujeme vévodkyni především jako Kateřinu Zaháňskou. Ve vlastní rodině a v důvěrném styku s přáteli se však používalo výhradně oslovení Vilemína. V této publikaci budeme obě jména střídat podle potřeby nebo i nahodile a čtenář bude pod nimi rozumět vždy vévodkyni Zaháňskou nebo v mladších letech princeznu Kuronskou.

Vévodkyně Zaháňská se narodila v Kuronsku v městě Mitavě (dnešní lotyšská Jelgava) 8. 2. 1781 a při křtu obdržela jméno Kateřina Frederika Vilemína Benigna. Tato jména jí rodiče nevybrali náhodou. Byla v nich zakódována doba, v níž se otcem Petrem Bironem toužebně očekávané dítě narodilo, i lidé, jež měli rodiče při křtu děvčátka na zřeteli.

Jméno Kateřina se vázalo k tehdejší ruské carevně Kateřině II., v jejíchž rukou spočíval osud vévodství Kuronského. Kateřina, zvaná Veliká, měla nad Kuronskem moc i právo rozhodování a vévoda Kuronský dobře věděl, že vliv této vladařky na jeho příští osud bude rozhodující.[1] I když vévodkyně Zaháňská byla podle rodičů protestantka, v dospělosti slavila svátek na den svaté Kateřiny.

Jménem Frederika Vilemína se Petr Biron chtěl přiblížit a zavděčit pruskému korunnímu princi a pozdějšímu králi. Nebylo to pouze proto, že Fridrich Vilém roku 1780, rok před narozením dítěte, byl spolu s korunní princeznou při své cestě do Petrohradu hostem vévody Kuronského, ale Petr již tehdy tušil, že jeho nedaleká budoucnost bude mít souvislost s Pruskem. Předvídal, nebo spíše si přál, aby se mu Prusko stalo příští vlastí, kde by nikdo neznal jeho palčivou minulost a nevěděl nic o nevydařené kariéře jeho otce Ernsta Birona.

Jméno Benigna obdržela malá princezna podle babičky, která rok po jejím narození zemřela. Petr Biron tím chtěl vzdát hold matce Benigně, rozené von Trotta, které vděčil za mnohé, co pro něj v životě vykonala.

Vévoda Kuronský byl na svou prvorozenou dceru pyšný a prohlašoval, že se podobá jemu. Měla jako on velké hnědé oči, světlé vlasy a krásné ruce.

Emilie von Gerschau, schovanka Kateřiny Zaháňské, vzpomíná na svou schovaneckou matku, jak si ji pamatovala z roku 1819, kdy vévodkyni bylo osmatřicet let:

„… Stále oslnivá. Její ruka odlitá do sádry měla tak dokonalý tvar, že lze stěží uvěřit, že v originálu skutečně pulzovala krev; v mládí měla světle blond vlasy (které časem ztmavly, později si je také barvila a dle mého přesvědčení na to v 58 letech zemřela). Měla velké hnědé oči, nejkrásnější čelo a nejušlechtilejší kořen nosní. Od kořene dolů nebyl nos již ideální, ale zůstal jemný, ústa a zuby měla bezvadné; její tělo, než se stala moc silnou, bylo dokonale souměrné. Instinktivně cítila, že vzhledem k svému charakteru by měla být větší, a záviděla mi často se smíchem ony dva coule, o které jsem měřila více a které bych byla mohla ožet, protože pro mou hubenost a délku mě přirovnávali ke chřestu; ona měřila pět francouzských stop, právě tolik jako Napoleon I." (Napoleon měřil 167 cm.)

O tělesných půvabech Kateřiny Zaháňské vypovídá řada portrétů. Představují nám dívku sotva odrostlou dětským střevíčkům, princeznu v rozpuku mládí, a na dalších obrazech můžeme sledovat její proměny ve zralou ženu.[2]

Dvakrát ji portrétoval italský malíř Giuseppe Grassi, a to roku 1800, krátce poté, co přišel do Drážďan jako následník Giuseppa Canala. První malba představuje Vilemínu a její tři mladší sestry jako „čtyři Grácie". Princezny s krátkými vlnitými vlasy jsou oděny do lehkých řeckých říz přepásaných pod ňadry stuhou, těla zahalená jemnými závoji, bosé nohy v sandálech.

Brzy nato maloval Grassi Kateřinu opět a tento její portrét je jedním z nejzdařilejších a snad i nejživějších. Malíř již znal důvěrně rysy a osobitý charakter tváře portrétované i její vnitřní výraz. Maloval ji v době jejího milostného vztahu s Gustavem Armfeltem. Neznáme, v kterém měsíci roku 1800 byl obraz dokončen, ale v každém případě šlo o rok, jak se čtenář brzy dočte, kdy prožívala Kateřina velká hnutí mysli.

Zahledíme-li se do tváře na tomto obraze, máme dojem, jako by vyzařovala cosi tajuplného. Její oči hledí měkce a zasněně poněkud stranou, kolem rtů jemně povytažených vzhůru pohrává šibalský úsměv. Nos je úzký, dole stažený, s kořenem, jaký vídáme u antických soch. Sama nebyla se svým nosem příliš spokojena, ale dodával jejímu obličeji vznešený výraz. Oduševnělou tvář s ušlechtile tvarovaným čelem lemuje empírový účes z krátce zastřižených zvlněných vlasů. Dlouhý štíhlý krk zdobí perlový náhrdelník, uši jsou bez náušnic, ramena kryje tmavý šál. Metternich později o tomto portrétu v dopise Kateřině napsal:

„Několik let vkládal Grassi Tvůj výraz do tváří všech žen, které mu seděly modelem."

Když se roku 1813 Metternich téměř bezhlavě do vévodkyně Zaháňské zamiloval, bylo jí dvaatřicet let. Historik rodiny Clemens Brühl na základě svědectví současníků o této době napsal:

„Je jí nyní dvaatřicet let, je to věk, který má pro bironské ženy zvláštní osudový význam; matka Dorothea propadla přibližně v této době Batowskému a Armfeltovi, sestra Dorothea prožívala v třiceti šesti letech začátky své velké lásky k Bacourtovi. Vilemína dosáhla nádherné zralosti, je krásná tělem i duchem, pyšná a plná důstojnosti, okouzlující laskavostí, s drobnými ženskými slabůstkami, trochu trpitelská, trochu náladová a svévolně nedochvilná –, což půvab mnohých žen ještě zvyšuje. Je bohatá a nezávislá, vévodkyně ‚of her own right'. Všechny smysly probuzené, plná zkušeností, veskrze politická, bohatá znalostmi a vztahy. S rozumem čirým jako sklo, s duchem břitkým jako ocel. Pallas Athéna."

Ve snaze vystihnout charakteristiku Kateřiny Zaháňské včetně jejích povahových rysů se můžeme opřít o velkou řadu výroků, které se zachovaly v korespondenci či deníkových zápiscích. Shodně z nich vyplývá, že vévodkyně byla žena nadmíru bystrá a duchaplná, se smyslem pro humor, beze stopy ješitnosti či ženské koketerie.

Emilie von Gerschau, která měla to štěstí být s Kateřinou Zaháňskou ve velmi úzkém vztahu, vzpomíná:

„… O malicherné ješitnosti nevěděla nic; byla schopna přijmout spoustu známých, dříve než provedla ranní toaletu, v černém hedvábném županu, s batistovou stuhou šafránové barvy kolem čela, na spáncích dvě velká kolečka citronu a přes to noční batistový čepeček. I když byla vždycky hezká, v tomto ranním ustrojení byla přece jen méně půvabná, to věděla velmi dobře, ale bylo jí to jedno; jen když se ukázala na veřejnosti, dala si záležet na svém zjevu. Mnoho žen jde do společnosti, aby předvedly své šaty; v jejím pokoji ležely často ty nejkrásnější a nejvkusnější toalety; když ovšem přišla chvíle, kdy se měla oblékat, vysmála se zdrcené komorné a zůstala doma; na její přítomnost se nedalo vždy s určitostí spoléhat; nechávala na sebe nemilosrdně čekat, ale když konečně přišla, byla tak okouzlující, že se jí všechno odpustilo."

Na jiném místě Emilie vzpomíná:

„… Tato žena byla ve své domácnosti tak neokázalá, že by tím mohla sloužit mnohým za vzor. Kolem své osoby nestrpěla velkou obsluhu; nejjednodušší jídla jí byla nejmilejší; když očekávala hosty, zařizovala sama pokoje; sama jsem jí pomáhala přenášet matrace a kusy nábytku do pokojů, až bylo všechno uspořádáno podle jejího přání."

Kateřina Zaháňská zdědila po otci lásku ke knihám a k umění a podobně jako on milovala koně a psy a měla soucit s trpícími. Byla velkorysá až marnotratná a nelpěla na majetku. Bez rozmýšlení rozlomila diamantovou čelenku, aby si přítelkyně mohla s jednotlivými kameny ozdobit večerní toaletu. Hovořila několika evropskými jazyky a stejně jako její matka byla kosmopolitního smýšlení. Jako správná dcera konce 18. století přijímala jeho svobodomyslné tendence a nekonvenčně je uplatňovala ve svém životě.

Nejvýznamnější měsíce svého života prožívala v období vídeňského kongresu, ačkoliv v té době dovršila již třiatřicátý rok. Neprošel žádný ples, žádná slavnost, kde by Kateřina Zaháňská nebyla oslnila přítomné svou nevšední krásou, vznešeným chováním, půvabem a přirozenou laskavostí. Účinkovala v živých obrazech a velký Isabey, který tyto scény připravoval a secvičoval, ji obsazoval do postav nejdůležitějších. Jednou představovala van Dyckovu princeznu z Taxisu, jindy Marii Burgundskou jako nevěstu Maxmiliána I., posledního pravého rytíře.

Hrabě de la Garde-Chambonas o ní řekl:

„Nadchne se pro všechno heroické a co má velikost... Její mimořádná krása je nejmenší z jejích předností."

Mnoho mužů, diplomatů, filozofů i státníků, přicházelo do jejího salonu nejen za příjemnou zábavou, ale i vyslechnout její smělé a vytříbené názory. Neostýchali se ji respektovat a veřejně pochválit.

Pruský diplomat a spisovatel Karel August Varnhagen von Ense napsal:

„Vévodkyně Zaháňská byla jako vždy středem živého kruhu, který vynikal urozeností a významem. Zajímavá, mile dobrotivá a ve svém rozletu silná bytost této krásné dámy působila vítěznou mocí, takže se zdálo, že záleží pouze na ní, zda ovlivní velká rozhodnutí. Že při těchto schopnostech nevyužila své ctižádosti, ale ochotně se omezila na prostor ženám vlastní, zvyšovalo kouzlo její osobnosti."

Karel Nostic se o vévodkyni vyjádřil:

„Záleželo pouze na této pozoruhodné ženě s rozvážným duchem, uplatní-li svůj velký vliv na průběh závažných jednání; její úsudek byl autoritou; ale ona jí nikdy nezneužila."

Klemens Metternich obdivoval její diplomatické schopnosti, prozíravost i jemný cit pro rozpoznání pravdy. V dopise jí napsal: „Kdybys byla mužem, byla bys mým přítelem. Dokázali bychom společně velkolepé věci a dosáhli mnoha úspěchů. Ty bys byla vyslancem, já ministrem – anebo naopak."

I Friedrich von Gentz si zapsal do deníku: „Dámy měly tehdy živý podíl na jednáních, a musím uznat, že jsem se při svých četných důvěrných rozhovorech mnohému naučil od intrikářské kněžny Bagrationové, emotivní, ale nápadité hraběnky z Vrbna a od neklidné, avšak velmi jasnozřivé vévodkyně Zaháňské."

Lidé z Ratibořic vzhlíželi k paní kněžně s úctou. Mezi sebou ji nazývali hercočkou, její vlastní život však znali málo. Věděli o něm jen z doslechu, vyprávělo se ledacos, ale nikdo tomu neznal začátku ani konce. Hovořilo se o jejích cestách do Itálie, jak o nich místní lidé zaslechli od kočích nebo jiných sloužících, o návštěvách v lázních a evropských velkoměstech, a dokonce se šeptalo, že schovanky jsou její nemanželské děti. Proslýchalo se, že vévodkyně byla třikrát vdaná, že měla poměr s ministrem Metternichem, a lidem neušlo, že v roce 1813 za ní přijel na ratibořický zámek sám ruský car Alexandr.

Mnohým se Kateřina Zaháňská jevila nedostupná, nejeden jí záviděl společenské úspěchy a bohatství. Zdědila ohromné jmění, vlastnila několik zámků a mnoho půdy. Měla hodně přátel, kteří ji ctili a pobývali rádi v její blízkosti. Četní muži jí vyznali lásku, ovšem to hlavní, co může učinit ženu šťastnou, jí zůstalo odepřeno. Trápil ji neklid v duši, marně hledala naplnění života, těkala a cestovala, aniž nalézala klid a uspokojení. Toužila po velkých úkolech, k nimž se cítila předurčena, ale přepadala ji nejistota, ústící až do stavů bezvýchodnosti. Upadala do depresí. Její časté migrény byly důsledkem nervového napětí a rozpolcenosti duše. Ztrácela víru v sebe, jak vyplývá z jejích vlastních slov: „Schopnost se trýznit a být nešťastná je ve mně mnohem silnější než schopnost najít štěstí."

Z čeho pramenila její nejistota a duševní rozpolcenost? Co bylo hlavní příčinou tragičnosti života Kateřiny Zaháňské?

Vysvětlení a odpověď na tyto otázky by měly přinést následující kapitoly.

(III)
Bironové a Medemové

Vydejme se nyní do Kuronska, malé pobaltské země, kde se narodila Kateřina Zaháňská, její otec i matka a odkud pocházeli oba její dědové, Ernst Johann Biron, vévoda Kuronský, a Johann Fridrich Medem, dědeček z matčiny strany. V Kuronsku se narodily také dvě Kateřininy sestry, Luisa Paulina a Johana.

Název Kuronsko na současných mapách nenajdeme. Sáhneme-li po mapách historických, zjistíme, že Kuronsko se nacházelo přibližně na území dnešního Lotyšska, na západě ohraničené Baltským mořem a Pruskem, na severu Rižským zálivem a tehdejším Livonskem, na východě Vitebskou a na jihu Kovenskou gubernií, které byly součástí tehdejšího Ruska.

Země rozkládající se na 498 čtverečních mílích byla protkána asi třemi sty jezery, četnými močály a řadou řek, z nichž splavné byly Západní Dvina, řeka Aa (Lielupe) a Venta (Vindava), které tekly téměř rovnoběžně do Baltského moře. Původními obyvateli byli Čudové, příbuzní s Livonci a Estonci. Později byla země vystavena silné expanzi ze strany Pruska, Polska a Ruska. Lidé se zabývali převážně polním hospodářstvím. Pěstovali obilí, brambory, hrách, konopí, len, chmel a ovocné stromy. Dobytek chovali pro domácí potřebu, v přímořských oblastech se zabývali rybolovem.

Nahlédneme-li do vzdálenější historie, pochopíme nejen vývoj této země, ale i podmínky pro stabilitu nebo vratkost vévodského stolce, na němž seděl dědeček i otec Kateřiny Zaháňské; dědeček Ernst deset, otec Petr šestadvacet let.

Kořeny Kuronska jakožto samosprávné země spadají do začátku 13. století, kdy se ve zdejším kraji již usazený řád mečových bratří spojil s řádem německých rytířů a vytvořil feudální panství v čele s takzvanými velmistry.

Když roku 1560 vtrhli do země Rusové a němečtí rytíři jim nedokázali sami odolat, postoupil poslední velmistr Gotthard Kettler zemi polskému králi a velkoknížeti litevskému za pomoc v boji a získal za to od něho Kuronsko a Zemgalii jakožto vévodství a polské léno. Tím se stal roku 1561 Gotthard Kettler prvním vévodou Kuronským a Zemgalským. Vévodské sídlo zřídil v Mitavě. Zavedl do země protestantismus a vystavěl mnoho kostelů. Po něm převzal vládu jeho syn a pak další potomci z rodu Kettlerů.

Šestým vévodou Kuronským se roku 1698 stal poslední potomek rodu Kettlerů, šestiletý Fridrich Vilém. Po dobu jeho nezletilosti se ujal vlády jeho strýc Ferdinand Kettler.

V té době prožívalo Kuronsko těžké časy. Zemí se přehnala severní válka, válka o moc nad Pobaltím. Kuronsko se dostalo na čas pod nadvládu Švédů. V zemi zavládla bída a hlad. Pozemky ležely zpustošené, města a vesnice vylidněné, domy a zemědělské usedlosti vypálené a mezi vyčerpané obyvatelstvo zavítal mor.[1]

Když se roku 1709 podařilo caru Petru I. Velikému porazit Švédy u Poltavy, činil si i jisté nároky na země, které od Švédů osvobodil. Patřilo k nim také Kuronsko, s nímž carské Rusko sousedilo. Jeho prostřednictvím si chtěl car, zavádějící v zaostalém Rusku pronikavé reformy, zvětšit „okno" do pokročilejší Evropy.

Prostředkem k realizaci mocenských záměrů se mu stalo i provdání sedmnáctileté neteře, velkokněžny Anny, za osmnáctiletého Fridricha Viléma Kettlera, vévodu Kuronského. Sňatek byl uskutečněn bez ohledu na vůli nebo citové vztahy obou zúčastněných. Manželství uzavřené roku 1710 trvalo pouhý rok. Neduživý a churavý vévoda roku 1711 ve věku devatenácti let zemřel. Potomci z tohoto krátkodobého svazku dvou nezralých lidí nevzešli. Mladičká ovdovělá vévodkyně Anna Ivanovna zůstala sama v Mitavě. S vládou jí nadále pomáhal Ferdinand Kettler, strýc zemřelého vévody, ale radou při ní stál i její strýc car Petr Veliký.

Severní válka, která trvala jedenadvacet let, zasáhla zemi na všech stranách. Anna přes pomoc svých poradců a úředníků dosahovala jen nepatrného zlepšení stavu země.

Asi roku 1718, kdy Anna byla již sedm let vdovou, se u dvora objevil mladý muž. Představil se jako Ernst Johann Bühren a zajímal se o místo písaře. Na Anninu otázku „Kdo je ten mladý muž?" se jí dostalo odpovědi: „Student, který hledá službu."

Vévodkyně se dala s hezkým mladíkem do rozhovoru, a protože se jí zalíbil, přijala ho za sekretáře. Bylo mu osmadvacet let a svým galantním chováním a obratností ve vyjadřování si získal přízeň všech dvorních dam, ale i samotné vévodkyně. Zvala ho k sobě, radila se s ním, chválila jeho nápady a obdivovala se jeho vkusu.

Když zjistila, že Ernst rozumí nákupům lépe než jiní, posílala ho do Královce a využívala jeho obratnosti při obstarávání látek, zámeckých dekorací i při pořizování toalet.

Netrvalo dlouho a všem bylo jasné, že je v tom cosi víc než vybraný vkus a organizační talent, co poutá vévodkyni k tomuto muži. Byl o tři roky starší než Anna a ona, dosud bezdětná a po ročním manželství a sedmiletém vdovství citově neuspokojená, se do mladého sekretáře zahleděla.

„Za zásluhy" ho povýšila do šlechtického stavu, když pro něj z Vídně vyžádala titul říšského hraběte. Ernst si své jméno pofrancouzštil na lépe znějící von Biron a opatřil si erb francouzských Bironů. Povýšením Birona do šlechtického stavu vyvolala Anna nelibost komořích. Prohlašovali, že nemohou spolupracovat s mužem, „jehož příbuzní pracovali jako zedníci a tesaři na šlechtických domech".

Ernst Biron, dědeček Kateřiny Zaháňské, povzbuzen svými úspěchy, se pustil s nevídaným elánem do budování země. Uplatnil přitom svůj mimořádný talent a v neuvěřitelně krátké době se mu podařilo zemi pozvednout. Podněcoval obchod a řemesla, uplatňoval nové způsoby hospodaření a zavedl novou daňovou politiku. Na zpustošené zemi začalo zase růst obilí, otáčela se kola větrných mlýnů, renovovaly se válkou vypálené statky. V zemi se usazovali němečtí řemeslníci a navazovaly se nové obchodní styky se západem i s východem. Po silnicích projížděly opět jako před válkou vozy se zbožím a cesty se staly bezpečnými.

V Mitavě na ostrově mezi řekami Aa a Driksou se budoval nový vévodský zámek a nedaleko odtud se stavěly i paláce a výstavné měšťanské domy. Z dříve všedního městečka vyrostlo nevelké, ale přitažlivé obchodní centrum a důstojná vévodská rezidence.

Přes všechny úspěchy, jichž Ernst Biron svou politikou a aktivitou dosahoval, mu závistiví kuronští šlechtici nikdy neodpustili jeho rychlý vzestup a při každé příležitosti zdůrazňovali jeho neurozený původ. Poukazovali na to, že jeho rodokmen nesahá do 13. nebo dokonce

12. století, jako například rodokmen Medemů a jiných šlechtických kuronských rodů, a že jeho předkové nenosili bílý plášť s černým křížem, znakem řádu německých rytířů.

Zjistilo se, že nějaký Bühren nebo Bieren přišel kolem roku 1550 z Vestfálska, ale pocházel údajně jen z občanského domu a byl snad dokonce „pouhým štolbou nebo podkoním". Podle jiných pramenů se jeho předkové dostali do příbuzenského vztahu s pobaltskými šlechtici a sloužili kuronským vévodům jako úředníci. Ať bylo jak bylo, Ernst Biron se nezdál svým odpůrcům dost dobrý na to, aby mu vévodkyně mohla projevovat takovou přízeň.

Milostný vztah Ernsta a Anny byl všeobecně znám, a proto nastal velký údiv, když se z ničeho nic Ernst roku 1723 oženil s Anninou dvorní dámou, dvacetiletou Benignou von Trotta.

25. února 1724 se narodil Ernstovi na zámku chlapeček a roznesla se zpráva, že jeho skutečnou matkou není Benigna, nýbrž samotná vévodkyně. Nápadné bylo i to, že kmotrem novorozence byl ruský car Petr Veliký a že chlapec dostal po něm jméno Petr.

O tom, že Petr Biron, otec Kateřiny Zaháňské, ale snad i jeho oba mladší sourozenci (Alžběta, narozená 1727, a Karel, narozený 1728) byli dětmi Ernsta Birona a vévodkyně Anny, informuje Clemens Brühl: „Smáli se mu, když si ho Anna vybrala za milence, ale ještě víc, když se pak ženil s Anninou dvorní slečnou Benignou von Trotta. To snad mělo posloužit pouze tomu, aby Anniny děti s ním měly pro formu a navenek matku."

Rok po narození Petra Birona zemřel 8. února 1725 car Petr I. Veliký a na carský trůn nastoupila jeho žena Kateřina I. (1684–1727). Po její smrti se stal carem vnuk Petra Velikého z jeho prvního manželství, patnáctiletý Petr II. Když však v roce 1730 zemřel na následky neštovic, povolali na carský trůn vévodkyni Kuronskou Annu Ivanovnu jako carevnu Annu I.

Na uvolněný vévodský stolec usedl strýc Ferdinand Kettler, jemuž tato pocta jako poslednímu členu starobylého rodu Kettlerů právem náležela.

Když Anna odešla do Petrohradu, aby zaujala místo po svém strýci Petru Velikém, kladli si škodolibí kuronští úředníci otázku, co bude nyní s Ernstem Bironem. Anna je však překvapila. Odjela do Petrohradu 26. 2. 1730 a již v květnu poslala pro svého nepostradatelného přítele, aby ho učinila hofmistrem na carském dvoře.

18

Své organizační vlohy, které až dosud uplatňoval při budování válkou zničeného Kuronska, dal nyní do služeb carského Ruska. Pomáhal při výstavbě Ladožského kanálu, radil, když Rusko vedlo válku v Gdaňsku nebo proti Turkům na jihu země. 4.května 1737 zemřel Ferdinand Kettler. Kuronský stolec se uprázdnil. Anna se postarala, aby novým vévodou byl zvolen Ernst Biron.

Kuronští rytíři se zpočátku zdráhali poctít neoblíbeného Ernsta Birona, toho malého sekretáře z Nemanic, červeným vévodským kloboukem a vévodským pláštěm. Nakonec ho však jednohlasně zvolili 13. 7. 1737 vévodou Kuronska a Semgalie. Snad si včas uvědomili nebezpečí hrozící z Polska, které mohlo dosadit vlastního kandidáta. K polskému dvoru však neměli kuronští rytíři velkou důvěru. O Bironovi alespoň věděli, že uznává pořádek a že již ledacos v zemi dokázal. A dodržování starých výsad a práv si na něm vymohli. Musel slavnostně odpřisáhnout, že bude dodržovat privilegia udělená Kuronsku roku 1561 polským králem. Slíbil, že bude uznávat nadále němčinu jako úřední jazyk, německé právo jako právo zemské a evangelické náboženství za náboženství státní.

Rovněž odpřisáhl, i když s podstatně menší ochotou, že bude respektovat právo rytířů rozhodovat o vlastních záležitostech a spolurozhodovat ve všech věcech státních. Biron věděl, že právě v tomto směru nebude jeho úloha lehká a že při prosazování své vůle bude narážet na každém kroku.

Volbu Ernsta Birona za vévodu Kuronského potvrdila carevna Anna I. a svůj souhlas vyjádřil i polský král jakožto lenní pán. Nový vévoda však zůstal nadále předním poradcem carevny a pobýval více v Petrohradě než ve své mitavské rezidenci.

Rusko potřebovalo pevnou ruku, mělo-li se, jak zamýšlel Petr Veliký, stát zemí evropského typu. Ernst začal uskutečňovat své představy a uplatňovat bohaté zkušenosti. Pohodlným, líným a jen na vlastní zisk soustředěným carským úředníkům se takové novoty pramálo zamlouvaly, a tak kladli zákeřné překážky. Ernst se postavil proti všem dobyvačným a loupeživým válkám na jihu a jihovýchodě Ruska, jimiž bohatli zase jen důstojníci a chudla carská pokladna i zem. Biron se stal brzy po boku carevny Anny nejvlivnějším a nejmocnějším mužem Ruska.

Omámen slávou a omráčen úspěchy v Kuronsku i v Rusku vychutnával moc. Vzhůru ho vedla pokora a poslušnost, obratnost a diplomacie, nyní se u něho začaly projevovat nové vlastnosti, živené vidinou skvělé budoucnosti. Tajně uvažoval dokonce o tom, jak by se mohl dostat on sám, nebo alespoň jeho prvorozený syn, který právě dovršil šestnáctý rok, na carský trůn. Pomýšlel na neteř carevny Anny I., rovněž Annu. Byla by to vhodná partie pro jeho syna Petra, na němž si zakládal a kterému zajišťoval skvělé vzdělání. Snad byl niterně přesvědčen i o tom, že jeho syn Petr, jehož nesl ke křtu car Petr Veliký, má právo zařadit se mezi vyvolené pro carský trůn. O několik let starší Anna však na Petra nepočkala. Provdala se za Antona Ulricha Brunšvického.

Ernst Biron byl schopný organizátor, ale přílišná ambicióznost a panovačnost mu nebyly dobrými rádci. Nový pořádek zaváděl tvrdě a nic se neobešlo bez jeho souhlasu.

Svého rovněž vládychtivého soka Dolgorukova poslal do vyhnanství na Sibiř, některé další kázal popravit. Carevna ho na kolenou prosila o zmírnění trestů, ale její prosby a slzy zůstaly nevyslyšeny.

Když Anna I. začátkem října 1740 těžce onemocněla a všichni tušili její konec, Biron ji ještě na smrtelném loži donutil podepsat závěť, kterou sám sestavil. Bylo v ní psáno, že trůn odkazuje Ivanu VI., který se právě narodil její neteři Anně II., a že on, Ernst Johann Biron, bude zmocněncem a poručníkem tohoto dítěte, a to až do roku 1756, kdy mladý car dosáhne šestnácti let a bude schopen se sám ujmout vlády. Anna tento testament podepsala krátce před svou smrtí.

Ernst Biron se však svému regentství netěšil ani tři týdny. Jedné noci byl ve svých komnatách přepaden a s celou rodinou odvlečen do vyhnanství. Byl to prudký a nečekaný pád, o to bolestnější a překvapivější, že ho provedli Ostermann a Münnich, bývalí spolupracovníci carevny Anny I., které i Biron považoval za své nejlepší přátele. Přepad zosnovala Anna II., matka novorozence, která se regentství zmocnila sama.

Kateřina Zaháňská tuto vzrušující příhodu, otcem často vyprávěnou, zachytila později v otcově životopise, který sepsala na přání boloňského šlechtice Marchese Zappiho pro archiv boloňské Akademie krásných umění, kde vévoda Kuronský založil nadaci.

„Všichni byli zajati v noci. Vévoda Petr, tehdy šestnáctiletý, měl tu duchapřítomnost, že si nechal do holínky sklouznout dvě stě dukátů, které měl tehdy u sebe, a tak zachránil alespoň nouzový groš; bránil se kordem proti násilníkům, ale nemělo to jiný výsledek, než že byl raněn. Celou rodinu odvezli do Pelimu, příšerného místa v severní Sibiři, kde na ně čekalo nejtvrdší zajetí. Voda, která se vyšplíchla do vzduchu, spadla dolů jako led. Trvalo by dlouho, kdyby se měly uvést všechny ústrky, které museli snášet, ale možno říci, že vězení v civilizovaných zemích je rájem ve srovnání s boudou na severu Asie, kde kvůli krutým zimám se musely ucpat díry, jimiž mělo dovnitř vnikat světlo."

Z jiného zdroje se dovídáme, že první stanicí vyhnanců byl klášter Alexandra Něvského, kde zůstali do 21. listopadu 1740. Pak je převezli do pevnosti Šlisselburk a koncem března roku 1741 do Pelimu na Sibiř. Münnich osobně nakreslil plán umístění srubového domku, kam měl být Biron s rodinou převezen.

Události, jak už to v důsledku neustálých intrik na carském dvoře bylo běžné, měly i tentokrát neobvyklý spád. Carského trůnu se zmocnila Alžběta (1710–1762), sestřenice Anny II. a dcera Petra I. a Kateřiny I., a postarala se, aby zmizela z cesty Anna II. i se svým novorozencem.

Annu II. potkal stejný osud, jaký před rokem připravila Bironovi. Byla rovněž s celou rodinou odvlečena do vyhnanství. Nejprve na ostrov na Severní Dvině a potom do Cholmogor, kde zemřela. Její syn Ivan VI., který se měl stát carem, zemřel roku 1764 za vlády Kateřiny II.

Po roce vyhnanství na Sibiři čekalo Ernsta Birona další překvapení. Do srubového domu, v němž v Pelimu bydlel, přibyl nový vyhnanec. Nebyl jím nikdo jiný než Münnich, který před několika měsíci nakreslil s pocitem zadostiučinění plánek, kde bude Ernst trávit vyhnanství. Nyní sem byl vykázán sám. Při výměně bytu se protivníci pozdravili, ale víc nepromluvili ani slovo.

Kateřina Zaháňská o tom napsala:

„První čin Alžběty, poté co usedla na trůn, bylo povolat všechny vyhnance zpět, a tak se stalo, že kuronská rodina na své cestě ze Sibiře potkala regentku Annu, kterou tam právě vezli. Princ Petr, jehož se zmocnil zvláštní soucit, jí dal oněch dvě stě dukátů, které u sebe stále nosil."

Více než dvacet let strávili ještě v Jaroslavli na řece Volze. Spolu s Ernstem, Benignou a Petrem sdílely vyhnanství i další dvě děti, čtrnáctiletá Alžběta, kterou Kateřina Zaháňská nazývá Hedvika, a třináctiletý Karel Ernst.

Tehdy však nikdo z nich netušil, že jejich vyhnanství potrvá plných dvaadvacet let, od roku 1740 do roku 1762. Jaroslavl ležela již blíže k Polsku a Kuronsku, což vyhnanství o něco málo zmírňovalo. Ale i zde to byla nekonečná léta strávená v chladu a nepohodlí, ve sněhu a blátě, v létě v nesnesitelných vedrech. Jaroslavl bylo provinční městečko s dřevěnými domky a bez větší kultury. Jediné, co na tomto nuceném pobytu bylo snesitelné, byly hluboké lesy s množstvím zvěře. Ernst i oba jeho synové milovali lov a byli dobrými lovci. Tvrdé životní podmínky Petra zocelily. Měl pevné zdraví, velkou tělesnou sílu, byl mrštný a šikovný.

Chlapci i zde mohli přiměřeně možnostem pokračovat ve vzdělání a snad by bylo i jejich vyhnanství skončilo dřív, kdyby byli přijali podmínku carevny Alžběty: vzdát se nároků na kuronský vévodský stolec. To ovšem hrdý Ernst Biron ani jeho syn Petr, který jako prvorozený měl nástupnické právo, nebyli ochotni přijmout. Věřili, že se opět vrátí do Mitavy na vévodský trůn.

Když zemřela carevna Alžběta a nastoupil Petr III., směli se Bironovi vrátit do Petrohradu, ale ani nyní jim nebylo povoleno pokračovat na cestě do Kuronska. To se podařilo, až když zakrátko zemřel Petr III. a nastoupila Kateřina II.

Konečně se mohli koncem prosince 1762 vrátit do Mitavy. Museli se však nejdříve usadit v měšťanském domě a do 16. dubna 1763 čekat, až princ Karel uvolní zámek. K tomuto kroku muselo být použito dokonce násilí.

Co se zde během Bironovy nepřítomnosti odehrávalo?

Roku 1741 byl za vévodu Kuronského zvolen princ z Brunšvicka-Wolfenbüttelu. Nový vévoda však brzy poznal, že je pouhou reprezentační figurkou bez možnosti spravovat zemi podle vlastní vůle. Takové postavení a svévoli rytířské šlechty nebyl schopen snášet a z Kuronska odešel. V zemi nastalo období sedmnáctiletého bezvládí k naprosté spokojenosti stavů. Méně spokojený však byl lenní pán, polský král August III., a proto dal částí kuronských rytířů zvolit za vévodu svého syna Karla Saského. Učinil tak v přesvědčení, že se Biron a jeho synové z vyhnanství nevrátí. Nový vévoda Karel odpřisáhl stará práva, a tím si získal řadu kuronských šlechticů na svou stranu. Nelíbil se však Rusku, které se obávalo, aby se Kuronsko nepřiklonilo příliš k Polsku. Carevna Kateřina II. proto rozhodla o návratu Ernsta Birona.

22

Toho však nečekala snadná doba. Všechny staré nesrovnalosti se znovu vynořily, zhoršené o to, že země se nyní rozdělila na dva tábory: na takzvané karoliny, kteří stáli dosud na straně odstoupeného vévody Karla Saského, a na ernestiny, kteří vítali návrat Ernsta Birona. Všichni společně však střežili, jak se Biron zachová k jejich nárokům a zájmům.

Roku 1768 byla vyhlášena nová ústava, která posílila vévodova práva na úkor rytířstva. Rok poté předal Ernst na doporučení Kateřiny II. vládu Petrovi. Tím padla veškerá odpovědnost a starost o vévodství na bedra Petra Birona. Po třech letech, v roce 1772, Ernst Johann Biron ve věku dvaaosmdesáti let zemřel.

Petr Biron vzpomínal na otce s obdivem a úctou. Nebyl však schopen ze sebe setřást otcovu minulost, která na něm ulpěla jako zlý přízrak a stále ho provázela. Přesto se pustil do boje a setrval na vévodském stolci od roku 1769 do roku 1795.

Kořeny druhého rodu, starobylého rodu Medemů, z něhož vyšla matka Kateřiny Zaháňské, sahaly hluboko do minulosti Kuronska. Jejich předkové byli členy řádu německých rytířů a jeden z nich, Konrád Medem, vystavěl kolem roku 1270 na řece Aa své rytířské sídlo. To se stalo základem pozdějšího hlavního města Mitavy. Medemové zastávali vysoké státní posty. Byli komořími, starosty, zemskými maršály, důstojníky ve švédských, ruských a sasko-polských službách, ale také diplomaty ve službách králů a carů. Studovali na vysokých školách, poznali vladařské evropské domy a těšili se v zemi všeobecné vážnosti.

Také otec Kateřininy matky, Anny Charlotty Dorothey von Medem, byl vážený muž. Hned po narození dcery Dorothey se usadil s rodinou na zámku Alt-Autz, který krátce předtím koupil. Tento zámek se mu z jeho čtyř sídel stal nejmilejším.

Ležel v úrodné mitavské rovině nedaleko silnice vedoucí do hlavního města. Původní rytířský hrad byl roku 1730 přestavěn v tudorské gotice na zámek. Zámek s cimbuřím a rovnými střechami, arkýři, přečnívajícím středním traktem a věží bylo vidět již zdaleka. Kolem dokola se rozprostíral rozlehlý anglický park. Budova sama se zhlížela v jezírku s labutěmi.

Teta Kateřiny Zaháňské, Elisa von der Recke, si do deníku zapsala: „Zámek ležel při zemské silnici do Mitavy, a tak jsme byli zřídkakdy bez příjemné společnosti. Hudební talent mé sestry se stále více zdokonaloval. Také moji bratři hráli na různé nástroje. Několik z řad služeb-

23

níků hrálo na housle. Denně byl u nás malý koncert nebo bál, které se střídaly s divadelními představeními, protože náš taneční mistr byl zároveň i ředitelem našeho divadla."

Na zámku se konaly hony, hovory u tabule a u sálajícího krbu se točily kolem koní, psů, ale na Alt-Autz přicházeli často i vzdělaní muži, kteří rádi navštěvovali zámeckého pána, proslulého vzděláním a milujícího vše, co souviselo s vědou a uměním.

Kateřinin dědeček, Johann Fridrich von Medem, neměl jednoduchý život. Byl sice všude vážen a ctěn, ale brzy po sobě mu zemřely dvě ženy. První, Luisa Dorothea von Korff, mu porodila syna Johanna Fridricha a dceru Elisu, později známou romantickou spisovatelku Elisu von der Recke.

Když roku 1758 první žena zemřela, oženil se hrabě s Luisou Charlottou von Manteuffel. Měli spolu tři děti, Annu Charlottu Dorotheu, Karla Johanna Fridricha a Christopha Johanna.[2]

Po třetím porodu matka zemřela a otec zůstal podruhé sám. Bylo mu jedenačtyřicet let a měl pět dětí. Nezbylo, než aby se poohlédl po další ženě. Jeho statky potřebovaly hospodyni a děti starostlivou matku. Dohodili mu Agnes von Brukken. Přivdala se roku 1767. Byla o čtyři roky starší než manžel a přinesla do manželství věnem dva dědičné zámky.

Agnes byla žena sečtělá. Měla přehled o knihách, které v Evropě vycházely, ale vynikala i mimořádným smyslem pro otázky ekonomické. Lidé ze sousedství i její vlastní podřízení si jí vážili a respektovali ji pro její ráznou povahu, energické a moudré rozhodování a vlídné slovo.

Sama bezdětná, s elánem se chopila výchovy manželových dětí, především obou dívek. Předně povolala domů Elisu, kterou zatím vychovávala babička, matka její rodné matky. Babička odpírala vědychtivé dívce knihy a učení, prohlašujíc, že jsou to pro ženu věci nepotřebné, neboť hlavním úkolem ženy je připravit se na manželství, být oddána muži a starat se o dobrý chod statků.

Agnes, žena mnohem pokrokovějších náhledů, preferovala vzdělání, a to pro chlapce i pro dívky, a tak začala na Alt-Autz pro šestiletou Dorotheu a o sedm let starší Elisu léta učení. Byl povolán učitel a vychovatel Friedrich Parthey, který se navíc ujal výuky hudby a tance. Dívky se učily hře na klavír, základům vědních oborů, cvičily se v předčítání německých a francouzských textů a obě našly v četbě velké zalíbení. Nezaujal je pouze přednes, čistota výslovnosti, libozvučnost řeči a krása slov, ale stejně silně je poutal i obsah knih, které četly. Dlouho do noci si o knihách vyprávěly a diskutovaly o myšlenkách, s nimiž se v knihách setkávaly.

Jednoho dne směla osmiletá Dorothea a patnáctiletá Elisa doprovodit rodiče ke dvoru, kam byli pozváni samotným vévodou Ernstem Bironem. Pro obě dívky bylo velkým vyznamenáním, že mohly zaujmout místo u vévodské tabule mezi dospělými. Když skončil oběd, navrhli přítomní, kteří se doslechli o hudební a taneční průpravě dívek, aby zatančily. Elisa von der Recke si tuto mimořádnou událost zapsala do deníku, kde čteme:

„Panstvo ze všech stran prosilo, abych já a moje sestra zatančily pas de deux. Moje nevlastní matka prosila společnost o porozumění, že tomuto přání nemůže vyhovět. Nechtěla mě, mladou dívku, která brzy bude dospělá, vystavit na odiv, ale řekla, že její malá dcera by mohla zatančit sólo. S líbeznou grácií se vznášela rozkošná postava mé sestry sálem a korunní princ, který sám tančil tak dobře, že by byl mohl dělat tanečního mistra, obdivoval našeho tanečního učitele a navrhl, že nejlepší tanečníci si zatančí čtverylku; vyzval mě k tanci a moje sestra tančila naproti nám s nejlepším tanečníkem.“

Po čtverylce pozvedl princ Petr malou Dorotheu z hluboké poklony a přivedl ji ke svému otci.

„Malý anděli,“ prohlásil Ernst Biron, „jak budeš jednou umět spoutávat srdce!“

Zajisté si tenkrát starý vévoda neuvědomil, jak pravdivá a přímo prorocká slova právě pronesl. Tento malý anděl spoutal po deseti letech totiž srdce jeho vlastního syna Petra a během svého života ještě srdce mnoha dalších.

Dorothea von Medem si uměla získat každého svou přirozenou laskavostí a osobním kouzlem. Emilie von Gerschau, která Dorotheu dobře znala, o ní po letech napsala:

„Těšila se popularitě jako žádná z jejích dcer; ty byly okouzlující, když chtěly, ale jejich matka byla okouzlující stále. Nepřehlédla potřebu toho nejbezvýznamnějšího člověka, byla právě tak ochotna vyjít na balkon, když ji přišli pozdravit sedláci, jako když ve svém domě přijímala korunované hlavy.“

Navíc měla v sobě zvláštní fluidum, kterým poutala srdce mužů. Ale o tom až další vyprávění.

25

(IV)
Tajná svatba

Kdysi vyhlédl Ernst Biron synu Petrovi za nevěstu carevnu Annu II. Ale pak šlo všechno jinými cestami. Vyhnanství Petra otužilo, přivykl tvrdému životu, ovšem promarnil dvaadvacet nejplodnějších roků. Když se s rodiči vrátil do Mitavy, bylo mu třicet osm let a měl nejvyšší čas se oženit. Spěch se sňatkem nepramenil pouze z jeho věku, ale i z toho, že měl brzy po otci převzít správu země. A lid si vedle vévody žádal i vévodkyni.

Otec vyslal Petra do Polska, aby se pokusil získat opět přízeň krále. Pak pokračoval syn do Německa, odkud si přivezl nevěstu. Byla jí mladá princezna z malého knížectví, Karolina Luisa z Waldecku a Pyrmontu. Svatba se konala roku 1765, ale manželství se nevydařilo. Syn, který se narodil, brzy zemřel a příliš křehká a citlivá žena se k Petrovi nehodila. Manželství bylo po sedmi letech rozvedeno. Luisa strávila zbytek života ve švýcarském Lausanne, kde si u tehdy známého lékaře Simona A. Tissota léčila nemocné nervy a kde také roku 1782 zemřela.[1]

Petr, který roku 1769 převzal po otci vévodské křeslo, odjel po smrti starého vévody do Petrohradu, kde uzavřel roku 1774 nové manželství. Jeho druhou ženou se stala ruská kněžna Jevdokija Jusupovová. Brzy se však projevila její hašteřivá a nesnášenlivá povaha. Zvyklá na veselý život, jaký vládl na dvoře Kateřiny II., těžce snášela úděl vévodovy manželky. Nezískala si přízeň lidu a po krátké době se sama vrátila do Ruska.

Nevhodný svazek byl dle kuronského práva rozveden v roce 1778. Ani z něho nevzešel potomek. Nebyla to ovšem Petrova vina. Ten ženy miloval, hezké dívky ho přitahovaly a ze tří mimomanželských milostných vztahů se mu narodili tři levobočci: pozdější pán ze Schwedhofu, hraběnka z Wartenbergu a Petr von Gerschau. Vévoda tyto děti nezavrhl. Zajistil jim náležitou výchovu, hmotně je zaopatřil, ale vykazoval je jen jako své schovance.

Dcera Petra von Gerschau, po letech schovanka Kateřiny Zaháňské, zanechala o Petru Bironovi, svém „dědečkovi", výmluvnou informaci: „Šel po pěkných dívkách jako obratný ptáčník; avšak nespokojil se s takovými, které se potkávají na cestě, nýbrž rozehrál veškeré svůdnické schopnosti, aby omámil dívky počestné a urozené, mezi nimi i takové, které, kdyby se nebyly daly svést jeho přísahami a manželskými sliby a nebyly povolily jeho tužbám, byly právě tak starobylého a šlechtického původu jako jeho pozdější žena.

Jedna příbuzná takové svedené dívky, kterou si samozřejmě nevzal, se svěřila mé matce:

„Vévoda byl tehdy muž mezi padesáti a šedesáti lety, měl ovšem takové kouzlo, jako kdyby mu bylo o dvacet let méně, a když se chtěl zalíbit, nebylo možné mu odolat."

Tato výpověď pocházela bezesporu od pisatelčiny babičky, kterou kdysi Petr Biron svedl.

Rok po rozchodu s kněžnou Jusupovovou se začal vévoda ohlížet po další nevěstě. I jeho matka ho k tomuto kroku nabádala.

Vyhlédl si tentokrát dívku ze starého a váženého kuronského rodu. Svou volbou se chtěl zavděčit také městům a rytířstvu. Vybral si osmnáctiletou Dorotheu von Medem, dívku půvabnou a dobře vychovanou. Byla to ona tanečnice, o které kdysi starý vévoda prohlásil, že bude umět spoutávat srdce.

Dorothea von Medem byla stejně obratná v koňském sedle jako v tanečním sále či s prsty ponořenými do klaviatury. Petrovi bylo sice o třicet sedm let více než jeho vyvolené, ale byl dosud plný elánu, a pohlédl-li do zrcadla, zjevila se mu stále ještě hezká mužná tvář. Byl středně vysoké, pěkně stavěné postavy, spíš menší než větší, měl tmavé oči, malá jemná ústa, delší nos a mimořádně hezké ruce a nohy. Měl prý takovou sílu, že dokázal třemi prsty ohnout dukát do tvaru třírohého klobouku.

Byla zde však jedna závažná překážka. Pravoslavné Rusko rozvody neuznávalo a Petr se obával, aby carevna jeho sňatku předem nezabránila. Přesto začal svůj plán uskutečňovat.

Na slavnost, konanou na počest matky Benigny na letním sídle ve Würzau (Vircavě), pozval Johanna Fridricha Medema s celou rodinou. Přítomna byla také Dorothea a její matce neušlo, že se jedná právě o ni.

Vévoda se však o slavnosti nevyjádřil. Ale o několik dní později

27

přišlo jeho další pozvání. Tentokrát zval na malý zámek ve Schwedhofu, kde se 19. října 1779 konala v kruhu nejbližších přátel dodatečná oslava matčiných narozenin.

Jak se vše událo, dovídáme se z deníku Elisy von der Recke, starší sestry Dorothey von Medem. Po tabuli byli hosté vyzváni k prohlídce oranžerie. Dorotheu a Elisu doprovázel vévoda, s ostatními šel dvorní rada Schwander. Ve skleníku se obě skupiny rozdělily. Když vévoda Petr s dívkami osaměl, uchopil Dorotheu za ruku a vyznal jí lásku. Dorothea se rděla a rozpačitě klopila oči. Zkušenější Elisa se ujala slova:

„Vám, milý kníže, nebude výmluvné mlčení mé sestry nesrozumitelné. Znám její smýšlení a jsem si jista, že kdybyste byl soukromou osobou, dala by vám přednost před všemi uchazeči."

„Je to pravda?" zeptal se vévoda Dorothey a pohled okouzlení provázel jeho otázku. Lehké ano přelétlo Dorotheiny rty.

Vévoda chtěl z pochopitelných důvodů celou záležitost udržet do poslední chvíle v přísné tajnosti. Požádal proto Elisu, aby se jeho další schůzky mohly konat v jejím bytě. Elisa tehdy už nebydlela u rodičů. Po rozpadu nešťastného manželství se statkářem von der Recke žila ve vlastním bytě a ten se nyní stal svědkem dalších událostí.

Nejprve se zde sešel vévoda Kuronský s Dorotheinými rodiči. Podaroval je cennými dary a pak jim sdělil, jaký je účel jeho návštěvy. Zároveň se jim svěřil s obtížemi, které by se mohly ze strany kněžny Jevdokije i samotné carevny postavit do cesty jeho záměru. Tím zdůvodnil, proč se musí svatba do poslední chvíle před veřejností tajit. Ještě téhož dne požádal Petr Dorotheu o ruku. Pak pozval dopisem ji, její sestru i rodiče na zámek, kde se 24. října o páté hodině odpoledne uskutečnily zásnuby. Stará vévodkyně, která byla Petrovou volbou potěšena, požádala svého syna a Dorotheu, aby poklekli, a dala oběma své požehnání. Z Petra Birona a Dorothey Medemové se tak stali snoubenci.

Matka Agnes byla nadšena a ani otec proti sňatku nic nenamítal. Vévoda mu přiřkl k doživotnímu užívání panství Mesothen (Mežotne) a podal žádost o jeho uvedení do stavu říšských hrabat.

Nikdo kromě několika Petrových věrných, kteří museli svatbu a svatební hodokvas připravit, neměl tušení, co překvapivého se na zámku chystá. Snoubenci se scházeli tajně v Elisině bytě a denně si posílali psaníčka. Během třinácti dnů od zásnub obdržela Dorothea patnáct dopisů se stručným sdělením. Jeden z nich měl následující romantický obsah a ostatní se mu podobaly:

„A Mademoiselle de Medem! Mé srdce se tak chvěje radostí, že stěží držím pero. Ano, moje drahá, ve všem dodržím slovo. V sedm hodin budu mít to potěšení obejmout a políbit to nejkrásnější a nejlepší ze všech dětí..."

Psaníčka jsou psána německy, některá zdobí rodový erb, jiná milostný emblém: dvě laskající se holubičky, nad nimiž se vznáší amor. Připojeno je motto „L' Amour nous unit" (Láska nás spojuje).

Dorothea nebyla k tomuto sňatku přemluvena nebo dokonce donucena. Ještě před svatbou napsala: „Můj budoucí manžel by si byl získal mou nejvroucnější náklonnost, i kdyby nebyl knížetem; je to velmi obdivuhodný muž."

Svatbu se podařilo utajit. Hosté z řad urozených kuronských rodů neznali do posledního okamžiku důvod jejich nečekaného svolání.

Bílé stěny zámku, z jehož oken proudilo světlo mnoha set rozžatých svící, se pozdního odpoledne 6. listopadu 1779 odrážely v tmavých vodách řeky Aa, když se kočáry sjížděly k vévodské rezidenci.

Co se odehrálo uvnitř, zazní opět nejautentičtěji z pera Elisy von der Recke:

„Vévoda s vévodkyní matkou vstoupili a on v krátkém proslovu oznámil všem shromážděným svůj chystaný sňatek s půvabnou dcerou země. Pak se otevřela křídla postranních dveří a v nich se objevila moje sestra, obklopena svými rodiči a sourozenci, a blížila se k vévodovi. Ten ji nyní představil jako svou příští choť a vedl ji spolu se svou matkou do přijímacího sálu. Shromáždění je následovalo; tam se vévoda postavil se svou nevěstou pod baldachýn a sňatek byl uzavřen. Zajisté si lze představit údiv, který se zmocnil přítomných... Hvězda, na kterou se pohledy všech stočily, zářila rozkošnou spanilostí, laskavostí a něžnou grácií; vše působilo skromně, ale o to účinněji."

Následovala svatební hostina, orchestr pod taktovkou zámeckého dirigenta Veichtnera vyhrával jednu melodii za druhou, roznášela se vybraná jídla, v číších se perlilo víno. Nevěstin otec se cítil před zraky starých známých v rozpacích. Snad ho tížilo svědomí, že provdal dceru za muže věkem nepřiměřeného, dvakrát rozvedeného a poznamenaného nemanželskými dětmi. Snad mu bylo trapné, že sám má nyní vstoupit do řad říšských hrabat. Ale jeho ženu Agnes těšilo, že druhou manželovu dceru tak skvěle zaopatřili. Také Elisa očekávala od tohoto sňatku něco pro sebe: stoupne v očích všech jako sestra vévodkyně Kuronské a bude moci obohatit své jméno Elisa von der Recke predikátem „rozená říšská hraběnka von Medem".

Svatební hosté zprvu ohromeni tím, čeho se stali svědky, začali pomalu chápat souvislosti. Nebyli zde však pouze takzvaní ernestini, kteří stáli kdysi na straně vévody Ernsta a nyní přáli jeho synovi. Přítomni byli i karolini, a nebylo jich málo. Ti nemohli zapomenout na blahé časy za bezvládí vévody Karla, syna krále Augusta III. Ten večer však byly obě strany nápadně zajedno. Dorothea, jejich nová vévodkyně, je všechny okouzlila a podvědomě si od této volby slibovali obrat k lepším časům. Věřili, že své slovo zde bude mít i Johann Fridrich von Medem, moudrý a rozvážný starosta a nyní vévodův tchán.

Zpráva o vévodově sňatku se rozletěla po celé zemi. Sloužily se mše za štěstí vévodského páru, pořádaly se koncerty a divadelní představení, veselice a plesy. Do zámku v Mitavě se sjížděli gratulanti.

Bylo zvykem, že za jejich blahopřejné projevy poděkoval jménem vévody kancléř a za vévodkyni dvorní maršálek. Avšak jaké bylo překvapení, když si osmnáctiletá vévodkyně vyprosila, aby za sebe směla poděkovat sama. Hovořila o své drahé zemi a o tom, jakou jí chce být vévodkyní. Zapůsobilo zejména, když řekla:

„I když si v budoucnosti budu uvědomovat, čím jsem, nikdy nezapomenu na to, čím jsem byla."

V den svatby napsala Dorothea dvornímu radovi Schwanderovi, dlouholetému rodinnému příteli, o svém budoucím choti:

„Je to laskavý muž. Nebojím se budoucnosti. Jak je dobrý ke své matce! To dává tušit, že bude také dobrým manželem. Jeho dřívější nezdary v manželství nelze přičítat jemu."

V jiném důvěrném dopise, adresovaném přítelkyni, napsala:

„Můj osud je nádherný a cítím, že mě Bůh učinil šťastnější, než si zasluhuji; je pravda, že jsem odloučena od rodičů a sourozenců, ale ujišťuji Tě, že toto odloučení sotva pociťuji; našla jsem muže, který je mi víc než rodiče, sestra a bratři! Knížecí titul a všechny ostatní přednosti by mě nedokázaly učinit šťastnou, kdyby pro mého milovaného nehovořilo mé srdce."

Petr Dorotheu miloval více než kteroukoli ženu před ní. Pěkný byl i vztah Dorothey a vévodovy matky. Dorothea se chovala laskavě

30

i k vévodově nemanželské dceři, kterou později jmenovala svou dvorní dámou. V novém domově začala uplatňovat vše, co jí bylo vštěpováno osvícenskou výchovou pod vedením nevlastní matky. Nechávala zasílat pravidelně z Německa a Francie nové knihy a zajímala se o všechno, co se ve světě dělo, ať šlo o dění politické, kulturní, o novinky z oboru lékařského, o diskuse filozofické či náboženské. Horlila pro osvětu a kosmopolitismus, pro toleranci k názorům druhých. Četla opakovaně Lessingova *Moudrého Nathana* a byla potěšena, že Petr založil v Mitavě gymnázium a že přeje vědcům a umělcům. Spolu s vévodou zvala na zámek vzdělané muže a ženy a udržovala s nimi čilou korespondenci. Jak to vídala u matky a sestry Elisy, začala sama psát deníky. A díky těmto deníkům je nám ještě dnes umožněno sledovat, co se v jejím okolí odehrávalo a co sama prožívala a pociťovala.

Když byla ještě malá, učili ji vážit si peněz a chovat se slušně k lidem bez ohledu na to, šlo-li o šlechtice nebo služebníka. Všechny musela pozdravit, poprosit, když něco od nich potřebovala, a poděkovat, jestliže jí prokázali byť nepatrnou službu. Jen jedné výsady jí bylo dopřáváno: směla si dát ve městě ušít boty na míru, a to v množství, které potřebovala. Malá Dorothea této benevolence rodičů plně využívala. Dala si každý rok ušít od ševce nejméně sedm párů bot. Pak je prodala ševci zpět. Peníze, které obdržela, rozdala chudým. V podobném duchu se chovala i jako vévodkyně. Petr jí připsal roční jahelné ve výši 4 000 tolarů. S tímto příspěvkem mohla nakládat podle vlastní vůle. Podporovala opět chudé, ale zvažovala, kdo si podporu skutečně zaslouží.

Když minul první rok, vědělo celé Kuronsko, že se očekává narození vévodského dítěte. 8. února 1781, kdy se kolem silných zámeckých zdí proháněly mrazivé větry, se narodila princezna Kateřina Frederika Vilemína Benigna. I když to nebyl dědičný princ, radost byla veliká a narození vévodské dcery se oslavovalo po celém Kuronsku.

Rok nato, 19. února 1782, spatřila světlo světa ve vévodské rezidenci druhá dcera, Marie Luisa Paulina. Nezůstalo však jen při radostných událostech. Na podzim toho roku zemřela ve věku devětasedmdesáti let vévodkyně Benigna. Petr nesl ztrátu matky těžce. Málokdo mu porozuměl v životě tak jako ona. Znala odmalička jeho citlivou duši, skrytou něhu a měkké srdce. Rozuměla však i jeho depresím a únikům do ticha a samoty. Omlouvala jeho mrzuté nálady, drsnost i aroganci a výbuchy

31

hněvu. Jen ona věděla, co všechno musel vydržet během předlouhých let vyhnanství, zatímco jeho vrstevníci ze šlechtických rodin byli vychováváni vybranými domácími učiteli nebo studovali na zahraničních univerzitách. Zaplatil příliš vysokou daň za to, že byl synem Ernsta Birona. Benigna stála Petrovi po celou dobu věrně po boku. Když se dvakrát nešťastně oženil, cítila s ním a přála mu dobrou ženu. Její tužba se vyplnila. Nyní mohla klidně následovat svého muže. I jemu byla dobrou manželkou.

Petr Biron nechtěl po matčině pohřbu nadále setrvávat v mitavském zámku. Všechno zde vyvolávalo bolestné vzpomínky. Přestěhoval se proto s rodinou na své nedaleké venkovské sídlo ve Würzau. Tento bílý jednopatrový dům ve stylu pozdního rokoka ležel uprostřed trávníků a dlouhých záhonů růží. Dal ho vystavět vévoda Ernst Biron a nyní se pro toto sídlo rozhodl jeho syn. Bylo pohodlnější, teplejší a vzdušnější, s výhledy do krajiny, a znamenalo i příjemnou změnu pro Dorotheu, která očekávala v tak krátké době narození dalšího dítěte. Přišlo na svět 24. června 1783 a byla to třetí dcera. Dostala jméno Johana Kateřina.

Kuronsko očekávalo dědičného prince, ale na zámku se rodily samé dcery. Petr však princezny miloval. Dívky vyrůstaly na začátku svých životních drah v hřejivé rodinné atmosféře.

Svou prvorozenou dcerou byl Petr obzvláště okouzlen. Byla jeho pýchou a vévoda se tím netajil. Všude ho musela doprovázet. Na počest jejích druhých narozenin uspořádal velký bál, a když zazněly tóny úvodní polonézy, uvedl svou Vilemínu, oděnou do rozkošných plesových šatů, za ruku do sálu a zahájil ples.

Rovněž z Petrohradu přišla uklidňující novina. Carevna Kateřina II. informovala Petra, že zemřela kněžna Jusupovová. Zmínila se také o tom, že k ní doletěla zpráva o laskavosti jeho mladé ženy, a popřála jí štěstí a zdar.

Dorothea trávila život v hojnosti a lidem kolem sebe přála. Jisté nároky na vévodskou pokladnu si činila i Elisa, která si zřetelně uvědomovala rozdíl mezi svým a sestřiným postavením. Do deníku si zapsala:

„Ta dobrá duše neměla od dob svého dětství nikdy starosti s obživou a od svých devatenácti let žila v takovém nadbytku, že si mohla splnit jakékoli přání."

Když Elisa doprovázela sestru na cestách, hradila veškeré výlohy Dorothea. Vévoda Petr zajistil Elise byt v mitavském zámku a později, když si švagrová stěžovala na jeho vlhkost, zakoupil pro ni v Kuronsku dům.

Vévoda byl pozorným manželem a laskavým otcem. Byl i dobrým hospodářem. Podporoval obchod, průmysl a zemědělství, povolal umělce a učence, založil akademii pro rozvoj vědy a prosazoval budování ostatních škol. Kateřina Zaháňská po letech pociťovala hrdost nad tím, že na konci vlády jejího otce nebyli v Kuronsku žebráci a ani jediné negramotné dítě. Vévoda se zájmem sledoval také stav vlastního jmění, ale politika země ho nepřitahovala. Projednáváním státních záležitostí pověřoval rád jiné. Zanedbával styky s Petrohradem a Varšavou, nemiloval poklonkování, a zemské stavy této jeho malé politické bdělosti využívaly. Vévoda choval větší sympatie k vzmáhajícímu se měšťanstvu a s oblibou připomínal i hesla francouzské revoluce. To mu většina rytířstva zazlívala. Petrovi chyběly diplomatické schopnosti jeho otce. Byl přímočarý, nehledal cestičky, jak se komu zalíbit.

Již tři roky panoval v zemi poměrný klid. Pak se událo něco, co rozhněvalo Petra na nejvyšší míru a rozčeřilo pohodu v zemi.

Stalo se to vzápětí poté, co proběhl v nevídané shodě zemský sněm. Bylo odhlasováno, a vévoda s tím plně souhlasil, že výsledky jednání pojede do Varšavy podepsat zemský sekretář Otto Friedrich von der Howen.

Petr tohoto muže hned neprohlédl, ale v Elisině deníku je o něm napsáno:

„Přitažlivý a uhlazený ve vystupování, obratný v obchodech, přesvědčivý a úspěšný při jednáních, budící důvěru, nenasytně chamtivý a marnotratný, lehkovážně se oddávající požitkům... muž, jenž neváhal uvést všanc zdar své země, jestliže mu z toho kynula nějaká výhoda. Takový byl muž, jehož zvolil vévoda i města, aby projednal jejich záležitosti u polského krále, a on zatím zneužil svěřené důvěry."

Von der Howen totiž využil své cesty do Varšavy především ve vlastní prospěch. Brzy měla vypršet smlouva, jíž mu vévoda přiřkl k obhospodařování doménu Bergfried. Aniž se vévodovi zmínil, vymohl si na králi, aby mu připadla natrvalo. To bylo na vévodu příliš. Bez jeho vědomí a za jeho zády vyjednávat a zradit tím jeho, vévodu! Petr sice věděl, že von der Howen stál dříve v čele opozice, ale po své svatbě ho obdaroval bohatě z vlastní pokladny a také přiřčením domény osvědčil svou velkorysost a projev náklonnosti. Vévoda takovou zradu nečekal, a navíc od někoho, kdo byl s plnou důvěrou vyslán vyjednávat jménem země. Petr vznesl svůj protest a odmítl dát k této transakci souhlas. Tím ovšem popudil proti sobě polského krále Stanislava Augusta II. Poniatovského. Petr nedal na rady přátel ani hraběte Medema, kteří ho nabádali, aby celou věc projednal znovu a osobně s králem. Hrdý vévoda Kuronský se k vyjednávání nesnížil. Polský král byl dotčen, že se vévoda postavil jemu, králi, na odpor. A tak neodvolal slovo, které Howenovi dal. Tím dosud dobré vztahy mezi Mitavou a Varšavou ochladly. Pro Howena to zase byl důvod seskupit kolem sebe opozici. Země se opět rozdělila na ty, kteří souhlasili s vévodou, a na vyslovené odpůrce. K nim patřili především ziskuchtivci, kteří se podobně jako Howen chtěli zmocnit zemské půdy. Pak tu byl ještě střed, který vyčkával, na čí stranu se přiklonit.

Dorothea se snažila všechno urovnat. Ale Petr se nedokázal vypořádat se zradou a začal podezírat a přenášet svůj hněv i na vlastní přívržence. Tehdy ještě netušil, že tato nešťastná událost bude impulzem pro jeho budoucí abdikaci a připojení Kuronska k Rusku. Nepředvídal, že tato událost ovlivní i jeho manželský život, který byl tak slibně započat tajnou svatbou.

(V)
Cesta do Itálie

Již delší čas připravoval vévoda Kuronský cestu do Itálie. Jednak chtěl splnit přání své ženy, která toužila cestovat a poznávat nové kraje, jednak si přál sám spatřit zemi, odkud pocházeli nejlepší malíři, sochaři a pěvci. O této cestě snil již jako chlapec, když v zapadlé Jaroslavli netrpělivě čekal, až skončí nekonečná zima.

V poslední době však považoval odjezd z Kuronska za jedinou možnost, jak se uklidnit a uniknout intrikám. Přál si nějaký čas nevidět všechny ty tváře, kterým přestal důvěřovat, a utéci před vědomím, že při nejlepší vůli není možné zachovat se všem.

Správu země svěřil čtyřem vrchním radům, zvoleným zemským sněmem. Ti podle zákona přebírali za vévodovy nepřítomnosti vládu do svých rukou. Byl to vrchní hofmistr, kancléř, vrchní rada a zemský maršálek. Byl mezi nimi i zrádný von der Howen. Přátelé Petra varovali. Předvídali, že jeho dlouhá nepřítomnost bude pro mnohé příležitostí, aby vliv vévodův ve státě oslabili. Varoval ho i hrabě von Medem, jeho tchán, avšak Petr nechtěl těmto výstrahám naslouchat.

Odjezd z Kuronska byl stanoven na léto roku 1784. Vévoda rozhodl, že s sebou pojede i malá Vilemína, která dosáhla v únoru tří let. Od tohoto dítěte se nemohl a nechtěl odloučit. Další dvě dcerky, dvouletá Paulina a roční Johana, zůstaly doma. Za úvahu stojí, že i Dorothea se na dlouhý čas dobrovolně odloučila od svých malých děvčátek. Nezůstal u nich nikdo z příbuzných. Nevlastní matka Dorothey krátce po jejich odjezdu zemřela a sestra Elisa těsně před nimi odcestovala po dlouhé nemoci na rady lékařů do Karlových Varů. Princezny svěřili chůvám. Snad si nikdo ani neuvědomil, že děti rodiče nepoznají, až se opět shledají.

Vévodský pár cestoval nadlouho. Už při odjezdu nasvědčovalo vše tomu, že se do dvou let nevrátí. Na omluvu Dorothey je možno říci, že sama nepoznala pravou mateřskou lásku. Starali se o ni vychovatelé a učitelé a většinou byla odkázána sama na sebe. V tomto duchu řídila i výchovu svých dětí.

Jedenáct kočárů stálo připraveno k odjezdu. Naloženo bylo vše, čeho bude během dlouhých měsíců třeba. Byla to celá domácnost: ošacení pro všechna roční období a nejrůznější příležitosti, cestovní a jezdecké obleky, drahocenné róby a vzácné skvosty, uniformy pro přijetí u cizích dvorů, lehké šaty plážové i huňaté kožichy do mrazů, kompletní kuchyňské vybavení, prostírání tabulí, nádrže s pitnou vodou, sudy s vínem, nádoby s kořením, hrnce na vaření, pánve na smažení a mnoho dalších potřebných věcí. Vezla se s sebou dobře vybavená lékárna, nakládaly se bedny, koše, pytle, šněrovaly cestovní vaky a zapínaly brašny. S sebou se vezly zvláštní kufry, které se rozložením daly přeměnit na toaletní stolky s vtipně uloženými neséry, množstvím flakonů s nejjemnějšími parfémy, kelímky s vonnými mastmi a líčidly. Nezapomnělo se na kartáče, hřebeny a hřebínky, spony a gulmy. Z jiných beden se cestou vyklubaly krásné psací stolky se zásuvkami plnými dopisních papírů, lahviček inkoustů, husích brk a perořízků, pečetidel, pečetních vosků a písku na posypání psaných listů.

Vedle peněz vezli s sebou i zlato a stříbro, slonovinu a nefrit, jantar, drahocenná dřeva, kůže a kožešiny a další vzácné suroviny, které bylo možno kdykoliv proměnit na potřebné peníze.

Nakládaly se knihy a cestovní itineráře, mapy a různé drobnosti, jež se mohly cestou hodit pro užitek i potěšení.

Byly to předměty, které měly nyní obklopovat i malou Kateřinu Vilemínu a nahradit jí domov.

Průvod se konečně rozjel. Vévodský pár doprovázeli komorníci a dvorní dámy, lékař a chůva, služebnictvo a kuchaři. S sebou jeli i členové dvorního divadla. S největší pravděpodobností byla mezi nimi i Tekla Podleská, česká zpěvačka pocházející z Berouna, kterou vévoda Kuronský angažoval do svého zámeckého divadla.[1]

Je zapřaženo čtyřicet pět koní. Petr Biron jede jako pohádkový král se svou půvabnou chotí a světlovlasou dceruškou.

V čele průvodu klušou předjezdci, kteří mapují krajinu, střeží bezpečnost cestujících a zajišťují ubytování a nocleh v zájezdních hostincích. Jako první za nimi jede vévodský kočár. Liší se od ostatních zlatou barvou a je vyzdoben mytologickými výjevy znázorňujícími únos

Evropy, Pallas Athénu a Helenu Trojskou. Uvnitř jsou stěny potaženy červeným sametem, sedadla je možno proměnit v pohodlná lůžka. Kozlík kočího je ozdoben těžkými červenými záclonami s erbem vévody z Kuronska a Zemgalie.

Následuje kočár s princeznou Vilemínou a slečnou Julií z Vietinghoffu, důvěrnicí a doživotní Dorotheinou přítelkyní. Další vozy vezou vévodský doprovod a těžké náklady.

Tato cesta, trvající s přestávkami dva a půl roku, měla bezesporu značný vliv na malou Kateřinu Vilemínu. Nekonečné hodiny v kočárech obtížně snášeli dospělí, natož tříleté dítě. Opatrovnice musela vynaložit všechen svůj výchovný um, aby dítě zabavila. Kočárový průvod ujížděl po tvrdých prašných silnicích, vystaven rozmarům počasí, střídání teplot a jiným nahodilým situacím. Po dešti se měnily cesty v kaluže bláta, kola klouzala, koně se bořili, jindy lomcovaly kočáry poryvy větru.

Za okny pomalu míjela krajina. Chůva upozorňovala dítě na pasoucí se ovce a skot, na lidi pracující na polích, domy a kostelíčky, plachetnice brázdící hladinu Baltského moře. Princezna znavená pozorováním usínala za drkotavého zvuku kol, který se nadlouho stal její ukolébavkou. Pro malou Vilemínu byla cesta zkouškou trpělivosti, ale především školou vůle a sebekázně. Dítě, navyklé pobíhat a skotačit v rozlehlých parcích a prostorných komnatách, bylo uzavřeno do kočárové kabiny. Jen občas průvod zastavil, aby se cestující protáhli a občerstvili a koně přepřáhli a napojili.

První větší zastávkou byl Královec, kde žil Dorothein bratranec hrabě Keyserling. V jeho domě vládly ty nejjemnější způsoby a častým hostem zde býval filozof Immanuel Kant. Dorothea zvyklá z domova obklopovat se vzdělanými lidmi s nadšením naslouchala učeným rozhovorům.

Pak přišlo město Schwedt a návštěva u markraběte Brandenburga. Starý pán byl velkým milovníkem umění a na počest hostů byla na zámecké scéně provedena opera od Johanna Gottfrieda Naumanna. Tento skladatel byl mnohými ctiteli hudby koncem 18. století kladen na roveň Wolfgangu Amadeovi Mozartovi. Vévoda Kuronský se s Naumannem osobně znal a nejednou si u něho objednal hudbu pro vlastní divadlo.

Konečně se na obzoru objevil Berlín. Bratři vévodkyně, Karel a Johann Medemovi, kteří zde působili jako důstojníci v pruských službách, opatřili sestře a švagrovi byt v zámku Friedrichsfelde. Stál nedaleko města a byl letním sídlem prince Ferdinanda, nejmladšího bratra pruského krále. Princ Ferdinand nabízel Petru Bironovi zámek ke koupi. Vévoda však zpočátku váhal. Pohrával si s myšlenkou postavit si palác poblíž centra. Nakonec dal souhlas k sepsání kupní smlouvy. Vévoda Kuronský s chotí bývali často návštěvou u starého krále Fridricha Viléma I. Bylo mu pětaosmdesát let a vstoupil do posledního roku života. Od Elisy von der Recke, která královský zámek navštívila nedlouho předtím, se dovídáme, jak pruský král žil:

„V jeho pokojích to vypadalo značně staromládenecky, neboť jeho milovaní psi nenechali žádnou židli neposkvrněnou. Koberce byly hrubé a na četných místech potrhané. Jeho lůžko se skládalo z jedné matrace a jedné hedvábné přikrývky. Jeho garderoba visela v malé průchozí chodbě a bylo to všehovšudy půl tuctu obnošených kabátů."

K vévodkyni Kuronské se starý král choval pozorně. Často jí posílal košíčky s ovocem a krásnými květinami, mezi něž zasunul psaníčko s několika přátelskými slovy.

V měsíci září se konaly v Berlíně každoročně vojenské přehlídky. V roce 1784 se jí jako čestní hosté zúčastnili i vévoda Kuronský a jeho žena. Petr se ustrojil do uniformy pruského generála, Dorothea se objevila v husarské uniformě na krásném oři z královského hřebčína. Místo žlutých jezdeckých kalhot si oblékla žlutou koženou sukni, seděla v sedle štíhlá a rovná jako svíčka a strhávala na sebe oči všech přihlížejících. Zajisté i oči malé Kateřiny a její opatrovnice slečny Julie Vietinghoffové.

Po příjemných dnech v Berlíně se muselo pokračovat v cestě, mělo-li se ještě za přijatelného počasí projet alpskými silnicemi a dorazit do Itálie dřív, než na horách napadne sníh. K vévodské svitě se přidali i oba Dorotheini bratři. Cesta vedla přes Drážďany, kde byl vévodský pár přivítán na saském dvoře. Seznámili se s rodinou soudního rady Gottfrieda Körnera a s jeho švagrovou, malířkou Dorou Stockovou.

Tak vypadalo prostředí, v němž získávala princezna Kateřina Vilemína své první životní zkušenosti. Stále jiní lidé, neznámé domy a nové pokoje. Bez reptání musela spát v cizích postelích a tiše naslouchat hovorům, jimž nerozuměla. Uměla se představovat a odpovídat bez ostychu na otázky, učila se konverzaci a slušnému chování. To vše utvářelo její osobnost, ovlivňovalo vkus a zanechávalo hluboké podněty pro její budoucnost.

Sledujme z tohoto zorného úhlu, jak probíhala italská cesta. Najdeme zde zřejmě vysvětlení, proč právě Itálie přitahovala Kateřinu Zaháňskou přímo magnetickou silou až do posledních dnů jejího života. Z Drážďan zamířili přes Mnichov do Innsbrucku a pokračovali přes Brenner do Itálie. Pro obyvatele Pobaltí, navyklé vídat kolem sebe převážně roviny, se otvíraly nevídané pohledy. Výmluvně to dosvědčuje dopis vévodkyně Dorothey otci, kde se s dívčí obrazotvorností pokouší o výstižné přirovnání:

„Innsbruck leží na dně zelného sudu, jehož šedivé stěny jsou pohoří s okraji plnými sněhu. Nahoře je sud převázán nejkrásnějším modrým hedvábím oblohy."

I princezna Kateřina Vilemína vzhlížela k nebetyčným horám a dívala se na dřevěné alpské domky, kravičky pasoucí se na horských pastvinách, kamzíky hbitě prchající před projíždějícími kočáry, zlatavé svišťě panáčkující na skalnatých svazích a lidi ve zvláštních krojích.

Jiné sdělení putovalo do Drážďan k Doře Stockové:

„Tak jsme nyní v Itálii, vytouženém cíli všech, kteří musí žít na severu. Na celé cestě od Bolzana nebo spíš od Innsbrucku až sem jsme promluvili sotva deset slov; tak nás zaměstnávaly pohledy na krajinu, která se od severu k jihu svažuje a pozvolna mění z Německa v Itálii. Nikdy jsem si neuměla představit, že ve volné přírodě rostou stromy, na jejichž větvích místo třešní nebo jablek visí žluté citrony. Zde jsem se o tom mohla mnohokrát přesvědčit… Chtěla bych být malířem a svým přátelům posílat místo dopisů obrazy."

Nutno dodat, že Dorothea skutečně malovala a během cest si pořizovala vlastní kresby a náčrtky.

Itálie přinášela denně nové dojmy a prožitky: cypřiše, pinie, olivy, roztodivné květiny, vonnou myrtu, mramorové sochy, zelené zahrady a bílé nebo okrové paláce. Připomeneme-li si trasu, kudy se tehdy vévodský průvod z dalekého severu ubíral, najdeme vysvětlení, proč právě sem se vévodkyně Zaháňská v dospělosti opakovaně vracela: Verona, Vicenza, Padova, Benátky, Boloňa, Florencie, Řím, Neapol a ostrov Ischia.

Ve Veroně bydleli v krásném „palazzo Giusti", kolem něhož se

39

rozkládá jedna z nejkrásnějších zahrad Itálie. Na desce upevněné na palácové stěně směrem do zahrady můžeme dodnes číst následující slova:

PETRO
MAGNANIMO. PRAESTANTI
CURLANDIAE. SIMIGALLAE. DUCI.
ANNAE DOROTHEAE
LECTISSIMAE: VENUSTISSIMAE: UXORI
JUSTORUM
AEDES: VIRIDARIUM
TRAMITTES: ANTRA: FONTES
AETERNUM: DICENT 13. Jan. 1785

Petrovi
šlechetnému, urozenému
vévodovi z Kuronska a Zemgalie
Anně Dorothee
vznešené a půvabné manželce
dům Giusti
zahradní cesty
jeskyně a prameny
budou navždy připomínat 13. leden 1785

V Boloni založil Petr Biron nadaci a rozhodl, aby z ní bylo vypláceno stipendium na studia nemajetných žáků s uměleckým talentem a aby z těchto peněz byli odměňováni mladí úspěšní umělci. Zakládací částka činila 1 000 scudi a nadaci spravovala boloňská *Accademia Clementina*.[2] Z této nadace byli mladí umělci podporováni až do druhé světové války zcela ve smyslu Petrova přání. Na počest štědrého dárce zhotovil boloňský sochař Mario de Maria mramorovou bystu vévody Kuronského. Toto vzácné dílo bylo umístěno na novoklasicistním podstavci a stojí dodnes v „Kuronském sále" Akademie krásných umění. Zde byl později uložen i životopis Petra Birona sepsaný Kateřinou Zaháňskou.

Někde tady na severu Itálie oslavili Dorothea, malá Kateřina i Petr Biron, všichni narození v měsíci únoru, své narozeniny. Dorothee bylo čtyřiadvacet let, Petrovi jedenašedesát a Kateřině čtyři roky. Čtyři roky je věk, kdy dítě začíná uvědoměleji vnímat svět kolem sebe a ukládat do paměti souvislejší vzpomínky. Dojmy z italské cesty se zapsaly do povědomí vnímavého dítěte a vytvořily pevný základ pro trvalý vztah k této zemi. Čtyři týdny se zdržela vévodská výprava v Římě. Na Petrovo přání se zde pořizoval portrét Dorothey. Malovala ji tehdy proslulá švýcarská malířka Angelika Kaufmannová (1741–1807).

Druhý obraz, malovaný v Římě rovněž na vévodovo přání, představuje čtyřletou princeznu Vilemínu v bílých šatičkách sahající po třešních.

Nejjižnějším místem, kam mířil vévoda Kuronský, byla Neapol a ostrov Ischia. V Neapoli se pozdravili s Ferdinandem IV. Bourbonským, králem obojí Sicílie, a s jeho chotí královnou Karolinou Marií, dcerou Marie Terezie. Otylý král se oddával jen radovánkám a lovu a královna milenci lordu Actonovi. Všude panoval nepořádek, korupce a násilí.

Dorothea v dopise bratranci Keyserlingovi do Královce takovou vládu odsuzuje a předvídá povstání lidu:

„Meč a šibenice budou trestat, až lid unavený násilím se pozvedne k pomstě."

V Neapoli byli Petr a Dorothea častými hosty anglického vyslance sira Williama Hamiltona, znalce antického umění a vášnivého sběratele starožitností. Podílel se na archeologických vykopávkách v Pompejích a Herkulaneu a ve svých sbírkách vlastnil i díla Leonarda da Vinci a Domenica Campagnoly. Více než třicet let zastával v Neapoli úřad vyslance a za tu dobu jeho dům proslul nejen jako stánek umění, ale i jako místo, kam přicházeli významní návštěvníci. Z terasy se otvíral široký pohled na otevřené moře. Aby zvýšil působivý efekt, opatřil sir Hamilton stěnu domu zrcadly a jeho hosté, když pili na terase čaj, měli dojem, že jsou ze všech stran obklopeni mořem.

Neapol s Vesuvem v pozadí a ostrov Ischia vévodskému páru učarovaly. Petr se podroboval lázeňským procedurám, aby si upevnil zdraví, Dorothea v doprovodu malíře krajináře Philippa Hackerta jezdila na soumaru po ostrově a rozmlouvala s lidmi. Nad hlavou azurové nebe, kolem subtropická vegetace a blahodárné teplo. Vévoda byl fascinován přírodou, italskými stavbami a zejména antickými památkami. Inspirován sirem Hamiltonem kupoval obrazy, sochy a plastiky a zařizoval jejich transport do zámku Friedrichsfelde, který se mezitím stal jeho vlastnictvím.

V Neapoli vznikal další portrét vévodkyně. Tentokrát seděla modelem slavnému malíři Heinrichu Wilhelmu Tischbeinovi (1751–1829). Rok strávený v Itálii rychle uplynul a bylo třeba myslet na návrat. I když v poslední době začaly docházet z Kuronska dopisy s nepříznivými zprávami, vévoda byl rozhodnut zatím se do Mitavy nevracet. Byl příliš zaujat myšlenkou na budování zámku Friedrichsfelde. Těšil se, jak bude zavěšovat obrazy a rozestavovat vázy a sochy, které si zakoupil.

Na zpáteční cestě je v Lipsku zastihla smutná zpráva. V Kuronsku nečekaně zemřel Dorothein otec Fridrich Johann von Medem.

Elisa von der Recke nabádala sestru k návratu. Ale Petr Biron se zdráhal. Přál si konečně okusit života svobodného a váženého muže, věnovat se četbě a uspořádat sbírku uměleckých předmětů, podobnou té, jakou viděl u anglického vyslance v Neapoli.

Zjara 1786 se vydaly vévodské kočáry na novou cestu. Tentokrát zamířily na západ. Cílem bylo Holandsko, kde Petr vlastnil venkovské sídlo, dědictví po otci, které však dosud nikdy neviděl. Později je zase prodal a dnes už není k vypátrání, a ani nikdo z potomků neví, kde se toto sídlo nacházelo.

Vilemína doprovázela rodiče a spolu s nimi se zúčastnila svatby své starší polosestry, hraběnky Henrietty Frederiky z Wartenbergu, nelegitimní dcery vévody Petra Birona. Brala si hraběte Karla Filipa z Hardenbergu, právníka, který se v příštích letech stal právním poradcem vévodkyně Kuronské.

Léto strávili Petr a Dorothea opět na zámku Friedrichsfelde. Zámek byl původně jednoduché venkovské sídlo; později byl přestavěn a rozšířen a získal podobu letního sídla. Zde se narodil 17. 11. 1772 syn prince Ferdinanda, princ Louis Ferdinand. Po čtrnácti letech se ucházel o ruku Kateřiny Zaháňské. Nyní mu bylo čtrnáct a rozdíl mezi ním a pětiletou princeznou Vilemínou byl v té době velký.

Stále ještě docházely bílé sochy antických bohů, pečlivě zabalené, aby přečkaly dalekou cestu. Nyní se rozmisťovaly v zeleni zámeckého parku a Petr se díval, jak se vyjímají mezi stromy a keři.

Po cestičkách sypaných pískem se procházela princezna Vilemína, bedlivě střežená vychovatelkami nebo vedena otcem za ruku. Zajisté i toto budování rodinného domu a zahrady utvářelo její vkus a zjemňovalo smysl pro tvar a barvu, s nimiž později tak obratně řídila výstavbu zámku v Ratibořicích.

Vévodkyně Kuronská pořádala setkání se vzdělanými muži. Do zámku Friedrichsfelde přicházeli filozofové a různé významné osobnosti. Petr se zas zabýval otázkami majetkovými a myslel na zajištění budoucnosti.

V létě roku 1786 přikoupil ke svému pruskému panství Wartenberg (Syców) panství Zaháň ve Slezsku. Wartenberg vlastnila rodina Bironů již od roku 1734, kdy je zakoupil Ernst Biron a stal se tak svobodným pánem v Prusku. Zámek i titul po něm zdědil Petr. Vévodství zaháňské prodávali v roce 1786 poručníci mladého knížete Lobkowicze. Koupil je princ Fridrich Ludvík von Hohenlohe-Ingelfingen 29. května 1786 a téhož dne je prodal Petru Bironovi za jeden milion zlatých. Lenní královská listina je datována 5. července 1786.

Protože Petr Biron neměl mužského potomka, zavázal se pruský král, že vévodský titul bude moci přejít na potomka ženského rodu, v tomto případě na princeznu Kateřinu Vilemínu. Dosud však nebylo rozhodnuto, protože Dorothea čekala opět dítě. Všichni doufali, že se narodí syn.

Petr se koupí nových statků stal jedním z nejbohatších mužů ve střední Evropě. Mohlo se zdát, že nyní je vévoda šťastný a že pod střechou zámku Friedrichsfelde vládne pohoda a mír. Ale nebylo tomu tak. Zasloužily se o to dopisy z Kuronska. Byla to zejména Elisa, která ve svých listech podrobně popisovala, co se od vévodova odjezdu událo.

Také Dorothea z obav, aby zrádní místodržící nepřipravili Petra o trůn, radila vrátit se domů. Tím si popudila muže i proti sobě. Petr se vymlouval, že chce opět cestovat. Lákala ho Angie, a dokonce navrhoval, že by se dítě mohlo narodit právě tam.

Elisa von der Recke, rozrušena touto zprávou, varovala před tím, že by ruská carevna, kdyby se narodil chlapec, mohla prohlásit dítě narozené v cizině za podstrčené a upřít mu dědičné právo na kuronský trůn, nebo dokonce ihned připravit vévodu o léno.

Petra tyto noviny dráždily, vyvolávaly jeho hněv proti Elise i Dorothee a odpor proti všem, kteří v době jeho nepřítomnosti svévolně pozměňovali staré zvyklosti, hospodařili do vlastní kapsy a usilovali o jeho sesazení. Mezi manžely docházelo k vážným nedorozuměním.

Dorothea se nakonec rozhodla jednat na vlastní pěst. Byla v sedmém měsíci těhotenství, a mělo-li se dítě narodit v Kuronsku, byl nejvyšší čas k návratu. Zahalena do houní a kožešin vydala se v prosinci 1786 na cestu, doprovázena jen bratrem Karlem. Petr a Vilemína zůstali v Berlíně. To byl první vážný rozkol mezi manželi. Bohužel se měl v budoucnosti více a více prohlubovat.

Když vévodkyně překročila ve svém kočáře hranice Pruska a Kuronska, vítaly ji slavobrány a zastupy lidí. Cesta od hranic až do hlavního města se podobala triumfální jízdě.

Po příjezdu na mitavský zámek navštívili vévodkyni vrchní radové a další úředníci. Dorothea dobře věděla, že zdaleka ne každému z nich může důvěřovat, ale vyslechla jejich stížnosti a připomínky s klidem a milou tváří. Tím všechny odzbrojila a znemožnila jim napadat nebo urážet vévodu. Předstírala, že je přesvědčena, že mezi vévodou a Kuronskem je všechno v nejlepším pořádku. Zvítězila tak svou velkorysostí a diplomacií.

Pak pokračovala v cestě do Würzau. Dcery povyrostly a změnily podobu. Paulině se blížil pátý rok, Johaně bylo tři a půl roku.

Dorothea zaměřila hlavní úsilí na vytvoření příznivých podmínek pro Petrův návrat. Z tohoto důvodu přešla 3. února tiše své dvacáté šesté narozeniny, ale naopak vévodovy narozeniny slavila s předstihem několika dní okázale a s pompou. K slavnostní tabuli pozvala mnoho hostů včetně všech čtyř vrchních radů. Využila této příležitosti k zacelení trhlin, které vznikly v době jejich nepřítomnosti.

Vzápětí po oslavách se 23. února 1787 narodilo kuronskému vévodskému páru čtvrté dítě. Když bylo oznámeno, že se narodil syn, zachvátila zemi vlna radosti. Křtiny se konaly až po šesti týdnech. Dorothea doufala, že se jich účastní sám Petr. Ale když se nevrátil, zdůvodnila čekání tím, že se chtěla křtin po uplynutí šestinedělí osobně zúčastnit. Zástupy lidí jí kráčely naproti a doprovodily vévodkyni a následníka trůnu až ke kostelu.

Po křtinách navštívil Dorotheu von der Howen a přednesl svůj návrh: ať vévodkyně převezme po Petrovi v zemi vládu a on ji bude za ni vykonávat. Vévoda klidně může zůstat v Prusku a také ona ať bezstarostně cestuje. On, von der Howen, zastane všechno sám.

Dorothea samozřejmě nesouhlasila. Napsala manželovi dopis, v němž ho zapřísahala, že musí přijet a zachránit trůn pro jejich syna, jemuž dala po otci jméno Petr.

Petr Biron se vrátil, ale věci nevzaly obrat k lepšímu. Petr, ač vynikající stratég, pokud šlo o peníze a obchodní operace, selhával, měl-li se projevit jako taktik a diplomat. Neuměl věci projednávat s chladnou hlavou. Ztrácel nadhled, vybuchoval, uraženě odcházel, uzavíral se před všemi a přenášel svůj hněv na celé okolí. Byl přesvědčen o svém právu a podle toho jednal.

V zemi odebral domény těm, kteří si je v době jeho nepřítomnosti přivlastnili. Proti tomu se ovšem vzepřel zemský sněm, který převody státních pozemků do soukromých rukou schválil.

Petr se obrátil o pomoc na svého lenního pána, polského krále Stanislava II. Augusta Poniatovského.[3] Starý spor mezi oběma byl zapomenut a král se tentokrát postavil na Petrovu stranu. To ovšem pobouřilo kuronské stavy. Vytýkaly Petrovi, že obešel kuronský zemský sněm, a polskému králi, že rozhodl sám, bez říšského sněmu ve Varšavě. Jedině říšský sněm mohl podle nich říci poslední slovo a rozhodnout, na čí straně je právo.

Takový byl závěr Petrovy „cesty do Itálie". Prožil krásnou dobu, získal více poznatků než během celého předchozího života. Stal se jedním z nejbohatších, ne-li přímo nejbohatším mužem střední Evropy. Ale nenašel klid a pocit uspokojení. A tato skutečnost ovlivnila další chod událostí.

45

(VI)
Princezna Vilemína

Z dětství Kateřiny Vilemíny se nedochovalo mnoho vzpomínek. Zmínky o malé princezně nenacházíme ani v dobové korespondenci a v denících tety Elisy jen ojediněle. Když se Vilemína vrátila s otcem z Berlína do Würzau, bylo jí šest let. K oběma sestrám, které takřka vymizely z její paměti, přibyl bratříček Petr. Ten soustředil nyní na sebe pozornost, protože byl jediným chlapcem a navíc dědičným princem. Vilemína si musela na dětskou společnost a dětské hry teprve zvykat. Stálým kontaktem s dospělými nabyla charakteru přemoudřelého děcka. Přijala způsoby dospělých a podobala se jim mluvou i zájmy.

O děti pečovala chůva paní Gerasimská, původem Ruska, a francouzská vychovatelka mademoiselle Massonová. Dívky si osvojily vedle němčiny především francouzštinu, a to slovem i písmem, a základy ruštiny. Princezna Vilemína v osmi letech předčítala otci noviny a stati z historických knih.

Příjemnou změnou pro princezny se staly chvilky strávené ve společnosti tety Elisy. Byla v té době již známou spisovatelkou a její písně a prózy pronikly až do Pruska a Ruska. Sama ztratila před roky svou jedinou dcerku Frederiku a sestřiny děti jí nahrazovaly vlastní dítě.[1]

Rok po narození malého Petra se slavily na vévodském dvoře další křtiny. Patřily tentokrát sestřičce Charlottě, narozené v lednu 1788.

Tehdy vyprávěla teta Elisa dětem, že jim sestřičku daroval Pánbůh, a proto že musí být po celý rok hodné a způsobné. To jí musely rukoudáním slíbit a rovněž to, že budou mít stále na paměti, že Bůh o všem ví a všechno vidí.

Pak jim řekla, že kvůli svému zdraví pojede brzy do Karlových Varů. Děti projevily nad touto zprávou lítost a Vilemína padla tetě kolem krku a prohlásila:

„Já nechci myslet stále jen na to, že Pánbůh všechno vidí, já budu také myslet na tebe, teto, a chci ti dělat radost."

Elisa von der Recke, sama horlivá protestantka a zamlada také okultistka, s oblibou vyprávěla svým neteřím o Bohu. Její vyprávění bývala laděna do vážného, až tajemného tónu, což se Vilemíně příliš nelíbilo. V tom se podobala otci. Byla jako on zaměřena na reálný život kolem sebe. Mnohem více ji přitahovala skutečnost než svět fantazie a snů. 23. března 1790 padl na vévodský zámek, ale i celé Kuronsko smutek. Ve věku tří let zemřel princ Petr, v němž všichni viděli příštího vladaře. Rok po něm zemřela ve stejném stáří nejmladší Charlotta. Navíc i sám vévoda v té době těžce onemocněl a byly obavy o jeho život. Churavěla i Dorothea. Dva po sobě následující porody, špatné poměry v zemi, rozpory s mužem a synova smrt jí podlomily zdraví. Zjara 1790 odcestovala proto do Karlových Varů v naději, že se její zdravotní stav zlepší.

Vévoda požádal manželku, aby na zpáteční cestě zajela do Varšavy a na říšském sněmu připomněla těžkosti příslušníkům rytířstva, kteří si přivlastnili část léna polského krále a nechtěli je vrátit. Petrovi bylo šedesát šest roků a jeho předchozí složitý běh života natolik vyčerpal jeho síly, že neměl chuť ani odvahu se pouštět do dalších mocenských bojů.

Půl roku zůstaly děti bez matky. Dorothea se setkala v Drážďanech se sestrou Elisou, z jejíchž podrobných zápisků je možno si udělat obrázek i o devětadvacetileté vévodkyni Kuronské. V této době si začínala uvědomovat své mládí a sem spadá i začátek oslabení manželských pout. Ochrnutí manželského vztahu samozřejmě nezůstalo bez vlivu na děti a rodinný život.

V Karlových Varech se sestry ubytovaly v hotelu „U pomerančovníku" a Dorothea byla životem v lázních nadšena.

22. června uspořádala snídani na levém břehu říčky Teplé. Na louce sevřené malebnými skalami bylo prostřeno několik stolků, jejichž hostitelkami byly Dorothea, Elisa, dvorní dáma Julie Vietinghoffová a malířka Dora Stocková. Každá obsluhovala svůj stolek a servírovala hostům. Zatímco u jiných stolků usedli vzácní páni z Berlína, Slezska a Saska, Dorothea pozvala ke svému stolku „urozené Pražany a Poláky", k nimž pociťovala zvláštní sympatie.

Ze skály nad loukou zněla dechová hudba, u stolů vládla skvělá nálada a jeden z přítomných řekl Elise:

„Kdyby se všechna knížata chovala tak jako vaše sestra, pak by se panovalo pomocí půvabu a laskavosti."

V Elisině deníku čteme:

„Dnes ráno oslnila svým půvabem více než padesát osob a všichni se shodli, že pojmenují louku za Českým sálem na počest mé sestry *Louka Dorotheina*... Na její počest chce několik českých hrabat, kteří dnes rozmnožili naši společnost, postavit na skále, odkud zněla hudba, altán."

Tento altán byl českými šlechtici rok poté skutečně postaven a nazván *Dorothein pavilon*.

Z lázní jely sestry do Výmaru, kde se setkaly s Goethem, Herderem a Wielandem, dále do Erfurtu a přes Pyrmont do Zaháně. Za zmínku stojí i výlet po Labi do Čech, který podnikly spolu s rodinou Körnerových. Byl to údajně právě G. Körner, kdo dal této rozkošné, tehdy ještě málo navštěvované krajině název Českosaské Švýcarsko. Elisa si o této cestě zaznamenala:

„Mé pero je příliš slabé, než aby mohlo popsat tento dojemný půvab. Nová byla pro mne hypotéza přírodovědců, že část Čech byla kdysi velkým jezerem a že u Ústí nad Labem rozervala voda jako při přírodní revoluci skály a uvolnila cestu toku Labe: tak se změnilo velké stojaté jezero postupně v úrodnou zemi... Je pozoruhodné, že oba břehy Labe jsou stejnoměrně navrstvené, z čehož lze usoudit, že jen obrovitá síla je mohla od sebe oddělit. Dojem, jaký na mne učinily tak fantasticky utvořené skalní skupiny ve Wehlenu, se nedá popsat. V tomto romantickém údolí bych chtěla nenápadně, daleko od společenské vřavy, dožít svůj život. Přála bych si, abych pro všechny známé platila za mrtvou a aby mě zde navštěvovali jen moji nejlepší přátelé."

Další zastávkou byla Zaháň.

Elisa spatřila novou vévodskou rezidenci poprvé a nebyla jí nadšena:

„Zámek je starý a tmavý, okolí ploché a písčité, jen park a řeka Bobr poněkud zmírňují nepříjemný dojem, který na mne tento pustý zámek učinil."

Sestry doprovázel hrabě Gessler, přítel Körnerův a vyslanec z Drážďan. Elisa k němu vzplanula platonickou láskou, ale on měl oči především pro mladší a přitažlivější Dorotheu. Té jeho obdiv lichotil a neubránila se vrozené koketerii.

Jednoho večera, když Elisa seděla s hrabětem v zámecké komnatě a doufala, že konečně získala jeho náklonnost, zazněly z vedlejšího pokoje tóny klavíru. Dorothea hrála a zpívala Händelovu árii *Caro mio ben*.

Její hlas zněl sladčeji a úchvatněji než kdykoli předtím. – Gesslerův obličej se zachmuřil a Elisa byla dojata. Pak se vzpamatovala a zeptala se: „Nepůjdeme za sestrou? Zpívá Vaši nejmilejší árii...“ Šli za ní. Dorothea seděla u klavíru v bílém nočním šatě, ohnivě červená stuha pod ňadry zdůrazňovala krásné tvary jejího těla; vlasy jí zdobil věnec z dubových listů.

V Elisině deníku čteme:

„ Zpívala s výrazem, jaký jsem u ní dosud nezažila, její ohnivé a přece plaché oči ulpěly na Gesslerovi s rozkošnou nevinností a vroucností.“

Příběh pokračoval ještě druhý den ráno. Elisa si časně vyšla do parku, kde potkala hraběte Gesslera a zanedlouho se objevila i Dorothea.

„Sestra se vznášela lehkým krokem Grácie parkovou cestičkou a blížila se k nám. Jako ranní červánek stála před námi v bílých vlajících šatech. Růžová podšívka prozařovala tenkým východoindickým mušelínem. Stuha stejné barvy, pod bradou uvázaná na mašli, přidržovala lehký slaměný klobouk, který dodával jejímu obličeji výraz rozkošné rozpustilosti... Mám také zálibu v hezkém oblečení, ale bylo by mi bývalo milejší, kdyby se ta pěkná žena nebyla hned po ránu objevila v tak vybrané ranní toaletě... Za pomoci Vietinghoffové a svých komorných se má sestra převlékala třikrát až čtyřikrát denně a vždy tak, aby její vybraný vkus budil obdiv a aby dala vyniknout půvabům své postavy.“

Celou příhodu s hrabětem Gesslerem zhodnotila Elisa slovy:

„Dorothee se dvořilo více mužů. Leckterý z nich se jí snažil přiblížit kvůli jejím penězům, ale hrabě G. ztratil hlavu pouze z jejích půvabů a Dorothea se této hře zcela oddala.“

Ve Varšavě byly vévodkyně Kuronská i její sestra uvítány králem Stanislavem co nejsrdečněji. Osobně se zúčastnily říšského sněmu a vracely se s nejpříznivějšími sliby domů do Kuronska, kam dorazily 27. listopadu 1790. Dorothea se vracela po půlroční nepřítomnosti, Elisa byla vzdálena rok a půl. Vévoda i děti je vítali nadšeně. Elisa si zapsala:

„Žiji zase v kruhu drahých dětí mé sestry, které se do jednoho narodily v mých rukou a které mateřsky miluji.“

Večer se na počest návratu obou sester, o jejichž vřelém přijetí na polském královském dvoře už doletěly s předstihem zprávy do Kuronska, konala velká slavnost.

Přijel i Howen a mnoho šlechticů a zdálo se, že mezi vévodou a stavy dojde k smíru. Na zámecké scéně se dávala zpěvohra, vystupovali dvorní kavalíři a zámecká kapela. Po operetě, když se znovu zvedla opona, stály na jevišti vévodovy děti. Na počest matky předvedly balet, k němuž na Petrovu žádost složil hudební doprovod jeho přítel, hudební skladatel Naumann. Živý obraz představoval oltář, na němž bylo zlatými písmeny napsáno jméno matky, děti klečely před oltářem a pak za zvuků hudby zvedly vzhůru ruce a utvořily okolo oltáře věnec. Touto alegorií dávaly děti, ale především Petr, najevo vděčnost, že se matka vrátila a že rodinný kruh je uzavřen.

Tak si to bezpochyby vévoda přál, ale rok 1790, kdy Dorothea převzala svou diplomatickou misi, znamenal de facto konec jejich manželského života. Rodinné vazby začaly ztrácet na pevnosti.

Elisu přivítaly srdečně i obě vychovatelky, paní Gerasimská a slečna Massonová, ale i vévoda přemlouval švagrovou, aby zůstala ve Würzau. Když po snídani Dorothea vstala od tabule a odcházela, prosil Petr Elisu, aby ještě poseděla, a pak jí vyprávěl ze svých nepřeberných vzpomínek z mládí a bavil se s ní. Toužil po spřízněné duši.

Ke konci roku 1790, když se blížil Vilemíně desátý rok, se váže následující příhoda:

Vrchní hospodář pan Buttler, jehož vliv na vévodu byl známý, odebral jedné vdově pronajatou pastvinu, protože nezaplatila část nájmu. Aby získal peníze zpět, dal celý majetek této chudé pachtýřky do zástavy, což na ni a jejích pět sirotků tvrdě dolehlo.

Žena se obrátila na princeznu Vilemínu a prosila ji, vědoma si toho, že je otcovým miláčkem, u vévody o přímluvu. Dorothea se do této záležitosti neodvážila vměšovat, protože Buttler už rozhodl. Vilemína požádala otce, aby chudé ženě dluh odpustil. Otec jí s nelibostí odpověděl:

„Děti se nemají do takových věcí plést; koneckonců je to věc pana Buttlera; ten snad ví, co dělá!"

Princezna mlčela, ale když se vrátila do svého pokoje, poslala, aniž komukoliv co řekla, pro pana Buttlera. Sdělila mu, že prosila otce, aby odpustil chudé pachtýřce nájem, ale on že řekl, aby se nemíchala do věcí, do kterých jí nic není, a zdůraznil, že je to záležitost, o které může rozhodnout pouze pan Buttler. Proto se obrací na něho. Vděčně by přijala, kdyby vzal její prosbu na vědomí a nešťastné ženě částku 200 tolarů odpustil. Pravila, že by nikdy nezapomněla, kdyby její prosba vyzněla naprázdno. Pak ho se vzdorovitým výrazem opustila, aniž vyčkala jeho odpovědi. Buttler neměl odvahu Vilemíně prosbu odmítnout. Chudé ženě byl dluh prominut.

Lze se domýšlet, že Petru Bironovi jednání jeho prvorozené dcery imponovalo. Jediný syn mu sice zemřel, ale v Kateřině mu rostla nadějná kandidátka na vévodský titul.

Zjara 1791 zemřela, jak již bylo uvedeno, na zápal plic nejmladší dcera Charlotta. Brzy poté se Dorothea vydala na další cestu. Podnět k ní vyšel opět od vévody, který si přál, aby Dorothea ještě jednou zopakovala svůj úspěch u polského dvora a věc Kuronska dovedla u říšského sněmu ke zdárnému konci.

Do Polska doprovázela Dorotheu opět sestra Elisa, Julie Vietinghoffová a ostatní družina. Vévodkyně obnovila v Polsku své známosti, navázané v minulém roce.

Mezi její přední přátele se zapsal abbé Scipion Piattoli, původem Florenťan, bývalý jezuita, který se dostal do Polska jako vychovatel prince Lubomirského. Tento vzdělaný a oduševnělý muž si svým vybraným chováním získal sympatie polského krále. Nejprve ho přijal jako knihovníka, pak ho povýšil na svého tajného sekretáře. V době, kdy se s ním seznámila Dorothea, pracoval Piattoli na nové polské ústavě, později označované jako ústava 3. května 1791. Jako zastánce moderních doktrín měl porozumění i pro požadavky kuronského vévody proti vzmáhající se rytířské šlechtě.

Dalším mužem, který byl Dorothee příznivě nakloněn, byl polský hrabě Alexandr Batowski. Dorothea, jíž se hrabě znalý mravů velkého světa líbil, si získala jeho přízeň také slzami nad obavou, že jí vévoda nikdy neodpustí, vrátí-li se z Varšavy s nepořízenou.

Zjara 1791 byl však říšský sněm plně zaměstnán novou ústavou, a tak odročili kuronskou záležitost až na podzim.

Dorothea se domů nevrátila. Opojena kouzlem volnosti usmyslila si znovu zopakovat lázeňský pobyt v Karlových Varech.

Při této příležitosti navštívila také Prahu, aby zhlédla její pozoruhodnosti. Přicestovala sem se svou společností po Labi a Vltavě. Navštívila tehdejší Císařskokrálovskou knihovnu (pozdější Univerzitní knihovnu) v Klementinu, kde se všichni zapsali do pamětní knihy. Vévodkyně byla nadšena krásou města na Vltavě.[2] Praha se na začátku léta téměř vylidnila a vévodkyně měla pocit, že město patří pouze jí. Bydlela v hotelu „V lázních" a s oblibou se procházela úzkými starobylými uličkami. Byla okouzlena Kampou, středověkými domy, věžemi a kopulemi, které se ve večerním slunci lesky jako ryzí zlato. Jednoho dopoledne navštívila Dorothea se sestrou Elisou Hradčany. Generál hrabě Kinský, jenž zde vykonával službu, se vévodkyně ujal a dal na její počest nastoupit hradní stráž a zahrát vojenský pochod.

Oběma dámám potom z hradního ochozu ukázal chrámy, kláštery a mosty a upozornil je na příkrou střechu Pinkasovy synagogy. Přitom vyprávěl legendu o Golemu rabbi Löwa. Když se Dorothea s hrabětem loučila, darovala mu růži ze svých šatů. Hrabě se sklonil a políbil vévodkyni ruku. Ještě ve stáří prohlašoval, že vévodkyně Kuronská byla nejpůvabnější žena, kterou kdy viděl: „Její krása, o které mluví celý svět, mě zasáhla jako blesk, jehož oheň plane v mé duši dodnes."

Z Prahy pokračovala Dorothea do Drážďan a dále do Lázní Pyrmontu. Zde se seznámila se slečnou Forsterovou, vychovatelkou mladé hraběnky Wallmodenové. Slyšela o ní mnoho chvály, a když si ji nechala představit, rozhodla se ji přijmout jako vychovatelku a učitelku svých dcer.

Antonie Forsterová byla přibližně ve stejném věku jako vévodkyně. Byla protestantka a při výchově uplatňovala i svůj občanský postoj.

Až sem sahaly Dorotheiny rodičovské zájmy a její smysl pro odpovědnost. O významu mateřské lásky zřejmě mnoho neuvažovala. Antonie Forsterová odjela do Kuronska, ale vévodkyně setrvala na cestách.

Na podzim se Dorothea zúčastnila v Berlíně dvojsvatby dcer pruského krále Fridricha Viléma II., princezen Frederiky a Luisy. Jedna si brala za muže vévodu z Yorku, druhá prince Viléma Nassavského. Ten měl ještě mladšího bratra Fridricha a Dorotheu ihned napadlo, ža by to byla vhodná partie pro její Vilemínu. Děti se znaly z Holandska, z návštěvy podniknuté vévodskou rodinou před pěti roky. Princovi rodiče s nápadem souhlasili, ale jen pod podmínkou, že by jejich synovi připadl nárok stát se také vévodou Kuronským. Dorothea nadšena tímto návrhem se chopila pera a napsala Kateřině II., bez jejíhož souhlasu se nemohla žádná změna na kuronském trůnu uskutečnit.

Carevna odpověděla zdvořile, leč zamítavě. Napsala, že nepřipadá v úvahu, aby se na Kuronsko zvýšil vliv Pruska nebo dalších západních zemí. Pokud jde o ženicha pro Vilemínu, radila něco jiného: Je tu přece ještě větev po Petrově bratru Karlovi. Jsou zde dva synové, které by Petr mohl předem výchovou v Kuronsku na vladařské povinnosti připravit a pak jednoho z nich jmenovat svým nástupcem. To by mohl podle carevny být vhodný manžel pro princeznu Vilemínu.

S tím však nesouhlasil Petr. Nestýkal se s bratrem, který ho tolikrát očernil ze závisti, že se stal po otci vévodou. A o budoucím choti své Vilemíny měl docela jiné představy. Rozhodně nechtěl pro svou dceru ženicha z vlastní krve. Na výchovu synovců však do Petrohradu platil každoročně 24 000 říšských tolarů.

A tak zůstala otázka budoucího sňatku zatím desetileté Vilemíny a nástupnictví na kuronský trůn otevřena.

V listopadu 1791 se objevila Dorothea s Elisou a doprovodem opět ve Varšavě. Strávila zde zimu uprostřed hodokvasů a dvorních slavností. Ženy se obdivovaly jejímu vkusu, s nímž volila toalety, muži ji vítali jako milou společnici. Nadšeně ji přijímali ve všech filozofujících kroužcích. Vévodkyně Kuronská se sama nebrala o hlavní slovo, nechávala se raději poučit. Ochotně přejímala názory vzdělanějších a do problémů zasvěcenějších mužů. I král Stanislav, který rovněž holdoval vědě a umění a vzhledem ke své výchově v Anglii měl spíše punc západoevropského vladaře, usedal rád do její společnosti.

V její blízkosti se stále častěji objevoval i hrabě Alexandr Batowski. Bylo mu tehdy třicet tři roků a pocházel z urozené, ale málo vlivné haličské rodiny. Ve Francii si osvojil vybrané společenské chování a svobodomyslné názory a nyní byl unesen nevšední krásou mladé vévodkyně, i tím, s jakou samostatností a energií bojovala za štěstí rodiny a práva vévodského dvora.

Tak se v zábavě a radovánkách, jichž se zúčastnili šlechtici nejrůznějších jmen a postavení, přiblížil 27. květen 1792. Byl to den, kdy konečně přišla otázka Kuronska na program říšského sněmu. Dorothea usedla do lóže, pro ni stále rezervované, a čekala na výsledek jednání. Ve střehu a v akci byla ovšem i kuronská opozice, která zákulisními intrikami dosáhla nakonec toho, že vévodovy požadavky byly zamítnuty. Po oznámení neblahého výsledku se Dorothea v lóži zhroutila. Musela být vyvedena z jednací síně na vzduch a nepřátelé Petra Birona, kteří tím považovali věc za vyřízenou, rovněž opustili sněm. Na tento okamžik čekal zkušený a věci znalý hrabě Batowski a jeho přítel kníže Kazimír Sapieha. Vzali si znovu slovo a vyžádali si druhé tajné jednání, vědomi si toho, že dle málo známé klauzule mají na takovou výjimku právo. Dříve než se mohli dát oponenti zase dohromady a vyslovit své veto, bylo tajné hlasování ukončeno. Tentokrát ve prospěch vévody.

V dlouhých měsících čekání na ženu přepadaly Petra nejrůznější úvahy. Přes minulé vítězství nahlížel na svou pozici velmi realisticky a znovu si začal pohrávat s myšlenkou odejít z Kuronska a začít nový život kdesi na západě. Měl především na mysli vhodné uložení peněz do nových nemovitostí, a tak přistoupil v roce 1792 ke koupi dvou dalších zámků. Předně získal v dražbě od dědiců rodiny Piccolomini po Františku Antonínu hraběti Desfours z Mont– a Athienville panství náchodské v Čechách se zámky v Náchodě, Ratibořicích a Chvalkovicích. V Berlíně koupil palác Unter den Linden.[3]

Dorothea se vrátila 10. června 1792 po více než roční nepřítomnosti domů. Vévoda ji očekával s netrpělivostí, protože do Kuronska mezitím pronikly všelijaké zvěsti. Ale teď se vracela ověnčena úspěchem a za to byl Petr své ženě vděčen a opět jí na přivítanou uspořádal velkou slavnost. Snad si ani plně neuvědomil, jaká vnitřní změna se mezitím s Dorotheou udála.

Dcery povyrostly a začaly matce odvykat. Vilemíně se blížil dvanáctý rok a vypadala vyspěle. Ve Würzau zaujala hlavní zájem princezen, především vědychtivé a inteligentní Vilemíny, nová vychovatelka Antonie Forsterová.

Slečna Forsterová patřila k výrazným pedagogickým osobnostem, které ovlivňují myšlení i chování svých žáků. Tato učitelka měla na Vilemínu mimořádný vliv a spoluutvářela profil budoucí vévodkyně Zaháňské. Vztah žačky Vilemíny k slečně Forsterové výmluvně dokládá fakt, že asi po třiceti letech vyhledala znovu svou starou učitelku, a to v době, kdy její schovanky odrostly vzdělávacím ústavům a ona jim chtěla dopřát z výchovy to nejlepší, co kdysi poznala sama.

Vévodkyně Kuronská věděla dobře, kdo je slečna Forsterová. Věděla o jejích hlubokých znalostech, osobitých názorech, o jejím anglofilství i o tom, že je prodchnuta osvícenskými ideály šířícími se Evropou po Velké francouzské revoluci. Také na vévodském dvoře brzy poznali, že slečna je „jakobínka", že prosazuje lidskou důstojnost a věří ve změnu starého světa. Odmítla ubytovat se na zámku a stolovat u vévodské tabule. Bydlela ve vedlejší budově a trvala na tom, že její žákyně musí přicházet za ní. Měla v sobě zvláštní hrdost. Chtěla si zachovat nezávislost a osobní svobodu.

Jen někdy přijala pozvání na odpolední čaj, aby pohovořila o dětech a jejich pokrocích. Při těchto příležitostech došlo i na výměnu názorů na uspořádání světa. Vévodkyně byla rovněž nakloněna novým myšlenkám a se zájmem sledovala, co se odehrává v západní Evropě, ale na utopistické vidiny slečny Forsterové reagovala s klidem a obdivuhodnou vyrovnaností. Jednou řekla:

„Nechme to dnes být, milá Forsterová. Počkejme ještě. Tak dlouho se čekalo na ráj, že teď už nesejde na několika měsících."

Jindy zas mínila:

„Musíme počkat. Bylo by nemoudré vyslovovat konečné soudy. Ještě chybí událostem definitivní směr. Dosud je všechno proudící láva. Jakých tvarů nabude, je dnes ještě v neznámu."

Antonie Forsterová pocházela z vesnice Nassenhuben u Gdaňska. Její otec Reinhold Forster (1729–1798) tu původně působil jako protestantský kněz. Literární historik Erwald Gervinus ho označil za zázračné dítě. Chlapec prý mluvil v šesti letech polsky, latinsky a německy a v dospělosti sedmnácti jazyky. Knězem se stal proti své vůli. Byl více zaměřen prakticky. Říkal, že se raději učí od sedláků, než by je vyučoval. Mocně ho přitahovala věda a cestování. Měl bohaté vědomosti z matematiky, etnografie, geografie a roku 1765 přijal pozvání do Ruska, kde měl pomoci pozvednout ekonomiku země. Tehdy jel přes Mitavu se svým jedenáctiletým synem Georgem a byl hostem u hraběte von Medem, otce nynější vévodkyně Dorothey. Přes Petrohrad, Moskvu a Saratov se dostal až na Krym. Po návratu z Rusi se přestěhoval s celou početnou rodinou do Anglie. Nejprve působil nedaleko Manchesteru jako učitel anglického a francouzského jazyka a přírodopisu, později v Londýně. Psal knihy o Rusku a práce z oboru přírodních věd.

Jeho nadaný syn Georg šel v otcových šlépějích. Společně psali knihy a překládali je do němčiny. Život v Anglii, kde větší moc než králi náležela parlamentu, kde se pozvolna rozvíjel moderní průmyslový stát, ovlivnil názory obou mužů a zapůsobil i na dorůstající Antonii.

V letech 1772–1775 se otec i syn zúčastnili jako vědečtí pracovníci s Jamesem Cookem cesty kolem světa. Kniha, kterou po návratu vydali, jim získala velkou popularitu a otec obdržel v Oxfordu čestný doktorát. Po návratu do Německa přijal otec místo profesora v Halle. Georg se stal profesorem na univerzitě v Kasselu, později knihovníkem a dvorním radou v Mohuči. Zde se s ním setkal mladý Klemens Metternich a i on na čas podlehl vlivu jeho idejí.

Georg vyčerpán vědou a marným bojem za lepší svět zemřel v Paříži 10. 1. 1794 v necelých čtyřiceti letech.

To bylo prostředí, které formovalo učitelku princezny Vilemíny a z něhož vyrůstala učitelčina hrdost a vyhraněné názory.

Pro nás je představa o založení a zaměření slečny Forsterové důležitá proto, že téměř vše, co uznávala a prosazovala, přebírala od ní s plnou důvěrou princezna Vilemína. Jen její protestantské vyznání nezapustilo u Kateřiny hluboké kořeny a rovněž vidina spravedlivého světa byla u Kateřiny později usměrněna vědomím příslušnosti k evropské aristokracii.

Vzpomínku na slečnu Forsterovou a úctu k ní si však nesla Kateřina Zaháňská celým životem. Nikdy jí z paměti nevymizela vážná bledá tvář poznamenaná jizvami po neštovicích, navenek přísná, ale zevnitř prozářená dobrotou a moudrou šlechetností. Měla z ní sice zpočátku jakousi tajemnou hrůzu, nebo spíš cítila obdiv k jejím smělým osvícenským myšlenkám a obdivuhodným vědomostem, a teprve později pochopila hloubku osobnosti této důstojné a vzdělané ženy. Snad její zásluhou překonávala snadněji matčinu nepřítomnost a ochlazení matčina vztahu k otci.

Antonie neměla snadný život. Jako ostatní sourozenci získala dobré vzdělání, ale od mládí se starala sama o sebe. Pracovala jako vychovatelka dívek v šlechtických rodinách. Pro hrbatá záda a malý vzrůst zůstala svobodná. Vleklý revmatismus ovlivňoval často její náladu. Ve výchově prosazovala to, co ji od dětství obklopovalo v její rodině. Byla stoupenkyní humanismu, vychovanou v křesťanské lásce k bližnímu, a jejím životním krédem byla idea, kterou často předkládala svým svěřenkyním:

„Lidská bázeň by nám neměla zabránit konat to, co je správné." Této myšlence se nikdy nezpronevěřila.

Vychovaná v Anglii a s vědomím, že její rodové kořeny sahají do této ostrovní země, byla horlivou anglofilkou a svůj obdiv k anglické literatuře a anglickým dějinám přenesla i na princeznu Vilemínu. Ta se v každodenním styku s ní naučila velmi dobře anglicky, takže do jejího jazykového repertoáru přibyla řeč, kterou v pozdějších letech velmi často používala.

Brzy po návratu vévodkyně Dorothey přicestoval do Kuronska také hrabě Alexandr Batowski. Byl vyslán polským králem, aby garantoval dodržování výsledků jednání říšského sněmu a chránil zájmy vévody i polské koruny. Petr přijal hraběte srdečně a projevoval mu vděčnost. Ale brzy poznal, že to nejsou jen státní zájmy, které mladého muže přivedly na vévodský dvůr. Nikomu neušlo, že ve hře je především Dorothea. Vyjížděla s hostem na dlouhé projížďky na koni a stále pobývala v jeho společnosti.

Mezitím se začala politická situace v sousedních státech měnit. Rusko uzavřelo v roce 1792 alianční dohodu s Pruskem a Polsko přestalo de facto existovat jako samostatný stát. V květnu 1792 vtáhlo ruské vojsko do Litvy a zanedlouho obsadilo Kuronsko. Převzalo nad Kuronskem svrchovanou moc, aniž respektovalo lenní závazky země k Polsku.

Batowski musel rychle opustit svůj úřad a uprchnout ze země. Jinak mu z Ruska hrozilo zatčení a odvlečení na Sibiř.

Všechny tyto události předznamenaly další osud vévodské rodiny i dospívající princezny Kateřiny Vilemíny.

(VII)
Bez matky

V dubnu 1793 opustila vévodkyně Dorothea opět Kuronsko. Ale bylo to jiné loučení než v předchozích letech, kdy odjížděla do Karlových Varů nebo s posláním do Varšavy. Tehdy se všichni těšili na její návrat. Tentokrát stáli bezradně s tíživými pocity v srdci. Vévoda ztrácel ženu, princezny matku. Do smutku a pocitu prázdnoty se mísil hněv. Matka odcházela do Berlína, aby porodila dítě hraběti Batowskému. Na sestru se hněvala i Elisa von der Recke. Jejich vztah se ochladil na řadu let. Pokud byla teta ve Würzau, snažila se neteřím nahradit trochu mateřské lásky. Byla zde také slečna Forsterová. Dívky k ní přicházely denně, a zejména Vilemína u ní získávala podněty k přemýšlení a moudrou útěchu na mnohou nevyslovenou otázku i bolest.

21. srpna 1793 se na zámku Friedrichsfelde v Berlíně narodila vévodkyni dcera. Nedostala jméno po vladařích jako kdysi Kateřina Vilemína, ale prosté jméno po matce – Dorothea. Přítomen byl pouze hrabě Batowski. Kmotrou novorozence se stala Dorotheina přítelkyně kněžna Luisa Radziwillová, sestřenice pruského krále. Holčička zdědila po otci husté černé vlasy a velké výrazné oči.

Vévodkyně Kuronská, stále doprovázena hrabětem Alexandrem Batowským, přicházela do řečí a Petr uvažoval o tom, dát se znovu rozvést. Ale nakonec, aby zabránil skandálu a uchoval čest rodiny, přijal malou Dorotheu jako legitimní dceru. Dal jí své jméno a vedl ji jako právoplatnou dědičku. Také ona vykazovala po celý život Petra Birona jako svého otce.

O starších třech princeznách, svěřených nyní výhradně do péče otce, nalézáme zprávy opět v deníku tety Elisy:

„Princezna Vilemína je ve svých třinácti letech tak velká jako její matka a stavba jejího těla je neobyčejně graciézní. Její obličej má zajímavé a hezké rysy a právě tolik půvabu. Zevnějšek je zrcadlem přemýšlivé duše. Tělo i duch předběhly její věk. Zdá se, že srdce a charakter se jí vyvinou tak jako rozum."

„Paulina ve svých dvanácti letech je jemného křehkého tělesného vzrůstu a působí ještě dětsky. Je to milé živé stvoření s dobrým srdcem a nadáním pro hudbu, tanec a jazyky." Možno dodat, že ze všech dcer se Paulina nejvíce podobala matce.

„Johana – právě desetiletá – bude méně zářit než její sestry, ale vše, co je jí nablízku a bude odpovídat jejímu vkusu, bude od ní vřele milováno."

Petr se v této době nacházel v nejtěžší situaci svého života: stárnoucí, opuštěný, zrazený, s třemi nedospělými dcerami a postavený před skutečnost, že jeho dny na stolci kuronských vévodů jsou sečteny. Soustředil se proto na to, aby zachránil co nejvíce z našetřeného vlastnictví a aby se trůnu nevzdal bez náhrady.

Zástupci kuronských stavů se rozhodli pro včlenění země do carské říše. Vydali se proto do Petrohradu, aby přednesli tento návrh carevně. To byla zároveň pobídka pro Petra. Také on musel jednat s Kateřinou II. Nejel však do Petrohradu, aby posílil své pozice, ale aby s carevnou projednal výši odstupného, kdyby se dobrovolně vzdal vévodského stolce. Carevna se projevila velkoryse. Zaručila mu doživotní zachování titulu vévody Kuronského, roční apanáž 25 000 dukátů, vdovský důchod ve výši 40 000 rublů ročně a za jeho soukromé kuronské statky odkupní cenu dva miliony rublů. Petr byl s nabídkou spokojen a přistoupil k likvidaci hmotných statků v Kuronsku.

Nebyla to pro něho práce ani radostná, ani snadná. V jedenasedmdesáti letech opouštěl natrvalo zemi, kde se narodil, kde byly hroby rodičů a kde prožil přes všechna příkoří řadu šťastných chvil. Nejhůře se loučil se svým milovaným divadlem. Někteří herci přislíbili, že přijmou angažmá v jeho novém divadle v Zaháni. Zrušil výuku slečny Forsterové a připravoval se na trvalé opuštění Kuronska.

Elisa, zdržující se tehdy mimo domov, si ve svém deníku posteskla: „Wörlitz 15. 12. 1794. Také jsem dostala zprávu z Kuronska, že vévoda vzal Vilemínu z dohledu slečny Forsterové. Toto čtrnáctileté děvče je nyní na otcově nemravném dvoře bez matky a bez dozoru ponecháno samo sobě."

Poněkud Petrovi křivdila, nebo výroku „nemravný dvůr" přikládala jiný význam. Život na dvoře nebyl nemravný, byl pouze neradostný a v rozkladu, poznamenaný brzkým koncem.

28. března 1795 podepsal vévoda carevně připojení Kuronska k Rusku. Sám se vzdal vévodských práv 2. června toho roku a nedlouho poté ujížděl jeho zlatý cestovní kočár směrem na západ. Vévoda Kuronský se stěhoval do Zaháně. Jak se lišila tato jeho cesta od té před jedenácti roky, kdy se vypravil s mladou krásnou chotí a tříletou dceruškou na svou triumfální cestu do Itálie. Nyní vezl s sebou pouze své tři dcery a skrovnou naději na nový život.

V Zaháni bylo pro Petra a jeho dcery všechno nové a nezvyklé. Princezny bloudily nekonečnými chodbami rozlehlého zámku, dlouho neobývaného a nevětraného, a s mrazením v zádech prohlížely obraz znázorňující zavraždění Albrechta z Valdštejna, který kdysi sídlo vlastnil a za něhož byl původní hrad z roku 1140 přestavěn na zámek. Od jeho smrti v roce 1634 uplynulo sice více než sto šedesát let, ale skutečnost, že jejich předchůdce byl v Chebu úkladně zavražděn, naháněla dívkám hrůzu. Ponuře na ně působily i dvě židle z Valdštejnova majetku. Neméně ustrašeně se dívaly na šklebící se tváře nad zámeckými okny. Nenašly se dvě stejné a jedna byla hrůznější druhé. Pověst vyprávěla, že jich mělo být původně sto. Úkolem vyzdobit každé zámecké okno maskou čerta byl pověřen mladý sochař, a navíc byl vysloven požadavek, aby každá z hrozivých tváří byla jiná. Umělci brzy došla fantazie a nad nelehkým úkolem si zoufal. Tu se objevil sám ďábel. Slíbil, že sochaři ukáže v pekle tváře všech čertů, aby podle nich mohl stvořit své mistrovské dílo. Inspirován touto hroznou podívanou dal se sochař do práce. Vytvořil devadesát devět různých tváří, ale když měl zhotovit poslední, nebyl schopen vybavit si jinou tvář než podobu ďábla, který ho provedl peklem. Jak stál na lešení a chystal se dílo dokončit, zmocnila se ho taková hrůza, že ztratil rovnováhu a zřítil se do hlubokého příkopu. Tak zůstalo dílo nedokončené. Lidé si vyprávěli, že si pro něj přišel ďábel, jemuž se upsal krví.

Dnes má zámek těchto šklebících se masek podstatně více, protože počet oken výstavbou východního křídla vzrostl asi na 136.

Zámek měl před Petrem mnoho majitelů: slezské Piastovce, německého císaře, hraběte Promnitze, Albrechta z Valdštejna a knížata z Lobkowicz. Jeden den vlastnil zámek i princ z Hohenlohe-Ingelfingenu. Od něho Petr zámek koupil.

Za každého pána se přestavovalo a přistavovalo a nejinak tomu bylo i nyní. Petr při své touze vybudovat nádhernou vévodskou rezidenci, která by se stala důstojným stánkem pro jeho umělecké sbírky a reprezentovala jeho jméno, se pustil do rozsáhlých stavebních úprav. Podle některých pramenů vystavěl východní křídlo. Podle jiných zdrojů bylo toto křídlo již v roce 1693 dokončeno a Petr se věnoval hlavně vnitřním úpravám. V každém případě vybudoval v horním patře východního, takzvaného kuronského křídla koncertní síň a prostorný divadelní sál s jevištěm. Mezi zámeckými trakty se vyjímalo čtvercové nádvoří, otevřené na jižní straně do parku s jezírkem. Odtud přicházelo k zámeckým oknům slunce, vůně květin a stromů a byl odtud nádherný pohled na níže položené travnaté plochy s množstvím cest a steziček.

Když nastaly teplé dny, ztrácely se princezny často v nedozírné zeleni parku a zacházely až tam, kde protéká řeka Bobr. Jejich otec trávil hodiny úpravou interiéru. Rozestavoval sochy, dohlížel na stavbu vzácných kachlových kamen, určoval, kam se mají zavěsit cenné obrazy, jež koupil v průběhu předchozích let.

Přicházely chvíle, kdy otec usedal s dcerami a vyprávěl jim vzpomínky z dětství a z doby prožité na Sibiři. Vzpomněl si na nejeden příběh, který po letech nabyl veselých tónů, nebo naopak na události, při nichž naskakovala vděčným posluchačkám husí kůže.

Mezi rodinné portréty si Petr Biron zavěsil i obraz ruské carevny Anny I., na niž se dobře pamatoval a o níž zajisté věděl, že byla otci více než příznivkyní. Zda věděl i o tom, že měla být jeho vlastní matkou, se už nedovíme, ale není bez zajímavosti, že jeho bratr Karel se veřejně honosil tím, že i on je synem ruské carevny.

Petr své dcery zbožňoval, nejvíce však svou prvorozenou. Její majestátní krása mu připomínala otce Ernsta Birona. Podobnost viděl i v dceřině inteligenci a jejím racionálním uvažování. Jednou prohlásil:

„Nemá nic z medemské strany. I její krása je jiná než půvab mé ženy. Někdy se mi zdá, že jsem zároveň otcem i matkou tohoto dítěte."

Na léto odjížděl vévoda s dcerami na své panství do Náchoda. Přijímal tu hosty, seznamoval se s českou šlechtou, ale nejraději byl sám se svými mědirytinami, které náruživě sbíral, se zájmem třídil a láskyplně prohlížel. Také v náchodském zámku dal v takzvaném turionu zřídit divadlo. Zval sem své herce, pěvce a hudebníky ze Zaháně a přijímal další. Dodnes patří k chloubě Náchoda, že za éry vévody Kuronského zde byla roku 1797, deset let po pražské premiéře, provedena Mozartova opera Don Giovanni.

Když dvaasedmdesátiletý vévoda přijel roku 1796 poprvé s četným doprovodem na léto na Náchod, bylo Vilemíně patnáct let, sestrám o rok a dva roky méně.

Zajímavé svědectví o tom, jak vnímali vévodu Kuronského na zdejším zámku, čteme v zápiscích někdejšího náchodského zámeckého kaplana Josefa Myslimíra Ludvíka, nazvaných *Památky města Náchoda.*

„Všichni, kdož vévodu znali, litovali, že česky neuměl, tudíž s poddanými mluviti a je vyslechnouti nemohl, nadto nebyl šťasten u volení osob, kteréž ho obstupovaly; žádostivy vlastního zisku, překážely dobročinnosti jeho."

O princeznách napsal:

„Starší měšťané s radostí vzpomínali, kterak co srnky s hradu k městu běhaly, tu i tam dítky malé do náručí brávaly, je hejčkaly, lahůdkami nadělovaly, sousedské domy navštěvovaly a chudé obdarovaly."

Na zimu se vraceli všichni do Zaháně. Na dva až tři měsíce sem přijížděla i vévodkyně s malou Dorotheou. V roce 1796 si koupila v Durynsku u Altenburgu vlastní zámek Löbichau, kde vybudovala i zámeček pro hraběte Batowského.

Manželé kolem sebe procházeli nevšímavě, za celou dobu spolu promluvili sotva pár slov, a to ještě v případě, že se potřebovali dohodnout o otázkách ryze ekonomických nebo o záležitostech dorůstajících dcer.

Po zámku pobíhala i nejmenší sestřička Dorothea, kterou starší sestry škádlivě titulovaly „slečna Batowská". Ale vévoda tomuto vážnému a chytrému děvčátku s velkýma smutnýma očima nikdy neublížil. Měl citlivé a dobré srdce. Miloval zvířata i děti, a když se k němu malá Dorothea přitočila a tak jako starší dcery ho oslovila tatínku, něžně ji hladil po černých vlasech a měl pro ni jen laskavá slova.

Vévoda vysadil svým čtyřem dcerám v zaháňském zámku, tam, kde nádvoří přechází v park, stromy. Stojí tam dodnes: čtyři vzrostlé platany. Stromy přežily dívky, na jejichž počest byly údajně zasazeny, a mohly by vyprávět o zašlých dobách.

I když se vévodkyně občas s dcerami setkala, stále více se od sebe vzdalovaly. Princezny žily v nejkritičtější době svého života bez matky, odkázány samy na sebe. Chyběla laskavá ruka, která umí pohladit, hřejivá přítomnost ženy, jež by vycítila, co dívky potřebují. Kromě starého otce nebylo nikoho, kdo by řídil jejich výchovu, radil, kde je třeba více jemnosti, kde trochu opatrnosti či přísnosti. Princezny Kuronské užily matky málo. Vilemína měla proti sestrám tu výhodu, že směla rodiče doprovodit do Itálie, a tak vyzískala z rodinné výchovy nejvíce. Měla to štěstí být pohromadě s oběma rodiči plných devět let.

Pokud byla rodina úplná, uplatňovaly se zvyklosti, které získala vévodkyně Kuronská sama ve svém domově: víra v Boha, šlechetnost k trpícím, úcta ke vzdělání, záliba v divadle, láska k hudbě a výtvarnému umění, četba a přednes básní, znalost cizích jazyků a literatury. Petr Biron ctil stejné zásady, ale na jejich systematické uplatňování a cílevědomé prohlubování mu nyní chyběla energie i čas.

Nejmladší Johaně byly dopřány pouhé tři roky úplné rodinné výchovy, od návratu matky z italské cesty v roce 1787 do jejího odjezdu roku 1790, kdy se vypravila na svou první zahraniční misi.

Dříve než mohla být mezi matkou a dětmi navázána pevná pouta lásky a porozumění, začaly se rodinné vazby rozpadat. To samozřejmě zanechalo na princeznách trvalé stopy. Nejvíce strádala nejmladší Johana.

Ani malé Dorothee nebylo souzeno žít trvale v sourozenecké pospolitosti a vychutnat přepych vévodského sídla v Zaháni a Náchodě.

Přesto to byla právě ona, kdo po letech zaháňský zámek nejvíce miloval. V dospělosti vzpomínala s hrdostí a obdivem na otce Petra Birona a zámek v Zaháni. Ve svých vzpomínkách na mládí, nazvaných *Souvenirs*, čteme:

„S příslovečnou severskou pohostinností přijímal můj otec u sebe nejen celou provincii, ale i mnoho cizinců, kteří přicházeli z Berlína, Prahy nebo Drážďan, aby strávili nějakou dobu v Zaháni. Skupina dobrých herců, italští pěvci a zdatní hudebníci, kteří byli povoláni do otcovského domu, příjemně zkracovali dlouhé zimní večery, jimž předcházely nádherné hony a poněkud dlouhé hostiny… Dodnes si vybavuji všechny ty bály, reduty, maškarády, jimiž se oslavovaly narozeniny mých rodičů a sourozenců; a i když jsem od té doby zažila okázalejší slavnosti, přece žádná z nich nezanechala ve mně živější dojmy."

Je zajímavé, s jakou přesvědčivostí líčí Dorothea Périgordová atmosféru Zaháně, neboť v době, kdy mohla sama tyto zkušenosti získat, byla dítě sotva šestileté.

Petr platil za nejbohatšího muže střední Evropy, a proto se na něho obraceli i mocní panovníci o pomoc. Když roku 1797 zemřel král Fridrich Vilém II., byl Petr Biron požádán, aby zapůjčil peníze na pohřeb a na inauguraci nového panovníka Fridricha Viléma III.

Právě tak se na vévodu Zaháňského obrátil sesazený francouzský král Ludvík a požádal o několikaměsíční azyl v Zaháni pro sebe a celou svou početnou družinu.

Tyto peníze, i když o ně bylo žádáno jako o půjčky, nebyly nikdy splaceny. Velkomyslný vévoda jejich navrácení také neurgoval.

V roce 1797 se sešel Petr s Dorotheou v Berlíně, aby projednali prodej zámku Friedrichsfelde, který po narození dcery Dorothey zůstal nevyužitý. Vévodkyně žila převážně v Löbichau, a pokud se zdržovala v Berlíně, bydlela raději v pohodlnějším a dostupnějším paláci Unter den Linden. Zámek Friedrichsfelde prodal Petr v prosinci tohoto roku za 22 000 zlatých. Za získané peníze chtěl pořídit palác v Praze. Po koupi náchodského panství se počítal k české aristokracii a slušelo se, aby český šlechtic vlastnil v hlavním městě dům.

Prahu a její pozoruhodnosti si vévoda prohlédl 15. října 1798 a město mu doslova učarovalo. Zavítal do Klementina a v rozmluvě s místními učenci se informoval o české řeči. Sám měl určité znalosti ruštiny. František Martin Pelcl mu věnoval českou mluvnici, za niž se mu vévoda odměnil zlatou medailí. Stejnou obdržel i Josef Dobrovský. Petr navštívil také strahovský klášter a knihovnu a věnoval do sbírek 12 dukátů.

6. července 1799 koupil vévoda Kuronský v Praze palác na Malé Straně v Karmelitské ulici od Vojtěcha hraběte Černína z Chudenic.[1] Nyní vlastnil vše, co podle jeho názoru patřilo k velkému aristokratovi. Rok předtím získal také panství Hohlstein (Skala) ve Slezsku.

Vilemíně minul osmnáctý rok. Zpráva o její kráse, věnu a dědičném titulu se rychle šířila a vědělo se o tom všude, kde dorůstali mladí šlechtici. Ale Petr nebyl ochoten vyslyšet každého. Měl o své dceři vysoké mínění a na budoucího zetě kladl ty nejvyšší nároky.

Zdálo se, že se štěstí obrátilo k Petru Bironovi znovu svou úsměvnou tváří. Ale pak se přihodilo něco, co vévodu ranilo do hloubi duše a kolo osudu zvrátilo.

Jeho nejmladší dcera, šestnáctiletá princezna Johana, která ponechána sama sobě hledala útěchu a rozptýlení v nekonečných prostorách zaháňského a náchodského zámku, našla je v náruči umělce a „komedianta" Arnoldiho. Byl to mladý herec a hudebník z otcova zámeckého divadla.

Johana dobře věděla, že otec by nikdy s touto známostí nesouhlasil, a proto přistoupila na Arnoldiho návrh uprchnout s ním do Ameriky. Neměla s kým se poradit, komu své tajemství svěřit, a tak jednala nerozvážně na vlastní pěst. Jediné, co si vzala s sebou, byly dětské šperky, které měly posloužit k zakoupení lodních lístků do Ameriky. Tam se milenci chtěli dát oddat a zamezit možnosti dopadení.

Když se otec dověděl, co se stalo, zahájil rozsáhlé pátrání a uvedl do pohotovosti vojsko i policii a spoustu lidí, od nichž očekával pomoc. Dochované protokoly z 30. října 1799, vyhotovené na zámku v Náchodě, jsou svědectvím, že se pátralo na všech možných místech. Depeše šly do Prahy, Trutnova, Norimberka, Chlumce nad Cidlinou, Hradce Králové, Jaroměře, Berlína a Vratislavi. V Náchodě byl vyšetřován důchodní Vincenc Svoboda, herec Karel August Gautier a chirurg Vincenc von Funck. Do pátrací akce byl zapojen náchodský vrchní rada E. Dinter, hrabě Vratislav z Mitrovic a řada dalších.

Jízdní oddíl zaháňské posádky se rozjel po všech silnicích. Neustálým přeptáváním se dostali až do Erfurtu a tam přálo jednomu z nich štěstí. Stopa ho zavedla ke koadjutorovi Dalbergovi z Míšně, příteli vévodkyně Kuronské, který se právě v té době zdržoval v Erfurtu. V jeho domě zanechal Arnoldi Johanu a sám se odebral do Hamburku, aby tam prodal šperky a zaplatil loď do Ameriky. Dalberg se dívky ujal a po třech dnech ji odvážel důstojník, který ji vypátral, do Zaháně. Seděla v kočáře schoulená jako lapený ptáček a v doprovodu služebné se vracela k otci.

Útěk Johany však měl pro Petra dalekosáhlé důsledky. Znamenal pro něj mnohem víc než smutek nad ztracenou dcerou. Skandální příhoda jím otřásla až do základů jeho osobnosti a nebyl schopen najít bývalou rovnováhu. Zradu dcery nesl hůř než její poklesek a cítil ji jako podlomení vlastní existence.

Chtěl si v nové vlasti vydobýt dobré jméno. Chtěl se navždy oprostit od pomluv a urážek o neurozeném původu, jak je musel snášet v Kuronsku. A nyní opět taková hanba. To, co by se v jiných aristokratických rodinách odbylo mávnutím ruky, přičte se jemu, ztroskotanému vévodovi Kuronskému, a jeho neblaze proslulému otci na vrub. Budou si na něho ukazovat prstem. Petrovi se možná znovu vynořily vzpomínky na tu mrazivou listopadovou noc před šedesáti lety, kdy celou jejich rodinu odvlekli do vyhnanství. Johanin útěk mu připadal jako zlověstné pokračování onoho řetězce ponižování a ústrků. Tehdy se znovu vzchopili a znovu zvedli hlavu. Tentokrát mu chybělo sil.

Johaně se nemohl podívat ani do očí. Poslal pro ženu a sám odjel ze Záháně do Prahy. Spěchal pryč, do samoty, pryč od nešťastnice, která pošpinila jeho i svoje jméno. Nechtěl ji trestat, ale také jí nemohl odpustit. Jel sám, zlomený hanbou a neštěstím i chladem pozdního podzimu. Ubíral se do svého domu v Karmelitské ulici na Malé Straně. Po příjezdu do Prahy onemocněl zánětem hrtanu. Ale místo aby dal zatopit a vyhřát pokoje a vyléčil se z nastuzení, nařídil zapřáhnout kočár a pokračoval do Náchoda. V nedalekém lázeňském místě Kudově znal lékaře Mutia, jemuž důvěřoval. K němu se utekl o pomoc. Ubytoval se na sousedním statku v Jelenově, který náležel lékaři, aby mu byl v léčení nablízku. Lékař však brzy poznal, že stav je vážnější, než se zpočátku zdálo. Nebylo to pouze nachlazení způsobené sychravým počasím, bylo to cosi horšího. Vévodovi chyběla vůle žít. Lékař rychle poslal do Záháně pro ženu a dcery, aby zastihly otce ještě živého.

Těsně před Vánocemi přijely. Bylo to tristní setkání. Žena citově odcizena, Dorothea ve svých šesti letech žasnoucí, co se děje, Johana provinile v pozadí se sklopenou hlavou, aby se její pohled nesetkal s otcovým. Paulině vytryskly slzy, Vilemína plakala. Hořce prožívala loučení s milovaným otcem. Ztrácela člověka, který jí stál ze všech lidí nejblíže.

Vévodkyně odcestovala ještě téhož dne s dcerami na náchodský zámek. Petr, jak už to u silných mužů bývá, věděl, na čem je, a chtěl být sám. Byl unaven životem. Pozval k lůžku lékařova bratra, právníka von Mutia, a společně sestavili závěť. Je podepsaná Petrem 6. ledna 1800. Po dvou dnech připojil ještě poznámku. Spravedlivě podělil své dcery. Johaně neodkázal nic. Ať ji podělí žena a sestry.

Tak zemřel 13. ledna 1800 ve věku sedmdesáti šesti let Petr, z Boží vůle vévoda Kuronský, Litevský a Zemgalský, říšský hrabě von Biron, vévoda Záháňský a svobodný pán z Wartenbergu, Hohlsteinu a Náchoda etc. etc.

Ty, které se staly dědičkami rozsáhlého rodinného jmění, vydobytého důmyslnou obratností a ctižádostí Petra Birona a jeho otce Ernsta, zastihla zpráva v Náchodě.[2]

A zatímco se kočár s mladou vdovou a jejími čtyřmi dcerami ubíral ku Praze, smuteční vůz s rakví zesnulého se kodrcal mrazivou a pustou lednovou krajinou směrem do Zaháně. Zde zaujal Petr Biron jako první místo v hrobce v pozdějším evangelickém kostele, která byla napříště určena těm členům rodiny, kteří setrvali u protestantské víry.

„Památka na vévodu Kuronského zůstala v paměti obecně požehnanou. Byl vpravdě milostivou vrchností i poddaným svým, když jim obživu ulehčoval, platy ulevoval, předně pak robotu – tento bič poddaných, proměnil v plat levný."[3]

Ve zprávě o nemoci Petra Birona a způsobu léčby, sestavené dvěma pražskými lékaři, je v závěru konstatováno, že se léčení dálo „proti zásadám léčení".

1. března 1801 napsali ranhojič Želízko z Náchoda a Dr. mediciny Dresner z Broumova, že „léčba, nikoliv nemoc, byla příčinou smrti vévodovy".

(VIII)
Smuteční rok

Smutečním rokem nazvala později Dorothea Périgordová, nejmladší dcera vévodkyně Kuronské, rok po smrti Petra Birona. Bylo jí něco přes šest let, když vévoda Kuronský zemřel. Těžko si mohla zapamatovat podrobnosti a chápat souvislosti z této doby. Ale vědoma si závažnosti vévodova skonu, nazvala později rok 1800 názvem, který mu po právu náležel.

Vévodkyně Kuronská však smutek nedržela. A její tři starší dcery se těsně po otcově smrti dostaly do takového víru událostí, že na zármutek nezbýval čas ani pomyšlení.

Vévodkyně Dorothea Kuronská byla nyní volná a ve svých třiceti devíti letech stále ještě přitažlivá. Její středně vysoká souměrná postava nabyla na plnosti, což prý dodávalo její osobnosti ještě větší půvab. Pleť měla bílou a jemnou, ale kdykoliv se upravovala, nalíčila se. Petrovi tento zvyk vadil a často se nechal slyšet, že „nalíčená tvář se nelíbí Bohu", ale Dorothea u líčení zůstala až do konce života. Když jí později začaly šedivět vlasy, barvila si je načerno s odůvodněním, že by bylo nezdvořilé vstoupit do společnosti šedovlasá. Zatím však měla vlasy světle hnědé, dobře ladící se zelenohnědýma očima.

Její milostný vztah k hraběti Batowskému začal již před dvěma roky uvadat. Kousek cesty od Löbichau mu sice vybudovala na malém návrší zámeček Tannenfeld, ale její dřívější obdiv k němu pohasl. Kdysi mu slíbila, a stvrdila to písemně, že v případě smrti Petra Birona se stane rok poté jeho ženou. Připojila však i klauzuli, že v opačném případě mu vyplatí jeden a půl milionu franků odstupného.

V roce 1798, během lázeňského pobytu v Karlových Varech, se seznámila s jiným zajímavým mužem. Byl jím švédský generál baron Gustav Moritz Armfelt. Býval přítelem švédského krále Gustava III., a když král umíral na následky atentátu, spáchaného proti němu na maškarním plese, jmenoval Armfelta vrchním místodržícím Stockholmu a členem regentského sboru. To se však znelíbilo královu bratru, vévodovi Södermanlandovi, který převzal za nezletilého nástupce trůnu řízení země. Armfelta, stojícího v cestě jeho plánům, jmenoval vyslancem v Neapoli a zbavil ho tak možnosti spolurozhodování. Ponížený generál osnoval odvetu. Když byly jeho záměry odhaleny, uprchl z Itálie do Rakouska.

Svým elegantním vzezřením, uhlazeným vystupováním a duchaplnými hovory vzbuzoval pozornost, kdekoliv se objevil. Jedna z jeho krátkodobých milenek, vévodkyně Laura d'Abrantès, manželka napoleonského generála Junota, o něm napsala:

„Za jeho zdrženlivostí a chladem se skrývá ta nejbouřlivější vášeň."

Vysokou štíhlou postavou, hezkým obličejem a pronikavýma očima upoutal baron Armfelt i vévodkyni Kuronskou. Žlutavá pleť, jejíž barvu vysvětloval tím, že mu byl na příkaz Stockholmu podán ve Florencii jed, ho činila ještě zajímavějším.

Hrabě Batowski Dorotheu do lázní nedoprovázel. Byl stále ještě na indexu pro účast na sestavování polské ústavy z 3. května 1791 a pro svůj nesouhlas s dalším dělením Polska. Z těchto důvodů zůstával raději v ústraní, aby nebudil pozornost a neohrožoval svou bezpečnost.

Vévodkyně se ubytovala jako dříve v hotelu „U pomerančovníku". Zde každé dopoledne v jedenáct hodin čekal s dvěma koňmi baron Armfelt. Když pomohl Dorothee vyšvihnout se do sedla, uháněli spolu za město do volné přírody.

Dorothea napsala své přítelkyni princezně Radziwillové do Berlína v žertovném tónu:

„Přítomnost barona Armfelta je pro mne zábavná. Má se k věci, aniž by byl divoký, zdolává překážky, aniž by se dlouho rozmýšlel. Chová se tak, jak lze očekávat od kavalíra."

V Karlových Varech byl přítomen i hrabě Gessler, důvěrný přítel Dorothey a její sestry Elisy z dřívějších let. Kdysi s ním Dorothea koketovala. Nebylo proto divu, že Gessler nebyl Armfeltovi právě příznivě nakloněn. Příteli Körnerovi do Drážďan sdělil:

„Od té doby, co tuto kouzelnou vílu střeží ten severský drak, zdá se, že jsem pro ni mrtev. A když se mi přece jen, ale to bývá velmi zřídka, podaří s ní vyměnit pár slov, zeptá se pouze zdvořilostně na Vás a Vaši rodinu. Přitom se usmívá tak rozkošně, jak to žádná jiná žena nedokáže, což ovšem mou hořkost neoslaní."

Nový poměr vévodkyně neušel všetečným zrakům lázeňské klientely a rovněž v následujícím létě mohli sledovat stejný obrázek: Dorothea v Armfeltově doprovodu.

Batowski poznal, že jeho hvězda pohasla. Přísahami věrnosti, slzami, výčitkami i hrozbou sebevraždy se snažil přimět Dorotheu, aby ho neopouštěla. Když se mu to nepodařilo, roztrhal listinu s manželským slibem a okázale ji hodil do krbu. Slíbenou roční rentu ve výši 30 000 franků přijal.

Portrét Batowského visel ještě dlouho v salonu vévodkyně, ale jeho samotného vystřídal baron Armfelt.

Ani ten se však dlouho netěšil z lásky vévodkyně Dorothey. Když ovdověla, uvědomila si, jak skvěle ji manžel zaopatřil a jakou cenu pro ni má nezávislost. Začala cestovat, navštěvovala divadla, psala deníky a užívala svobody.

Armfelt se nadále zdržoval v Löbichau a staral se o správu vévodkyniných statků. Nejvíce péče však věnoval malé Dorothee. Dítě bylo zanedbané, v sedmi letech neumělo číst ani psát. Malá Dorothea mluvila trochu francouzsky, jak to pochytila v matčině salonu, a trochu anglicky, jak to slyšela v dětském pokoji u anglické vychovatelky. Její němčina byla nespisovná, jak se tomu naučila od služebníků. Armfelt však brzy objevil v dítěti mimořádný jazykový talent a během několika dnů naučil malou princeznu číst. Ona ještě po letech vzpomínala, že to byl generál Armfelt, kdo ji zbavil zlé anglické vychovatelky a kdo jí otevřel svět poznání.

Baron se však nezabýval jen Dorotheou. Nemalou péči věnoval i třem starším princeznám. Dával jim lekce z filozofie, seznamoval je s francouzskou literaturou, poučoval je o umění a dívky zcela podlehly jeho fascinujícímu vlivu. Největší slabost však měl pro nejstarší Vilemínu. Stala se mu náhradou za vévodkyni Kuronskou. V mnohém tato dívka, teprve na prahu ženství, svou matku předčila. Čtyřiačtyřicetiletý generál Armfelt ztratil hlavu nad její nevinnou mladostí, dívčím půvabem a dětskou rozmarností.

Nebyl to však jen Armfelt, koho Vilemína zaujala. V Kuronském paláci v Praze si po vévodově smrti začali podávat dveře další uchazeči o bohatou princeznu. Jako první se vyjádřil ruský generál Suvorov. Dlel tehdy se svými oddíly v Praze, když se vracel po vítězném boji z Itálie a Švýcarska, kde spolu s rakouskými vojsky obě země osvobodil od Francouzů.

Vévodkyně Kuronská přijímala v paláci na Malé Straně mnoho hostů. Měla k nim stejně vřelý vztah, ať přicházeli z Německa, Polska, Ruska, Švédska či Francie. Generála ve službě ruského cara však vítala o to srdečněji, že z carské pokladny jí měla být nyní po manželově smrti vyplácena roční apanáž. Generál Suvorov se mohl přimluvit u ruského cara, kdyby se její věc zdržela. O Vilemínínu ruku nepožádal sedmdesátiletý kníže Suvorov samozřejmě pro sebe, ale pro svého sedmnáctiletého syna Arkadije. Ten byl sice v Petrohradě, ale až uslyší od otce o krásné a bohaté nevěstě, bude zajisté souhlasit...

Vévodkyně matka s úsměvem vyslechla starého generála a jeho nabídku neodmítla. Myslela si ovšem své. Říkala dcerám, že jim nebude zasahovat do volby životních partnerů, a pokud šlo o mladého Suvorova, byly zásnuby ještě v nedohlednu.

Nakonec k nim stejně nedošlo. Suvorov krátce po odjezdu z Prahy do Ruska onemocněl a musel se zdržet delší čas na svých statcích v Litvě. Mezitím se v Petrohradě proti němu zvedla vlna odporu a generál upadl v nemilost u samotného cara Pavla. Suvorov zdrcen, že místo vděku a slávy se mu dostalo odmítnutí a pohany, krátce po návratu do Petrohradu zemřel. Při hodnocení jeho charakteru a jeho válečné činnosti nevycházel ovšem generál Suvorov s čistým štítem. Neblaze proslul zejména v Polsku. Zde si vydobyl dokonce přízvisko „zabíječ Poláků". Už z tohoto hlediska by se byl jeho syn princezně Kuronské nezamlouval. A vévodkyně matka rovněž nemohla potřebovat zetě, jehož otec ztratil přízeň cara.

Vilemína se Suvorovovou sňatkovou nabídkou příliš nezabývala. Hned po otcově smrti prožívala svůj první milostný příběh s Gustavem Armfeltem a jemu náležela nyní její mysl i srdce. Navíc se přihlásil další nápadník. Byl jím čtyřiadvacetiletý kníže Friedrich Herrmann Otto von Hohenzollern-Hechingen z malého švábského knížectví. Jeho otec sice vystupoval jako vladař, ale ve skutečnosti byla jeho zemička zadlužená a zachránit ji mohla pouze bohatá nevěsta.

Princ požádal pro jistotu o ruku Vilemíny i Pauliny zároveň. Nejraději by byl přijal samozřejmě nejbohatší z nich, Kateřinu Vilemínu, ale ta o něj nejevila zájem. Obrátil se proto na Paulinu, o níž věděl, že se dědickým řízením stala majitelkou slezského panství Hohlsteinu a Nettkova.

Princezna Paulina, která po všechna léta nesla s příchutí hořkosti

71

úděl druhorozené dcery a cítila se často nedoceněná a odstrčená, nabídku přijala. Slibovala si od tohoto kroku, že bude alespoň samostatnou paní a vládnoucí kněžnou. Osamostatní se od matky, která se ostatně starala mnohem více sama o sebe než o budoucnost a štěstí dcer. K ženichovi ovšem citové pouto neměla, ale o tom ve svých osmnácti letech neuvažovala. A matka jí sňatek nerozmlouvala.

Při sepisování svatební smlouvy se ženich ke svému velkému překvapení dověděl, že nad jměním manželky neobdrží vlastnická práva. Sdělil mu to Josef hrabě Vratislav, Petrem Bironem testamentárně ustanovený poručník a právní zástupce princezen Kuronských.

Sňatek byl přesto sjednán a svatba se konala 26. dubna 1800 v Praze. Ze svatebního záznamu se dovídáme, že katolíka a protestantku Paulinu oddával farář z chrámu Panny Marie Vítězné, z kostela nacházejícího se hned naproti Kuronskému paláci.

V rubrice svatebních svědků vidíme vlastnoruční podpisy: Gustav Moritz baron von Armfelt – švédský generál, Josef Vratislav, c.k. dvorní rada, Johann Kaňka (zemský advokát a vévodský kuronský kurátor) a Scipion Piattoli (Conseiller Privé).

Za společným svatebním stolem se tak ocitl bývalý abbé Piattoli a hrabě Vratislav, který několik málo let předtím pronásledovaného Florenťana zatýkal za jeho věrné služby u polského dvora. Dorothea Piattolimu nikdy nezapomněla, jak kdysi ve Varšavě zastával její zájmy, a vzala ho na svou odpovědnost do ochrany. V době svatby, přestože Piattoli ještě nesměl opustit Prahu, se z obou mužů stali přátelé. 2. května 1800 byl Piattoli na přímou přímluvu vévodkyně Kuronské osvobozen.

Zatímco se Paulina chystala na svatební noc, prožívala líbánky i Vilemína v objetí o čtyřiadvacet let staršího Gustava Armfelta. Důkazem jejich lásky bylo dítě narozené z tohoto poměru po devíti měsících. Ještě větší tajemství však během svatby skrývala nejmladší Johana. Bylo jí necelých sedmnáct let a čekala dítě s hercem Arnoldim. Po smrti vévody Kuronského se Arnoldi znovu objevil a opět se o princeznu zajímal.

Jakmile se o schůzkách dověděla matka, přenesla svou starost na hraběte Vratislava, který zastával funkci policejního šéfa v Čechách a měl možnost učinit některá opatření. Arnoldi posílal dopis za dopisem a přemlouval Johanu k novému útěku do Ameriky. Hrabě Vratislav se rozhodl k energickému kroku. Falšovaným dopisem, psaným jakoby Johanou, vylákal Arnoldiho do Chebu. Tam byl nešťastný milenec zatčen a uvězněn. Zde po něm také všechny stopy mizí. Clemens Brühl napsal: „Milostná hra skončila jako tragédie."

Když bylo po Paulinině svatbě, obdržela vévodkyně Kuronská v Löbichau dopis knížete Antona Radziwilla z Berlína. Kníže jí sděloval, že brzy přijede do Saska a s ním i jeho švagr princ Louis Ferdinand, mladší bratr jeho ženy Luisy. Kromě pozdravu od manželky a jejích rodičů byl připojen i dotaz, zda bude k vidění také princezna Vilemína. Dorothea rodinu Radziwillů dobře znala. Princezna Luisa byla její důvěrnou přítelkyní a navíc kmotrou malé Dorothey. Luisin otec, princ Ferdinand Pruský, jim před patnácti roky prodal zámek Friedrichsfelde. Tam se setkala malá Vilemína poprvé s princem Louisem Ferdinandem a už tehdy se hovořilo o tom, že by z nich jednou byl hezký pár. Vilemíně bylo tehdy pět let, Louis Ferdinand byl o devět roků starší. Nyní už věkový rozdíl nemohl vadit.

Vévodkyně Kuronská byla přesvědčena, že se hlásí další ženich. Tentokrát se zajímal o její dceru princ z předního evropského domu. Velký král Fridrich Vilém I. byl jeho strýc a nedávno zesnulý Fridrich Vilém II. jeho bratranec. Zajisté souhlasí i současný král s volbou mladého korunního prince. Dorothea byla spokojena. Možná že si vzpomněla i na Petra, kterému by se tato nabídka také líbila. Tímto svazkem by se definitivně učinila přítrž narážkám na jejich neurozený původ.

O princi se sice vědělo, že hraje o peníze a často vězí v dluzích a že k těmto hrám svádí i ostatní mladé berlínské důstojníky, ale bylo o něm také známo, že je vynikající vojenský teoretik a talentovaný hudebník, který virtuózně hraje na klavír a sám komponuje. Tento modrooký a světlovlasý osmadvacetiletý muž měl u žen nimbus pohádkového prince. Na jeho mužné vlastnosti byla později dokonce složena báseň, opěvující prince jako heroického válečníka, miláčka kamarádů a idol krásných žen.

Setkání bylo ohlášeno na 5. května 1800 v Lipsku. Vilemínu doprovázela matka, sestra Dorothea, ale i generál Armfelt. Armfelt tuto příležitost podporoval, protože dobře věděl, že zašel ve vztahu k princezně příliš daleko. Ve Švédsku na něho čekala žena a čtyři synové. To věděla i Vilemína a snad už tušila, že bude matkou. K prvnímu setkání došlo v apartmá vévodkyně Kuronské. Po přivítacím ceremoniálu se běžně konverzovalo a večer byl věnován hudbě. Louis předvedl svou vlastní skladbu. Za klavír usedl sám, na violoncello hrál jeho švagr. Vilemína se zdála Louisovi ještě půvabnější, než si ji vymaloval ve svých představách. Také jí se princ líbil a začala věřit, že právě on bude ten pravý.

Své pocity zachytil Louis Ferdinand v dopise, který hned večer napsal své matce:

„Vévodkyně Zaháňská je okouzlující, a pokud se mohu vyjádřit po tom, co jsem až dosud mohl postřehnout, zasluhuje si co nejvíce chvály. Její chování je dokonalé, její způsoby, ať už ve společnosti nebo ve vztahu k matce, jsou prosté a přirozené, příjemně zdrženlivé a bez jakéhokoli afektu. To málo, co jsem zatím od ní slyšel, ukazuje na ducha a charakter, a v každém případě na neobyčejnou ženu. Její vzezření je rozkošné. To je to, drahá maminko, co mohu označit za odpovídající pravdě."

Louis se přijel do Lipska na Vilemínu podívat, protože ho matka i sestra k této známosti nabádaly. Byl však předem rozhodnut souhlasit pouze v případě, bude-li se mu princezna opravdu líbit. Odmítal sňatek bez sympatie a lásky:

„Ale konečně mohu upřímně přiznat, že nic na světě by mě nebylo donutilo celou věc rozvíjet, kdyby princezna nebyla taková, jaká je. Přes všechno, co jsem o ní až dosud slyšel, předčila má očekávání."

Druhý den proběhl podobně jako první a mladí lidé nalézali v sobě zalíbení. Třetího dne měl Anton tlumočit vévodkyni Kuronské požadavek prince Ferdinanda. Hned nato chtěla Dorothea pokračovat na cestě do Zaháně. Neřekla sice ještě konečné slovo, to měla rozhodnout Vilemína, ale pozvala prince do Zaháně, aby se oba mladí lidé mohli před zasnoubením ještě lépe poznat.

Když se Anton vrátil k Louisovi, našel ho nešťastného a plného hněvu. Právě dorazil posel z Berlína a předal mu dvě spěšná psaní. V jednom sděloval králův generální adjutant, že Fridrich Vilém III. nedává souhlas k zamýšlenému sňatku a nabádá prince, aby nic zavazujícího neprojednával. Druhý dopis psala královnina hofmistryně a oznamovala princi, že královna by se proti tomuto sňatku postavila všemi prostředky.

Louis Ferdinand byl zoufalý. Naštěstí už Dorothea s doprovodem odcestovala, a tak mu zbývala naděje, že se dá král obměkčit a své rozhodnutí změní. O to se pokoušel i Louisův otec, princ Ferdinand, který byl rovněž zasažen nevídaným postupem a neústupností svého královského synovce. Veškeré snahy však vyzněly naprázdno. Král nepovolil. Říkalo se, že hlavní podíl na tomto stanovisku měla královna, která byla svého času do přitažlivého prince zahleděna sama. Královský pár měl po ruce mnoho argumentů, které Louisovu otci tlumočili vladařovi ministři. Vědělo se o tom, jak dopadla svatební smlouva princezny Pauliny v neprospěch jejího chotě, zdůrazňovaly se politické okolnosti, ale připomínalo se i dobrodružství princezny Johany. Snad se vědělo ještě více. Louis požadoval od krále seriózní zdůvodnění, proč nejprve souhlasil, aby se s Kateřinou Zaháňskou setkal, a to za účelem sňatku, a proč ho posléze uvedl do tak svízelné a trapné situace. Král se různě vykrucoval, ale stál tvrdě na svém. Jako hlavní důvod se uvádělo, že král považuje vévodkyni Zaháňskou přes vévodský titul a značné bohatství za pouhou podřízenou koruně. Závěr byl ten, že Louis Ferdinand si musí vybrat princeznu z urozeného vladařského rodu.

Louis vyhrožoval, že se vzdá nároků na trůn a zřekne se i služby u dvora, jen aby se mohl nadále ucházet o princeznu Vilemínu, která vznešeností, duchaplností i laskavostí předčí všechny dívky, které zatím poznal. Nakonec se musel podvolit a jeho rodičům připadl těžký úkol, nejen omluvit syna, že nepřijede na smluvenou návštěvu do Zaháně, ale také vysvětlit, jaké překážky se postavily do cesty.

Dorothea pochopila. Byla zvyklá podřizovat se vůli krále. Ale zajisté si také vzpomněla, a nebylo to tak příliš dávno, kdy královský dvůr prosil jejího muže, aby zapůjčil peníze na pohřeb minulého krále a na slavnostní ceremoniál pro uvedení krále současného. Peníze se dosud nevrátily a bylo více než jisté, že už je kuronská pokladna nikdy nespatří. Vévodkyně se zdržela výčitek. Situaci zvládla, i když ne bez hořkosti. Vilemína však byla do hloubi duše raněna a uražena. Nejvíce se jí dotklo, že královský dvůr zprvu připustil, aby se dědičný princ ucházel o její ruku, a když bylo všem zřejmé, že ona, vévodkyně Kuronská, souhlasí, pak Louise odvolali a sňatku zamezili. Hrdá Vilemína se zapřisáhla, že do Berlína více nevkročí.

V té době dorazila do Zaháně zpráva, že zemřel kníže Suvorov. Jeho syn Arkadij byl údajně už na cestě do Zaháně, ale po otcově smrti se musel vrátit domů. Nakonec bylo všem zřejmé, že jako syn generála, který upadl u cara v nemilost, už nemá šanci ucházet se o ruku dcery vévodkyně Kuronské, která je finančně na carovi závislá. To pochopil i Arkadij. Pro Vilemínu bylo stanovisko pruského dvora nepřijatelné a pod vlivem událostí jednala rychle a energicky. Musela nyní světu ukázat, jak málo jí na tom, co se přihodilo, záleží. Provdá se natruc, a to hned, aby nedopřála pruskému králi kochat se jejím ponížením.

Armfelt, který chtěl sňatku Vilemíny napomoci, jí už v Zaháni představil svého přítele prince Louise Rohana-Guémenée. Byl to sice francouzský uprchlík, ale co do rodu a urozenosti pocházel z jedné z nejvýznamnějších rodin Francie. Když Rohan požádal princeznu o ruku, neváhala ani chvíli. Svatba byla ohlášena na 23. června 1800. Mezitím s jistotou poznala, že bude matkou. I to byl impulz jednat co nejrychleji.

Svatební obřad byl vykonán v zámecké kapli v Zaháni a dodatečně zaknihován v pražské oddací matrice při kostele Panny Marie Vítězné. Dočítáme se v něm, že sňatek posvětil jak katolický, tak luteránský kněz, neboť ženich byl katolického a nevěsta protestantského vyznání.

Mezi jmény šesti svědků je jméno matky Dorothey Kuronské a Gustava Armfelta. Ani Rohan, podobně jak tomu bylo při svatbě Pauliny, neobdržel spoluvlastnická práva. Také v tomto případě vypátral Kateřinin poručník hrabě Vratislav, že ženich je zcela nemajetný. To vyžadovalo ve věcech finančních naprostou obezřetnost.

Vilemína zajisté srovnávala Rohana s princem Ferdinandem, který v jejích očích zářil jako ideál mužské krásy. Rohan nebyl tak urostlý, nevyznačoval se hudebním nadáním, neměl tak široký okruh zájmů ani přehled o vědách a problematice vojenství. Rohanovi bylo dvaatřicet let, byl štíhlé postavy, černovlasý a rovněž voják. Před čtyřmi roky sloužil ve francouzském emigrantském sboru pod anglickým velením a později vstoupil do rakouské armády. Jestli v něčem vynikal, byla to schopnost přirozeně a poutavě vyprávět a bavit celou společnost.

Hezky se poslouchalo, když líčil své vojenské zážitky nebo když vyprávěl o osudech svých předků před několika staletími. Jeho rod se kdysi skvěl bohatstvím, avšak nyní žili v chudobě mezi francouzskou emigrací. Rohan bral své předky s humorem. Ten stál na straně krále, ten zas proti němu, někteří byli souzeni, prožili roky ve vězení, jeden z nich byl vůdcem hugenotů. Chevalier Louis Rohan byl za Ludvíka XIV. kvůli dobrodružné konspiraci veřejně popraven. Jeden z dědečkových bratrů se stal obětí Francouzské revoluce, jiný arcibiskupem v Cambrai, nejmladší z nich, Louis René Edouard kardinál Rohan, se stal arcibiskupem ve Štrasburku a nyní, po historce s diamantovým náhrdelníkem Marie Antoinetty, žije v ústraní v německém městečku Ettenheimu. Jediný, kdo se ze čtyř bratrů oženil, byl Louisův dědeček. Vzal si dceru vévody z Bouillonu a prvního hraběte z Turenne, vrchního komořího Francie. Tím připadl rodině nárok na vévodství Bouillon. Nyní čeká rodina jen na restauraci království, aby se tohoto dědictví ujala. Také Louisův otec Henri Louis kníže Rohan-Guémenée, vévoda z Montbazonu, se skvěle oženil. Jeho manželka Viktorie byla dcerou knížete Charlese Soubise z domu Rohanů. Její otec byl polním maršálem a státním ministrem. Byl v přízni madame Pompadour a madame Dubarry. Otec si tímto sňatkem zdvojnásobil jmění, ale své výlohy zdesetinásobil. Žil totiž tak nákladným životem, že lesk jeho domu oslňoval celou Paříž. Měli vlastní orchestr, vlastní hereckou skupinu, balet i zpěvačky. To je ovšem přivedlo na pokraj bankrotu. Nakonec byli Louisovi rodiče nuceni uchýlit se ke strýci na zámek Bouillon a v roce 1782, to bylo Louisovi šestnáct let, měli 33 milionů dluhů. Francouzská revoluce a následná emigrace byla svým způsobem pro jejich rodinu záchrana. Starší bratři Victor a Charles zastávali místa generálů, také Louis postoupil v rakouské armádě na místo generála; pak onemocněl, údajně malárií, a odebral se k rodině do Prahy.

Dorothea naslouchala s potěšením vyprávění svého vtipného zetě. Méně se už asi líbil Vilemíně, když ho srovnávala s princem Louisem Ferdinandem. Před světem však musela vypadat šťastně. Hned po svatbě začali cestovat. Často je doprovázel i baron Armfelt. Oběma mužům se z peněz mladé bohaté vévodkyně žilo přímo královsky.

Uvádí se, že 19. září 1800 přišel ve vší tajnosti v Praze na svět syn princezny Johany. Dostal jméno Friedrich (Fritz). V žádné pražské matrice se zatím nepodařilo najít záznam o narození nebo křtu tohoto novorozence. Je také možné, že se dítě narodilo dříve než 19. září. Bylo by docela přirozené, že Fritz byl počat v době útěku Johany s Arnoldim, tedy nejpozději v listopadu 1799. Kdyby se bylo dítě narodilo až 19. září, znamenalo by to, že Johana musela otěhotnět asi v prosinci 1799, což je však k všestranně napjaté situaci v rodině málo pravděpodobné. Později vyrůstalo dítě na zámečku Tannenfeld u věrné služebné vévodkyně Kuronské. Zde zůstalo do svých devíti let, než bylo předáno na další výchovu a byla provedena adopce.

Rok 1800 byl završen odjezdem Vilemíny do Hamburku. Své těhotenství celou dobu před veřejností tajila a nyní se ukryla před světem, aby dala život svému prvnímu a jedinému dítěti. Aby zahladila stopy, oznámila, že odjíždí navštívit nevlastní sestru hraběnku Wartenbergovou. Doprovázel ji pouze Armfelt a v jeho přítomnosti se dítě narodilo 13. ledna 1801, přesně ve výroční den úmrtí vévody Kuronského. Byla to holčička a obdržela po otci jméno Gustava. Říkali jí Vava.

Porod byl těžký, probíhal jen za asistence nešikovné porodní báby, a poznamenal mladou matku na celý život, a to na místě nejcitlivějším. Už nikdy se jí nemělo narodit dítě. Vévodkyně Kuronská si ten den zapsala do svého deníku:

„Heute hat Wilhelmine einen Mißfall gehabt." (Dnes měla Vilemína potrat.)

Podle Vaviných potomků přivolal Armfelt ženu svého bratrance, aby se ujala dítěte a přijala je za své. Přijela se svou vlastní dcerou a obě děti vychovávala společně. Dva roky se s nimi zdržovala v Zaháni. Do Finska se vrátila s dětmi v roce 1802, kdy se z Vídně do vlasti vrátil i Armfelt. V té době se dověděla celou pravdu i Armfeltova žena. Projevila se velkoryse a přijala Vavu za vlastní. Vychovávala ji společně a láskyplně se svými čtyřmi syny.

Gustava byla zapsána do křestní knihy ve finském městě Abo (Turku) jako dítě Armfeltova bratrance a jeho ženy. Pozoruhodné však je, že za den narození byl uveden nikoliv 13. leden 1801, ale 13. červenec roku 1800. Vévodkyně Zaháňská figuruje na tomto záznamu jako kmotra, aby si na dítě zachovala alespoň nějaké právo.

Když se po porodu vrátila do Zaháně, bledá a pohublá, byla rozšířena zpráva, že utrpěla úraz při cestovní nehodě.

13. lednem 1801 skončil rok, který Dorothea Périgordová nazvala rokem smutečním. I když to vpravdě rok smuteční nebyl, byl to rok neveselý a poměrně trapný. Od svého počátku až do konce.

Co by tomu všemu říkal vévoda Kuronský? Nebo by se byl osud ubíral jinými cestami, kdyby vévoda nezemřel za tak výjimečných okolností?

19. října 1801 sepsali praví rodiče Gustavy dopis, ve kterém sdělovali dceři, jak se vše ve skutečnosti odehrálo. Dopis byl bedlivě uscho-

ván a měl se Vavě předat, až dovrší patnáctý rok. Dopis, který se dodnes uchovává u potomků von Vrede,[1] má následující znění:

„Adelaido Gustavo Aspasio, když už Tě stihlo neštěstí ztratit otce a matku dříve, než Ti bude zveřejněno tajemství Tvého zrození, tak věz, něžně milované dítě, že jsi plod nejvroucnější lásky, která spojuje srdce podepsaných. Ti se starali o Tvé blaho, a i když jim nebylo dopřáno, aby Tvou výchovu řídili sami podle svého přání, bude Tě jejich požehnání v Tvém životě chránit. Oba podepisujeme toto psaní vlastnoručně, pečetíme je a naše úzce svázaná srdce zůstanou věčným důkazem naší lásky k Tobě.

Adelaido Gustavo Aspasio. Narodila ses 13. ledna 1801 ve čtyři hodiny odpoledne v Hamburku. Ti lidé, za jejichž dceru jsi považována, Tě adoptovali z vděčnosti k Tvému skutečnému otci, jako jejich dcera jsi pod datem 13. července 1800 (sic!) zapsána do matriky křtěných v Abo.

(Podpisy) Gustav baron d'Armfelt a Kateřina Frederika Vilemína Benigna, princezna Kuronská, vévodkyně Zaháňská."

Nebýt tohoto dochovaného dopisu, nedozvěděli bychom se způsob, jak se utajení nemanželského dítěte v rodině Kuronských realizovalo. Zde je důkaz celé operace. Vévodkyně Zaháňská se svého dítěte vzdala z mladistvé nerozvážnosti a celý život tohoto kroku hořce litovala.

Rozkošné děvčátko, s otcovýma očima, jak dokazuje malba Jeana Babtista Greuze, pořízená údajně během dvouletého pobytu holčičky v Zaháni, vyrostlo a prožilo svůj život ve Finsku.

Měsíc po utajeném porodu v Hamburku se narodil Paulině syn Konstantin, později nazývaný Fridrich Vilém, poslední kníže z Hechingenu. Manželství rodičů tohoto dítěte se však již tehdy, necelý rok po svatbě, jevilo jako nešťastný omyl. Zklamaná Paulina od manžela odešla. Léto prožila s matkou v lázních v Čechách, zimu v Kuronském paláci v Praze. Od manžela ji odpuzovalo i jeho politické smýšlení. Kníže Hohenzollern se k údivu všech připojil k Napoleonovi. Nejprve se stal členem Rýnského spolku, pak adjutantem Napoleonova bratra Jérôma ve Vestfálsku a později přímo francouzským důstojníkem a jedním z Napoleonových pobočníků. Paulina naopak cítila k Napoleonovi odpor, který živili především její pražští přátelé z řad francouzské emigrace.

I když manželství Pauliny nebylo rozvedeno, žila samostatně

a k muži se již nikdy nevrátila. Syn Konstantin byl vychováván otcem, matce byl svěřován jen přechodně.

18. března 1801 se vdávala Johana, třetí z princezen Kuronských. Nebyla to svatba ani z lásky, ani z rozumu, ale z nouze. Zájemci o dceru vyděděnou otcem a odkázanou na milost matky a sester se z řad rakouských a německých šlechticů nehlásili. Posléze se dostavil asi čtyřicetiletý Francesco Pignatelli z Neapole. Pro lepší dojem si ke svému jménu přidal nic neznamenající titul „vévoda z Acerenzy", podle kalábrijského městečka Acerenza, které náleželo jeho bratru vévodovi z Belmonte. Na Johanu ho upozornila královna Karolina Marie Neapolská, s níž se před šestnácti lety seznámili manželé Bironovi při své italské cestě.

Vévoda z Acerenzy nebyl ničím přitažlivý. Především to byl velký marnotratník, sám zcela bez peněz, což bylo hlavní příčinou kroku, k němuž se odhodlal. Johanina pokladna se rychle vyprázdnila. Ale byla zde bohatá matka a u ní hledali novomanželé hmotné zajištění. Doprovázeli vévodkyni Kuronskou téměř na každém kroku. V létě do Karlových Varů a Teplic, v zimě do Berlína. V dalším roce se připojil i bratr Belmonte. Následovali vévodkyni Kuronskou do Švýcarska, do Porýní, v zimě do Berlína a v roce 1803 s ní trávili léto v Löbichau.

Friedrich Gentz, bývalý pruský válečný rada, nyní ve službách rakouského dvora, stále píšící deníky a dlouhé dopisy, se o obou italských bratrech vyjádřil hrubě, ale zřejmě výstižně:

„Princ Belmonte je dvojsmyslný Ital, jeho bratr Acerenza úplné hovado."

Když Gentz poprvé spatřil vévodkyni Kuronskou a její dcery Paulinu a Johanu, zapsal si o nich:

„Dcery jsou nezvedené malé doroty, jimž v první řadě chybí jemné vychování. Nic knížecího ani ušlechtilého na nich neshledávám."

Gentz si žen příliš nevážil, a opravdu jen málokterá obstála před jeho kritickým pohledem. Snad se dal ovlivnit i soudy, které vyslovil někdo jiný, když však princezny poznal osobně, stanovisko k nim i své hodnocení výrazně změnil.

Rok bez otce skončil. Všechny jeho dcery se provdaly a měly děti. Ani jeden zeť by v očích Petra Birona neobstál.

Armfelt zmizel ze scény již koncem roku 1801, kdy byl stockholmským dvorem vzat na milost a jmenován švédským vyslancem ve Vídni. Na dobu strávenou v Löbichau a v kruhu kuronských dam však nikdy nezapomněl. V létě 1802 napsal o Vilemíně svému příteli La Tourovi:

„Má některé velké a ušlechtilé ctnosti, ale vedle toho i nectnosti, které jsem sám dobře poznal. Avšak je to ještě dítě a jako takové pro mne znamenala vždy více než milenku. Nejsem tak slepý, abych neviděl příliš velký věkový rozdíl mezi námi, nebo to, že mladší muž může spíš uspokojit potřeby její duše než já, starý a plný zármutku. Pro mne bude lépe, když už ji nikdy neuvidím."

Jejich cesty se rozešly. Vilemína na Armfeltovu lásku nevzpomínala. Ale co ji znovu a čím dále víc tímto směrem táhlo, byla Gustava, její jediné dítě. Brzy poznala, že jí další děti zůstanou zřejmě odepřeny, a hořce želela, že se své dcerušky tak lehkovážně vzdala. Den Vavina narození se zapomenout nedal. Byl takřka osudově spjat s jiným dnem jejího života. S 13. lednem 1800, kdy ztratila otce. Jak sama o sobě prohlásila, uměla ocenit význam člověka nebo věci, až když je ztratila. O otci a Vavě to platilo dvojnásob.

(IX)
Vévodkyně Záhaňská

Z princezny Vilemíny se 13. lednem 1800 stala vévodkyně Záhaňská. Po otcově smrti jí připadl dědičný titul, který kdysi udělil Petru Bironovi pruský král Fridrich Vilém II. Záhaňské léno jí bylo oficiálně uděleno 21. 8. 1801 pruským králem Fridrichem Vilémem III. Byl to ten, který zabránil jejímu sňatku s korunním princem a kterému nikdy neodpustila příkoří, jež jí způsobil. Hlavní rezidencí mladé vévodkyně byla Záhaň. Dosud zde zůstalo vše jako za otcova života: jeho obrazy, mědirytiny a grafiky, sochy a sbírky uměleckých předmětů, řezbářské práce, vzácné sklo a porcelán, nádobí a stříbrné příbory. Jen hudba zmlkla a divadlo utichlo. Nová scéna, budovaná otcem s takovou láskou a zaujetím, osiřela. Skončily lovy a slavnosti v parku, jichž se kdysi zúčastňovalo až na sto hostů.

Čtyři platany povyrostly a začaly košatět. Ale zámek se Kateřině zdál pustý a chladný. Ze stěn vanula vlhkost a vůně vápna. Stavitel odešel a s ním i život, pohyb a radostná atmosféra. Vzpomínka na otce, dosud palčivá a živá, bolela právě tady nejvíce. Nová vévodkyně se v Záháni nechtěla usadit natrvalo. Jen zřídka se sem za svého života vracela k delšímu pobytu. Toužila po společnosti a ruchu velkých měst. Berlín, metropole Pruska, nepřicházel v úvahu. Svému slibu, nikdy více do tohoto města nevkročit, zůstala věrná. Ale byly tu Drážďany, hlavní město Saska, s kurfiřtským dvorem a s domy četných elitních rodin. Drážďany milovala matka i teta Elisa. Nyní přilákalo toto město i vévodkyni Záhaňskou.

Drážďany zůstaly zatím stranou evropského vření. Připomínaly oázu klidu a míru. Saský kurfiřt Fridrich August se dosud nepřiklonil na žádnou stranu. Jen s obavami pozoroval, jaké změny připravuje Napoleon v okupovaných zemích. Drážďany ležely na rozcestí mezi Paříží, Petrohradem, Berlínem a Vídní. Dobře se mohly odtud sledovat převratné evropské události.

Zatím přinášelo toto město vše, po čem mohli toužit mladí manželé, jimž spadlo do klína téměř pohádkové bohatství. Drážďany nabízely plesy a koncerty, hostiny, lovy, vyjížďky a promenády, krásné toalety, které se oblékly jen jedinkrát, perlivé šampaňské a vybraná jídla, obrazárny, chrámovou hudbu a pěstěné parky. Pro Kateřinu nepřeberné množství námětů k úvahám a diskusím.

Zde spatřila vévodkyně poprvé Klemense Metternicha, rakouského vyslance, který přes své mládí dvaceti osmi let zaujal pozornost místní smetánky. Byl to muž elegantní, obratný v konverzaci, příjemný společník, poněkud lehkovážný, ale přirozený ve vystupování. Byl ženat s Eleonorou Kounicovou, ale zároveň se vědělo o jeho slabosti pro ruskou kněžnu Kateřinu Bagrationovou.

Zatímco kníže Bagration, významný ruský generál, se proháněl po bitevních polích, jeho koketní dvacetiletá žena čekala v Drážďanech, užívala světa a rozhazovala plnými hrstmi jeho obrovské jmění. V době, kdy zde žila Kateřina Zaháňská s Rohanem, se narodila Bagrationové z její avantýry s Metternichem dcera a všechny šokovalo, když kněžna pojmenovala dítě po otci Klementina.

V létě 1804 si manželé Rohanovi zajeli do Paříže. Když se po zřízení konzulátu v roce 1802 poměry ve Francii poněkud uklidnily a Napoleon vyhlásil amnestii uprchlíkům, vrátila se sem z Prahy také Louisova matka Viktorie. Kateřina s Louisem byli jejími hosty. Přítomen byl i strýc Ferdinand, dřívější arcibiskup, nyní zpovědník právě korunované císařovny Josefíny.

Kateřina Zaháňská neušla pozornosti pařížských dam a jedna z nich, hraběnka de Boigne, si později při vzpomínce na setkání s ní zapsala: „Vévodkyně Zaháňská byla krásná, měla vznešené vystupování a způsoby nejlepší společnosti."

Kateřina si však už tehdy uvědomovala, že její manželství s Rohanem byl omyl. Louis se podobal čím dále tím méně jejímu vysněnému ideálu. Chyběla mu moudrost, rozvážnost a mužná důstojnost. Nesnášela jeho povrchní řeči, které do omrzení opakoval. Nenacházela na něm nic, čím by jí imponoval, a pozvolna se začala za svého muže stydět.

Začátkem roku 1805 dal Rohan souhlas k rozvodu. Kateřina mu nabídla odstupné ve výši 100 000 tolarů. Rozvod byl podepsán 7. března 1805.

Dva měsíce poté, 5. května, si vévodkyně Zaháňská brala za muže ruského knížete Vasila Sergejeviče Trubeckého. Nikdo tento její neuvážený krok nechápal. Trubeckoj byl pravým opakem Rohana: vážný, málomluvný, podmračený a vojensky strohý. Ale snad právě to bylo příčinou, proč si ho zvolila. Něčím jí možná také připomínal otce a jeho ruskou minulost.

Louis Rohan se již před rozvodem vrátil do Prahy. Oba jeho starší bratři Viktor a Karel bydleli v Kuronském paláci kněžny Pauliny Hohenzollernové. Ta přijala i svého švagra. Neposkytla mu však jen ubytování, ale na čas i své srdce. Snad se v ní ozvala dívčí touha vlastnit to, co měla nejstarší sestra. Nebo jí chybělo trochu hřejivé lásky.

V roce 1805 byla opět válka. Napoleonova armáda překročila Rýn a v září vpadla do Německa. Pak postupovala směrem na Vídeň. Na odpor se postavilo Rusko, Rakousko a Prusko. Rohan i Trubeckoj byli povoláni k vojsku. Kateřina a Paulina trávily začátek podzimu u matky v Löbichau. Paulina čekala Rohanovo dítě. Ač ve vysokém stupni těhotenství, ještě si zahrála na zámecké scéně, jak bylo možno vyčíst z tištěného programu „Vévodského kuronského dvorního divadla". Psalo se zde, že se „dnes v úterý 1. října 1805 dává hra o čtyřech dějstvích *Die Corsen in Ungarn* (Korzičané v Uhrách) od Augusta Kotzebua".

Mezi účinkujícími byla uvedena „madame Trubeckoi" jako Otylka, manželka Ferdinandova, a „madame Hohenzollern" jako Růženka, zahradníkova dcera.

Bohatě nařasené šaty a košíček s květinami zakryly změněnou postavu Pauliny. Nastávající matka, žijící odděleně od manžela, ale oficiálně nerozvedená, své těhotenství nepochybně skrývala. Ovšem pohybovala se pouze mezi členy rodiny a věrnými, oddanými služebníky. A ti všichni uměli mlčet.

V říjnu byl Louis Rohan raněn při obléhání Ulmu a uchýlil se do Prahy do Kuronského paláce. Lze předpokládat, že se k raněnému milenci vrátila i princezna Paulina. Každopádně se zde nacházela 1. listopadu 1805, kdy figuruje jako kmotra při křtu děvčátka, které se narodilo 31. října přímo v Kuronském paláci a bylo zde i pokřtěno. Dítě obdrželo celé jméno kněžny Hohenzollernové: Marie Luisa Paulina. Kmotrem byl také Louis Rohan.

Uvádí se, že Paulině se narodilo dítě 8. prosince 1805. Byla to rovněž holčička a dostala prosté jméno Marie Wilsonová. Její potomci udávají jako místo narození Paříž. S největší pravděpodobností šlo opět o zakrývací manévr. Je totiž těžko uvěřitelné, že by se Paulina v této neklidné válečné době a v chladném počasí vydala do Paříže jen proto, aby tam porodila své nemanželské dítě. Před pěti lety cestovala v zimě Kateřina do Hamburku, kde se narodila Gustava. Následky tohoto pobytu v neznámém prostředí byly pro Kateřinu téměř tragické a nemohly být dobrým příkladem pro sestru.

Válka skončila v prosinci 1805 Napoleonovým vítězstvím u Slavkova. Jeho cesta na Vídeň byla volná. Trubeckoj se vrátil k manželce do Drážďan. Ta si však již v době jeho nepřítomnosti uvědomila, že ani k němu nemá hlubší vztah a že to byl vlastně jen odpor k Rohanovi, co ji přimělo utéci se k Trubeckému. Když se opět objevil, připadal jí hrubý a cizí. Navíc mu vojenská služba velela vrátit se domů na Rus a kníže požadoval, aby ho Kateřina následovala. Tato podmínka byla pro ni nepřijatelná. A tak stejně snadno, jako zjara tohoto roku přistoupila k svatbě, navrhla nyní opět rozvod. Zaplatila Trubeckému jako v předchozím případě odstupné. Na podzim 1806 byl rozvod proveden.

Rok 1806 byl poznamenán ještě jednou mimořádnou událostí. Začátkem října padl v bitvě u Saalfeldu pruský korunní princ Louis Ferdinand. Kateřina to chápala jako osudové znamení. Ani on jí nebyl souzen. Kdyby se před šesti lety byla stala jeho ženou, a ona po tom tehdy neskonale toužila, byla by dnes vdovou. Byla by společensky sice vystoupila o stupínek výše, ale možná že by byla na tom ještě hůř, kdyby po šesti letech lásky byla nyní o toto štěstí oloupena.

Kateřina byla opět volná. Vyzrála, získala životní zkušenosti a byla nyní, ve svých pětadvaceti letech, odhodlána žít vlastním a nezávislým životem. Odložila jméno prvního i druhého muže a začala výhradně užívat titulu „vévodkyně Zaháňská". Pod tímto označením vešla ve známost v celé Evropě a tomuto jménu zůstala věrná až do smrti.

V naší zemi se vžilo domácky a snad i citově zabarvené označení „Kateřina Zaháňská", v důvěrném rodinném prostředí zůstala nadále Vilemínou.

Uspokojení a naplnění tužeb, které Kateřina nenašla v manželství, hledala nyní ve světě filozofie a politiky. Evropa byla zahlcena vlivy šířícími se ze Západu. Dosud zněla hesla Francouzské revoluce „rovnost, volnost, bratrství" a ovlivňovala myšlení lidí všech vrstev, nevyjímaje ty, kteří patřili ke špičkám tehdejší nobility. Horlila pro ně i Kateřina Zaháňská. Četla se zájmem Voltaira a Rousseaua, opatřila si do své knihovny i další osvícenské spisy, později dané v Rakousku na index. Četla vše, aby jí neušlo nic, co by mohlo obohatit její myšlení a vyhranit její stanovisko.

Zatímco se francouzští zákonodárci zdráhali aplikovat provolání o rovnosti i na poměr mezi ženami a muži, některé evropské ženy, patřila k nim madame de Staël, se zejména ve svých literárních dílech zasazovaly o rovnoprávnost žen, o právo žen na lásku a svobodný citový život. Dostupnější byl nyní pro ženu rozvod. Více u protestantů než u katolíků. Kateřina této vymoženosti dvakrát využila, i když ještě dle severského zvyku s přídavkem odstupného.

Nový směr pronikl i do módy. Odkládaly se napudrované paruky, sukně s obručemi a šněrovačky vyztužené kosticemi. Šaty se nosily volné a pohodlné, což přineslo ženám úlevu a radost z pohybu. Mohly nyní chodit rychleji, mohly běžet, poskočit si, tanec se stával svižnějším a dalo se lépe jezdit na koni. To všechno v plné míře vychutnávala i Kateřina Zaháňská.

Vzestup Napoleona Bonaparta však přinesl ženám zpřísnění závislosti na manželovi. Nové zákony potvrdily, že vdaná žena je v područí chotě a že muž má právo spravovat její majetek.

Evropa se mezitím dostala do varu. V Amiensu byl sice uzavřen s Anglií mír, ale Napoleon spřádal dál svůj sen stát se slavnějším než Caesar a zvítězit nad anglickou konkurencí a podmanit si další země.

Napoleon měl mnoho obdivovatelů, kteří s nadšením sledovali zavádění pořádku do státní správy, zajišťování vysoké výkonnosti francouzské společnosti, zřizování průmyslových a vyšších škol a nový občanský zákoník. K Napoleonovým ctitelům patřila i vévodkyně Kuronská, která údajně měla prohlásit, a snad to myslela i vážně, že „za tohoto muže by se mohla dokonce provdat". Zcela jinak nahlížela na Napoleona její dcera Kateřina. Z duše ho nenáviděla a s nelibostí sledovala, jak napodobuje slavné římské císařství, staví vítězné oblouky a antické sloupy a zapojuje do své mocenské politiky celý rodinný klan.

Názorové rozpory způsobily ještě větší odcizení mezi matkou a dcerami. Vévodkyně Zaháňská patřila k těm, kteří usilovali o Napoleonovo zneškodnění. Stejného smýšlení byla její sestra Paulina. Žila v Praze, centru protinapoleonské opozice, a její antipatie k Francii byla živena ještě odporem ke knížeti Hohenzollernovi, který se stal Napoleonovým služebníkem a tím v očích mnohých zrádcem a bezpáteřným prospěchářem.

Roku 1806 se osvobodila od svého nemožného muže i Johana, poslední z narychlo provdaných princezen Kuronských. Její nevalná finanční situace se za pět let manželství stala téměř kritickou, a jak Johana, tak vévodkyně Kuronská těžce nesly, že vévoda z Acerenzy žije na jejich útraty. Johaně se manžel zprotivil i po stránce tělesné. Styděla se za něj, když v berlínském paláci Unter den Linden, obtloustlý a líný, jezdil na mechanickém koni. Rozvod byl úředně stvrzen sice až po třinácti letech, ale od roku 1806 žila Johana sama nebo se sestrou Paulinou.

Toho roku skončil i rodinný spor o Kuronský palác v Praze, na nějž se Petrova závěť jmenovitě nevztahovala. Zájem o palác projevila Paulina, avšak problém tkvěl v tom, že náklady na jeho údržbu včetně platů služebníků se až dosud čerpaly z výtěžku náchodského panství. Kateřina se zdráhala nadále financovat palác, který nespadal do jejího vlastnictví.

V roce 1806 se Paulina stala konečně skutečnou majitelkou paláce. Mezi její každodenní hosty patřil v tom roce i Friedrich Gentz. Už dávno neplatilo, co prohlásil na adresu obou princezen Kuronských před několika lety. Teď zde prožíval chvilkové vzplanutí k princezně Johaně. Příteli Müllerovi napsal:

„Půvaby této ženy způsobují, že zcela zapomínám, že nad Prahou svítí také slunce a hvězdy."

Tři starší dcery vévodkyně Kuronské se vymanily z nesnesitelných manželských pout. Svobodná a volná zůstala i jejich matka. Opět se usmířila se svou sestrou Elisou. Ta nyní často přijížděla s přítelem Christophem Augustem Tiedgem do Löbichau.

Když se Armfelt koncem roku 1801 stal ve Vídni vyslancem, obrátil se na něj vévoda Fridrich Adolf Ostgoland s prosbou, aby požádal svou dřívější přítelkyni, vévodkyni Kuronskou, zda by se nechtěla stát jeho ženou. To Armfelta zaskočilo a zamrzelo. Nemohl být zprostředkovatelem, pokud šlo o ženu, k níž neztratil nikdy osobní vztah. Vévoda proto poprosil Elisu von der Recke, aby předala Dorothee dopis, v němž ji žádal o ruku. Vévodkyně Kuronská reagovala šetrně, aby neurazila, ale rozhodně. Odpověď vévodovi napsala opět Elisa:

„Moje sestra je pevně rozhodnuta se vícekrát neprovdat. Svou nezávislost, která je pro ni den ode dne cennější, by si chtěla za všech okolností uchovat. Má nyní hlavní povinnost, vyplývající z jejího mateřství, starostlivě se věnovat výchově své nejmladší. Miluje své děti a přeje si žít pouze pro ně a pro malý počet svých přátel. Tím, že znám její neodvolatelné stanovisko, domnívám se, že byste neměl setrvávat ve svém úmyslu, který by ji, obzvlášť protože je míněn poctivě, mohl uvést do rozpaků. Ona si váží každého, kdo by se chtěl o svůj osud s ní podělit, a bylo by jí velmi nepříjemné, kdyby musela otevřeně vyjádřit své odmítnutí."

Vévoda pochopil a dále nenaléhal.

Kdybychom měli posoudit pravdivost tohoto dopisu, museli bychom souhlasit s tím, že Dorothea si vážila svobody i hmotného zaopatření, které jí plynulo z vdovství po Petru Bironovi. Pokud však šlo o její city mateřské a vědomí odpovědnosti za děti, pisatelka nadsadila a vyjádřila spíše své přání než skutečný stav.

Armfelt si uchoval na Dorotheu a Kateřinu hezkou vzpomínku. Ještě ve stáří napsal:

„Znal jsem mnoho žen a některé jsem miloval. S největší pýchou pociťuji dodnes, že jsem, i když bohužel jen krátce, vlastnil srdce vévodkyně Kuronské a její dcery, vévodkyně Zaháňské. Odmítnutí jedné mě vehnalo do náruče té druhé. Nevím, který rozchod mi způsobil větší bolest. Byl bych ochoten ještě dnes za ně položit svůj život."

Kateřina Zaháňská prožívala v letech 1807–1809 období hledání náplně a smyslu života. Děti jí ani z jednoho manželství dopřány nebyly a tuto skutečnost cítila jako velkou újmu na svém životním štěstí a jako handicap svého ženství. Ztráty dcery Gustavy hořce litovala, a aby alespoň částečně zacelila nezahojenou ránu, ujala se dvou schovanek.

Hlavní zájem zaměřila nyní na dění politické, které ji vzrušovalo a přitahovalo přímo magnetickou silou. Zde se projevily shodné prvky s dědečkem Ernstem Bironem, jak to již před lety viděl její otec. I dědeček měl vzácnou schopnost jasného politického vidění a správného odhadu. Carevna Anna ho zejména pro tyto vlastnosti měla ve své stálé blízkosti. Nikdo jí neuměl lépe poradit, správněji rozhodnout a zmapovat situaci. Nyní cítila Kateřina tuto sílu v sobě.

V Drážďanech poznala vévodkyně Zaháňská britského šlechtice Johna Harcourta Kinga. Tento mladý atraktivní muž anglo-irského původu přišel do střední Evropy za diplomatickou kariérou. Jeho úkolem bylo rovněž pozorovat politické dění a vztah politiků a panovníků k Napoleonovi. To Kateřinu na Kingovi zaujalo a od názorového souznění byl jen krok k roznícení citů a k novému milostnému dobrodružství. Kateřina poznala v osobě Rohana Francouze, v případě Trubeckého Rusa, Armfelt byl Švéd a nyní měla konečně možnost spřátelit se s Angličanem. Sama byla rodem pobaltská Němka, po babičce možná i Ruska, smýšlením a výchovou kosmopolitka, ale díky slečně Forsterové také anglofilka. Nyní mohla poprvé v plné šíři uplatnit znalost anglického jazyka i poznatky z anglických dějin a anglické literatury. S Kingem ji nejvíce sbližoval jeho zamítavý postoj k Napoleonovi a úsilí po zastavení jeho rozpínavosti.

Po rozvodu s Trubeckým opustila Kateřina Drážďany a stále častěji se objevovala v Náchodě a v Ratibořicích. Její české panství ji lákalo víc než Zaháň a pomalu jí přirůstalo k srdci. V dopise z 10. června 1806 Vratislavovi píše: „Můj milý Náchod". Kateřina nebyla z rodu romantiků, neplýtvala ani velkými slovy, ani city a výrazem „můj milý Náchod" vyjádřila víc, než by mohl nezasvěcený pozorovatel vytušit.

Zachovalo se velké množství dopisů z korespondence Kateřiny Zaháňské a Josefa hraběte Vratislava z Mitrovic. Byl nejen administrátorem jejího panství v Čechách, ale také upřímným přítelem a otcovským rádcem. Toto přátelství vydrželo až do konce Vratislavova života. Jejich čilá korespondence je obrazem, v jakém stavu se nacházelo náchodské panství, jak postupovala za Kateřiny Zaháňské jeho výstavba, ale také nám prozrazuje, kde a s kým se vévodkyně stýkala a co se kolem ní odehrávalo.

Doprovázena Kingem se od podzimu 1806 stále častěji objevovala ve Vídni. Rakouská metropole ji přitahovala jako centrum politického dění. V listopadu 1806 se ubytovala v hotelu „U římského císaře" a napsala odtud Vratislavovi: „Vídeň je plná uprchlíků a skýtá smutný pohled."

To bylo rok po prohrané bitvě u Slavkova a po přijetí mírových podmínek, jejichž důsledkem byl zánik staré říše římské. Vídeň se stala hlavním městem nově ustaveného „rakouského císařství". Z římského císaře Františka II. se stal rakouský císař František I.[1]

Leden a únor 1807 prožívala Kateřina s Kingem v Terstu. Na jaro se vrátila do Vídně a léto trávila opět v Náchodě a Ratibořicích. Od té doby téměř pravidelně střídala Vídeň a Náchodsko a její venkovské sídlo se svou nádhernou přírodou jí začalo přirůstat k srdci. Poměr Kateřiny Zaháňské s Kingem trval od roku 1806 do roku 1809. V tom roce skončil v Rakousku mír. Chystala se odplata za Slavkov. 10. dubna rakouská vojska překročila hranici s Bavorskem. K útoku nabádal ministr zahraničí hrabě Stadion. Ale již 11. května obklíčil Napoleon Vídeň a dva dny poté ji obsadil.

Napoleon se opět usídlil v Schönbrunnu. Plakáty, které jeho vojáci po městě vylepili, velebily císaře Francie a mimo jiné se zde o něm psalo:

„Je hrdý na to, že již jednou zachránil vaše hlavní město, a vzdor nerozvážnosti, s níž se opět vystavilo válečným hrůzám, chtěl by je znovu zachránit..."

Obyvatelé Vídně byli zachváceni odporem a zlobou. Ve dnech francouzské okupace zde zemřel hudební skladatel Josef Haydn. Ve svém domě na předměstí se zdržoval i Ludwig van Beethoven, naplněn hněvem, že kdysi připsal svou slavnou symfonii Eroiku právě Napoleonovi. Averzi proti uchvatiteli pociťovala silně i Kateřina Zaháňská.

Arcivévoda Karel, vrchní velitel rakouské armády, vyzval protinapoleonské kruhy, aby se stáhly do dosud neobsazených částí monarchie, do Prahy nebo Pešti, a chystaly odvetu.

Kateřina odjela do Ratibořic.

22. května zvítězila rakouská vojska v Dolních Rakousích u Esslingenu a Aspernu. To byla první velká Napoleonova porážka v Evropě. Nadšení Rakušanů však netrvalo dlouho. V červnu zvítězil Napoleon u Wagramu. 12. června bylo ve Znojmě uzavřeno příměří a 14. října 1809 byl v Schönbrunnu podepsán vídeňský mír. Rakousko ztratilo značné území a hroutilo se vojensky, politicky i finančně.

Hrabě Stadion podal demisi. Funkcí ministra zahraničí a rakouského kancléře byl koncem roku 1809 pověřen hrabě Klemens Metternich.

Život ve Vídni se normalizoval. Do města se vraceli uprchlíci. Koncem roku přijela také Kateřina Zaháňská. Její románek s Kingem skončil. Tři roky jí stačily k tomu, aby poznala, že King není mužem, jemuž by mohla natrvalo věnovat své sympatie. Začala se projevovat jeho povrchnost a horkokrevnost i náladovost. Neobstál ani jako diplomat, ani jako politický agent. Jeho chystané tajné akce byly odhaleny a nezbývalo, než aby se vrátil do Anglie. Když po čase znovu přijel do Vídně, staré přátelství se mu už nepodařilo obnovit.

Pro vévodkyni Zaháňskou začala právě v této době nová životní epocha. Najala si ve Vídni apartmá v prvním patře Palmovského paláce v Schenkenstraße č. 54, nedaleko císařského Hofburgu, a otevřela si zde svůj salon. Snad to byla hříčka osudu, že se nastěhovala do stejného domu jako kněžna Bagrationová. Ta obývala levé křídlo knížecího paláce, Kateřina pravé. I kněžna Bagrationová vedla salon a obě místa se těšila velké návštěvnosti. Nyní spojovalo tyto dvě dámy výrazné protinapoleonské zaměření. Později je rozdělila rivalita, vyvolaná zejména nepřekonatelnou žárlivostí kněžny Bagrationové na úspěšnější vévodkyni Zaháňskou…

Do Vídně se přistěhovaly i obě Kateřininy sestry, kněžna Hohenzollernová a vévodkyně Pignatelli z Acerenzy. Usadily se v blízké Annagasse a tento byt držely několik desítek let. Rovněž u nich se scházeli hosté, i když se zde nejednalo o samostatný salon, nýbrž spíše o dependance salonu jejich sestry Kateřiny.

Další okruh se utvořil kolem hraběnky Eleonory Fuchsové. Říkalo se jí „královna". Byla něžná, půvabná, ale nevynikala zvláštním důvtipem. Přátelila se s princeznami Kuronskými, sama však neskýtala svým založením živnou půdu pro politická rokování.

Jednotlivé salony nebyly od sebe přísně oddělené. Někteří hosté mívali ve zvyku objevit se hned tu, hned tam, a tak se i zprávy přenášely a nově interpretovaly. Paulina a Johana navštěvovaly také další paláce, takže měly přehled, jaká kde vládne atmosféra, a mohly Kateřinu informovat a přinášet jí nové náměty k debatám. Vévodkyně Zaháňská sama jiné diskusní kroužky nevyhledávala. Nechávala hosty, aby přicházeli za ní. Zde byl začátek jejího politického vlivu. Hodnotíme-li zpětně, můžeme prohlásit, že i když byla jen jednou z žen stojících v pozadí politického dění, byla ženou mimořádně vlivnou. Na její úsudek dali ti nejpřednější politici.

V salonech vévodkyně Zaháňské a kněžny Bagrationové vládla bezvýhradně protinapoleonská a protifrancouzská nálada. Při čajových dýcháncích se projednávaly všechny zprávy, které z rozjitřené Evropy přicházely do Vídně. Mužem, jehož jméno se vyslovovalo téměř stejně často jako jméno Napoleonovo, byl Klemens Metternich. Kněžna Bagrationová ho znala důvěrně z Drážďan. Ani Metternich nepopíral, že sedmiletá Klementina je jeho dcerou, ale jejich milostný románek skončil.

Bagrationovou vystřídaly v Paříži jiné ženy. Hovořilo se o božské Lauře Junotové, mladistvé choti Napoleonova generála, o Karolině Muratové, Napoleonově sestře a pozdější královně neapolské, a také o herečce Georgině Weinerové. A k tomu žila v Paříži Metternichova žena Lorel se svými dětmi.

Kateřina znala Metternicha jen letmo. Jejich cesty se několikrát zkřížily, když byl po tři roky v Drážďanech vyslancem. Nyní jeho význam a vážnost vzrostly. V listopadu 1809 přijel do Vídně. Vědělo se o něm, že vyjednává Napoleonův sňatek s princeznou Marií Luisou, osmnáctiletou dcerou rakouského císaře.

Napoleon se připravoval na rozvod s Josefínou, která mu nedala dědice. Toužil po synovi, který by měl urozené rodiče a navíc matku z nejvyšší aristokracie. Když byl odmítnut u ruského carského dvora, obrátil se na rakouský císařský dvůr. Tento nápad mu údajně vnukl sám Metternich jako součást své zahraniční „mírové politiky".

Vídeňská společnost se začala bouřit a rozdělila se na dva tábory. V čele nesouhlasu s chystaným sňatkem a celé protinapoleonské kampaně stály především ženy. Patřila sem kněžna Bagrationová, která na Metternicha v poslední době zanevřela, vévodkyně Zaháňská, ale i mladičká císařovna Marie Ludovika, nevlastní matka princezny Marie Luisy. Poukazovala na neblahý osud popravené Marie Antoinetty z habsburského rodu a hledala varovné srovnání.

Námětem vzrušených debat byla i svatební toaleta dovezená Marii Luise z Paříže. Napoleon si přál, aby jeho nová manželka nezůstala pozadu za půvabnou a v odívání originální Josefínou. Proto pověřil svou sestru Karolinu Muratovou, aby obstarala nejkrásnější pařížské modely a celou výbavu. Pařížská móda volných lehkých šatů, sepnutých pod ňadry stuhou, se ještě ve Vídni neujala. Pařížské módní salony držely stále světový primát.

13. března 1810 v 9 hodin dopoledne se vydalo třiaosmdesát kočárů z Vídně na cestu do Paříže. Dva dny předtím požehnal sňatku vídeňský arcibiskup. Napoleona zastupoval arcivévoda Karel, bratr rakouského císaře. Strýc Karel doprovodil neteř až do Paříže. K setkání novomanželů došlo 27. března v Compiègne, kam vyjel Napoleon nastávající císařovně naproti. Po večeři zůstal s ní v jejím apartmá. V Compiègne

se zdrželi do 30. března. 1. dubna byla v Saint-Cloud oslavena občanská svatba. Církevní oddavky se konaly 2. dubna v Louvru. Napoleon doufal, že se za devět měsíců narodí „římský král".[2]

Hned za Marií Luisou odjel do Paříže ministr Metternich, aby dále vyjednával s Napoleonem. Ale již koncem roku 1810 mu sdělil otec, že se ve Vídni proti němu formuje silná opozice, a vyzval syna, aby se urychleně vrátil. Napoleon se s Metternichem srdečně rozloučil ve Fontainebleau a daroval mu jako projev přízně krásný malovaný servis. Metternich jeho srdečnost opětoval, ale zároveň si uvědomoval, že drží dvě želízka v ohni. Dobře věděl, že mír dosažený a udržovaný silou je křehký a nemůže mít dlouhého trvání.

Toužil nyní po tom, správně odhadnout běh událostí. Často se zmítal v pochybnostech a potřeboval někoho, komu by se mohl svěřit a kdo by nejen vyslechl jeho úvahy, ale kdo by i vyjádřil vlastní názor na základě znalosti politické situace a denně se měnících skutečností.

Poznal takového člověka už zjara, když prošel vídeňskými salony. Nebyl to nikdo jiný než Kateřina Zaháňská. Ta byla pro tento účel jako stvořená: inteligentní, duchaplná a vtipná, krásná, bohatá, ale i politicky prozíravá a s vlastními vyhraněnými názory.

Také Friedrich Gentz ocenil vévodkyni Zaháňskou přívlastkem „jasnozřivá".

To bylo přesně to, co nyní Metternich potřeboval. Ne intriky kněžny Bagrationové, ani entuziasmus hraběnky z Vrbna, ale prozíravost, která by mu pomohla volit správnou z nabízených cest. Hledal poradce – a našel ho ve vévodkyni Kateřině Zaháňské.

(X)
Sestra Dorothea

Začátek života malé Dorothey, nejmladší dcerky vévodkyně Kuronské, nebyl právě radostný. První roky, prozářené štěstím mezi matkou a hrabětem Batowským, rychle pominuly. Když dítě začalo více chápat život kolem sebe, byla matka zaneprázdněna cestováním, pobyty v lázních, přestavbou zámku Löbichau a výstavbou zámečku Tannenfeld. Nejranější dětství prožila princezna Dorothea s matkou v berlínském zámku Friedrichsfelde. Později se více zdržovaly v Löbichau. Zde trávily letní měsíce a na zimu doprovázela Dorothea matku do Záhaně, kde žily její tři starší sestry a otec Petr Biron. Pokud zanechaly tyto zaháňské pobyty v paměti Dorothey nějakou odezvu a matné vzpomínky, patřily mezi nejhezčí z jejího chmurného dětství. V Zaháni bylo živo. Konaly se tu hony, pořádaly hostiny, přijímaly se návštěvy, zněla zde hudba a na zámeckém jevišti se hrálo divadlo. I Petr Biron, který se věkem stával snášenlivějším a vyrovnanějším, se zapsal mile do paměti malé princezničky. Jinak tomu bylo v Löbichau a později také v Berlíně v paláci Unter den Linden.

Matka ponechala tělesný a duševní rozvoj dítěte na starost anglické vychovatelce, která zůstala Dorothee v paměti jako „stará čarodějnice". Tato guvernantka měla utkvělou představu, že čím tvrdší a strastiplnější je výchova těla, tím odolnějším se prokáže duch člověka. V mrazivé zimě nutila dítě běhat nahé venku a její hlavní výchovnou metodou, kterou na Dorothee plně uplatňovala, byla slepá poslušnost a absence všeho, co ulehčuje nebo zpříjemňuje dítěti život. Dorothea se díky takové výchově bez citu a lásky stávala vzdorovitou a občas ji přepadaly záchvaty zlosti. Za všechno své neštěstí vinila matku, a i když později našla vysvětlení a snad i omluvu pro její počínání a rozhodování, neodpustila jí lhostejnost a nezájem a nikdy k ní nepřilnula láskou a důvěrou, které bývají přirozeným poutem mezi matkou a dítětem.

Po letech Dorothea o sobě napsala:
„Malá, hubená, nažloutlé pleti a od okamžiku narození obtížná. Mé oči byly tak tmavé a velké, že tvořily nepoměr k malému obličeji a způsobily, že se ostatní partie zdály příliš malé. Byla bych vypadala vysloveně škaredě, nebýt mé živosti a energie, takže lidé přehlíželi mou téměř chorobnou bledost a vytušili sílu, která se ve mně skrývala. Byla jsem od přírody trucovitá a jen v tom bylo na mně cosi dětského. Smutná až melancholická, zřetelně se pamatuji, jak jsem toužila zemřít…"

Pak vystřídal hraběte Alexandra Batowského, který se stával náladovým až trudnomyslným, generál Gustav Moritz Armfelt. Dorothea na něho vzpomínala ráda, i když se zpočátku k němu stavěla nedůvěřivě a odmítavě. Především jemu vděčila za to, že propustili bezcitnou anglickou vychovatelku a že se život stal pro ni snesitelnějším.

Armfelt pochopil, že dítě, které jevilo určité známky abnormality, není ani zlé, ani neschopné, ale především všestranně zanedbané. Vzal si za úkol naučit Dorotheu číst a psát a podařilo se mu to během několika dnů. Brzy poznal, že dítě je nadané a vědychtivé a že je mu třeba opatřit řádné učitele.

Matka přijala dva nové vychovatele: Reginu Hoffmannovou a Scipiona Piattoliho, o jehož pedagogických kvalitách věděla již z doby svého varšavského pobytu. Piattoli jí nyní na dítěti splácel dluh za politickou ochranu. Dorothea po letech ve svých *Vzpomínkách* napsala s trochou humoru:

„Brzy jsem se stala obětí dvou soupeřících mocností, jež se v krátké době dostaly do válečného stavu. Abbé Piattoli a mademoiselle Hoffmannová, kteří se zpočátku ctili, se ke konci právě tak nenáviděli."

Oba byli sami o sobě dobrými vychovateli. Měli malou princeznu nade vše rádi a usilovali o její přízeň. Scipion Piattoli, rodem Florenťan, byl původně členem jezuitského řádu, ale v roce 1774, ve svých čtyřiadvaceti letech, z řádu vystoupil. Pak se dostal do Polska, kde přijal místo vychovatele knížecího syna Adama Czartoryského. Brzy si vzdělaného vychovatele všiml sám polský král Stanislav August II. a učinil ho svým poradcem a sekretářem.

V té době ho poznala ve Varšavě vévodkyně Kuronská a s díky přijala jeho pomoc při projednávání kuronské záležitosti před říšským sněmem. Když v roce 1792 obsadili Varšavu Rusové, uvrhli Piattoliho za účast na nové ústavě do vězení. Nebýt jeho žáka Czartoryského, který se posléze stal přítelem ruského cara Pavla, není jisté, jak by se byl jeho další osud vyvinul. Vévodkyně Kuronská ukrývala přítele nejdříve v Praze a roku 1802 ho pozvala do Berlína, aby se v paláci Unter den Linden, tehdy již nazývaném Kuronský palác, ujal výchovy princezny Dorothey. Bylo mu třiapadesát let, a ačkoliv neměl přitažlivý zevnějšek (byl menší hubené postavy, holohlavý a s nervózními pohyby), malá Dorothea si ho oblíbila pro jeho citlivost, přímo otcovskou péči a obdivuhodné vědomosti. Vycítila, že mu není nic zatěžko, šlo-li o její prospěch a štěstí.

Slečna Regina Hoffmannová, původem Němka, měla s abbé Piattolim mnoho společného. Také ona hledala kdysi útěchu v římskokatolickém náboženství, a když jí takřka před svatbou v Paříži zemřel snoubenec, vstoupila dokonce na krátký čas do kláštera. Brzy si však uvědomila, že se její liberální myšlení neshoduje s církevním dogmatismem. Odešla do Polska a přijala místo vychovatelky v rodině hraběnky Potocké. Její budoucnost zmařila ruská okupace. Hrabě Potocki byl uvržen do vězení a ona sama musela Polsko opustit. Ráda přijala nabídku vévodkyně Kuronské.

Oba vychovatelé měli obdivuhodně podobné osudy. Oba byli katolíky, později se oba od církve odklonili, stali se liberály a zastánci lidské svobody, byli vychovateli v polských šlechtických rodinách a museli před Rusy opustit zemi. Ve výchovných postupech, uplatňovaných při výchově Dorothey, se však nemohli shodnout, jak se opětovně dovídáme z pera jejich žákyně:

„S výjimkou vášnivé náklonnosti ke mně neměli nic společného. Jejich charaktery byly tak neobyčejně rozdílné, že bylo pro mne vskutku obtížné dvě tak protichůdné autority uvést v soulad. Když jsem se řídila pokyny abbého, dostala moje guvernantka hned hrozný nervový záchvat, dělala-li jsem opak, vytáhl abbé do boje proti výchovným způsobům Hoffmannové. Došlo to tak daleko, že jsem si zvykla právě tak dobře na nervy toho jednoho jako na záchvaty zlosti toho druhého a od obou jsem si vybrala to, co mi vyhovovalo. Věděla jsem, že všechno, cokoli udělám, jeden nebo druhý schválí a přispěchá na mou obranu."

Slečna Hoffmannová byla vyznavačkou Rousseauových výchovných metod a při péči o zdraví své chráněnky se jimi řídila. Na její přání ušili pro Dorotheu široké pytlovité šaty, aby nemohly způsobit „zara-

Vévodkyně Kateřina Zaháňská
v Římě roku 1827.
(Malíř Filippo Agricola.)

Anna Charlotta Dorothea,
vévodkyně Kuronská
(1761–1821),
matka Kateřiny Zaháňské.
(Malíř Joseph Friedrich August Darbès.
Gemäldegalerie v Drážďanech.)

Petr Biron,
vévoda Kuronský
(1724–1800),
otec Kateřiny Zaháňské.
(Autor neznámý.)

Kateřina Vilemína Zaháňská
(1781–1839).
Portrét namaloval roku 1800
Giuseppe Grassi
(1757–1738).

Paulina, princezna Kuronská (1782–1845).

Johana, princezna Kuronská (1783–1876). Portréty tří princezen byly malovány v roce 1800 italským malířem Giuseppem Grassim, žijícím tehdy v Drážďanech.

Zámek v Zaháni.
Vlevo portrét Albrechta z Valdštejna,
vpravo portrét vévody Kuronského.
Dole erb města Zaháně.

Erb vévodkyně
Kateřiny Zaháňské
z roku 1839.

Náchodský zámek
na Haunově litografii.

První ikonografie
ratibořického zámku na litografii
podle akvarelu Ernsta Welkera.

Hrabě Alexandr Batowski
(1758–1841).

Anna Charlotta Dorothea,
vévodkyně Kuronská
(1761–1821).

Zámek Löbichau,
vybudovaný roku 1796
vévodkyní Kuronskou.

Zámeček Tannenfeld,
postavený vévodkyní Kuronskou
pro hraběte Batowského.

Dorothea Périgordová,
pozdější vévodkyně Dino, de Talleyrand a de Sagan
(1793–1862),
čtvrtá dcera vévodkyně Kuronské.

Gustav Moritz Armfelt
(1757–1814).
Portrét maloval Giuseppe Grassi roku 1799.
(Originál v soukromé sbírce ve Finsku.)

Kateřina Zaháňská
(1781–1839)
na olejomalbě Giuseppa Grassiho z roku 1799.
(Originál v soukromé sbírce.)

*Kateřina Zaháňská
a Gustav Moritz Armfelt
po roce 1800.*

*Dítě vpředu
je Gustava
Armfeltová
(1801–1881),
dcera Kateřiny
Zaháňské
a G. M. Armfelta.*

Gustav Moritz Armfelt v ruské generálské uniformě
před bystou švédského krále Gustava III.
Podle originálu C. F. Breda maloval v letech 1825–1830 Johann Erik Lindh.
(Obraz v soukromé sbírce.)

Dvě strany Armfeltovy medaile z roku 1801
od pražského rytce Antonína Guillemarda.
Na rubu datum narození 1. 4. 1757
a latinský nápis: „Skví se neposkvrněnými ctnostmi.“

G. W. Finberg:
Vava Armfeltová
v roce 1826,
rok po svatbě.
(Obraz
v soukromé
sbírce.)

Gustava
Armfeltová
na miniatuře
neznámého
umělce.

žení tělesných šťáv". Nesměla nosit klobouky, aby se jí zpevnily lebeční kosti, musela spát na tvrdém lůžku, aby netrpěla nespavostí, musela vstávat se sluncem a chodit s ním spát. Občas byl tento stereotyp narušen. Pak nechali Dorotheu dlouho vzhůru a probudili ji dávno před svítáním. Měla poznat, že lidský život není řízen instinktem jako u zvířat, nýbrž že člověk se od ostatních tvorů liší vůlí a rozumem.

V zimě šatili dítě do lehkých šatů. Slečna Hoffmannová podobně jako předchozí vychovatelka zastávala názor, že chlad je třeba se naučit snášet, ale horku se je třeba raději vyhýbat. Dorothea měla dovoleno napít se říční vody, ale pramenitá voda musela několik hodin stát a teprve pak se směla použít. Dorotheu nedali očkovat ani proti neštovicím.

Těžko říci, co z tohoto otužování těla a ducha dívce prospělo a co uškodilo. Skutečností je, že v pozdějších letech trpěla krutými revmatickými bolestmi a hledala úlevu v lázních. Ale pozitivním jevem bylo to, že až dosud hubené a skoro průhledné dítě začalo přibývat, ztratilo nezdravou bledost a oblíbilo si pohyb. Princezna lezla po stromech, oddávala se divokým hrám, až si občas odřela ruce a nohy a potrhala šaty.

Na odborné předměty měla několik dalších soukromých učitelů. Nebavily ji však hodiny tance a hudby, ale zato ráda malovala, měla mimořádné nadání pro matematiku, přitahovala ji astronomie a nade vše milovala knihy. Vášnivě ráda četla vše, co se jí dostalo do ruky. Piattoli, zkušený bibliotékář, založil v Berlíně v Kuronském paláci knihovnu. Tam by byla Dorothea vydržela trávit celé dny. Často ji přistihli, jak sedí na knihovnických štaflích, skloněna nad knihou, a neví o světě. Neodložila knihu, dokud ji nedočetla, a už sahala po další.

Tak utekla pro Dorotheu léta dětství a z malé princezny se stala slečna. Záhy si začala uvědomovat, že berlínský palác je podle závěti Petra Birona jejím dědičným vlastnictvím. Věděla to samozřejmě i vévodkyně, která zde vedla salon a na niž se vzhledem k jejímu přátelství s princeznou Luisou a berlínským dvorem pohlíželo, jako by náležela ke královské rodině.

Dorothea jen občas nahlédla, co se děje v matčině saloně, kde zněla francouzština a vládly noblesní způsoby. Bylo jí pouhých dvanáct let, když si vymínila přikoupit druhou polovinu dřívějšího paláce Unter den Linden. Kupní smlouva byla uzavřena 12. 11. 1805 a zaplaceno 66 000 tolarů. Kuronský palác s nádherným rokokovým sálem patřil začátkem minulého století k střediskům aristokratického života Berlína. Odehrávaly se zde skvostné slavnosti a nejedno vzácné přijetí. Nezasloužila se však o to jen vévodkyně Kuronská, ale i její dorůstající dcera. Princezna Dorothea rozhodla, že jedno křídlo bude obývat matka, ale druhá část paláce že bude její vlastní. Tam povede svou samostatnou domácnost a na matce nezávislý život.

Matka se potají usmívala, když Dorothea ohlásila otevření svého salonu a pozvala první hosty. Přišlo jich hodně. Přilákala je zvědavost. Neuměli si představit, co může poskytnout salon třináctiletého děvčátka. Ale byli nadmíru spokojeni. Princezna Dorothea, která trávila celý život mezi dospělými a přejala jejich způsoby i zájmy, se lišila od stejně starých dívek vážností, samozřejmostí ve vystupování a rozhodností při vyjadřování soudů a názorů. K hostům byla velkorysá, chovala se přívětivě a snažila se učinit co nejlepší dojem.

K stálým návštěvníkům jejího salonu patřila madame Unzelmannová, nejslavnější berlínská herečka té doby, ale přicházel i historik Johann von Müller a rovněž August Wilhelm Iffland, ředitel královského divadla. Její salon navštívil též básník Friedrich Schiller, když přijel do Berlína a uslyšel, kdo se schází u princezny Kuronské. Všichni byli překvapeni, jak milé a nenucené diskusní prostředí vytvořila. Iffland učil Dorotheu recitovat a v divadle jí vyhradil lóži. Dorothea s ním a s herečkou Unzelmannovou ráda diskutovala a rozebírala zhlédnuté hry. Oni se zájmem naslouchali jejím postřehům a upřímně sděleným osobitým pocitům.

Největší vliv na výchovu Dorothey měl abbé Piattoli. Nabádal ji k bezohledné sebekritice, učil ji prohrávat při hře, vědom si toho, že ji připravuje na to, aby uměla přijímat i prohry v životě. Ve svém salonu uplatnila malá hostitelka osvojené dovednosti a vypěstované návyky v plné míře.

V roce 1804 odcestoval Piattoli na delší dobu do Petrohradu, kde měl projednat některé finanční záležitosti vévodkyně Kuronské. Doby se změnily. Jeho dřívější politická nebezpečnost patřila již minulosti. Dopisy, které odtud psal své milované „Dorce", oslovoval ji „chère Dorka", jsou obrazem lidskosti a vřelého vztahu učitele k žákyni. V jednom dopise napsal:

„Čím vyšší je hodnost, čím větší bohatství a jiné přednosti, jimiž nás osud nebo původ obdarovaly, tím více je třeba učit se dobrotě, trpělivosti a laskavosti."

Evropu zachvátila vlna napoleonských válek. Prusko, které prohrálo u Jeny, vyhlásilo v září 1806 Napoleonovi válku a následné události se dotkly všech obyvatel království.

Vévodkyně Kuronská odcestovala několik měsíců předtím za Piattolim do Petrohradu. Dorothea se slečnou Hoffmannovou se rozhodly, podobně jako ostatní příslušníci aristokracie, Berlín opustit. Zabalily několik kufrů a vyrazily kočárem směrem na severovýchod. Dorothea si usmyslila stáhnout se do Kuronska, země svých předků, kterou nikdy předtím nespatřila.

Cesta byla nadmíru obtížná a nebezpečná. Všude houfy lidí opouštějící domovy a ubírající se neznámo kam. Když Dorothea dorazila do Gdaňska, poslala matce dopis, v němž ji informovala o celé situaci a cíli své cesty. Pak pokračovala s vychovatelkou v přetíženém a studeném kočáře dnem i nocí podél mořského pobřeží. Zvedla se větrná bouře, moře se vzdulo a zaplavilo cesty. Nedalo se pokračovat a princezna byla vděčna, když mohla v chudé rybářské chýši usušit šaty a zahřát prokřehlé tělo.

Konečně se objevilo Kuronsko. Obě ženy se usadily na zámku Alt-Autz, kde kdysi vyrůstala vévodkyně a kde nyní žil její bratr Karel. Dorothea byla ohromena, když si před ní sedláci klekli do sněhu, aby políbili princezně Kuronské nohy. Pociťovala stud a odpor k tak poníženému chování. Sama měla svou hrdost a chovala úctu k hrdosti druhých. Nesnášela servilitu a pochlebování.

V Kuronsku poznala Dorothea poprvé v životě chudobu a bídu, ale nelíbili se jí ani místní šlechtici. Na Alt-Autz se právě chystal hon na losy. V zámku se usadilo na padesát lovců z celé provincie se svými sluhy, koňmi a zavazadly. Dorothea žasla, co toho ti lidé snědí. Jedli až desetkrát denně. Později o tom napsala ve svých *Vzpomínkách*:

„Nikdy v životě jsem neviděla tak často a tak mnoho jíst. Jedlo se, když byl hlad, jedlo se z dlouhé chvíle, když bylo zima, a zdálo se, že se jíst nikdy nepřestane. Život mužů je vyplněn zemědělstvím, lovy a závoděním na saních. Ženy jsou téměř všechny hezké, ale právě tak nevzdělané jako nudné… Přestože moje teta má roční příjem 600 000 marek, stará se sama o krávy, připravuje vlastnoručně pudink, sbírá máslo a vejce od hospodářů, zašívá svému muži punčochy a plete svetry pro své děti. Luxus života spočívá pouze v nadbytku. Vzdělání se nahrazuje přívětivostí a dobré vlastnosti lidí jsou právě tak nepřitesané jako jejich vlastnosti špatné."

V zámku nebyla k nalezení jediná kniha a mimo slečnu Hoffmannovou a matku, která sem přijela z Petrohradu, nebyl na Alt-Autz nikdo, s nímž by se dalo hovořit.

Později přesídlila Dorothea do Mitavy, kde se na zámku zdržoval uprchlý francouzský král Ludvík XVIII. Dorothea zde bývala často jeho hostem. Tady se jí také dostalo prvního svatebního návrhu, i když jí nebylo ještě čtrnáct let. Král hledal snoubenku pro svého synovce, vévodu z Berry, který se toho času zdržoval v Anglii. Princezna Kuronská se králi po všech stránkách líbila a byl by ji rád viděl jako choť svého synovce...

Dorothea však měla v hlavě jiného muže. Usmyslila si, že se stane ženou polského knížete Adama Czartoryského, o němž s nadšením vyprávěl abbé Piattoli, jeho bývalý učitel a vychovatel. Adam byl sice o třiadvacet let starší než Dorothea, ale ji okouzlily především jeho schopnosti, humánní snahy a politické úspěchy i hrdinný postoj při posledním dělení Polska. Rusové vědomi si velkých sympatií, kterým se tento mladý muž u polského národa těšil, ho vzali s sebou do Ruska jako rukojmí.

Adam vzbudil i tam obdiv a úctu a carevič Alexandr ho roku 1797 jmenoval svým adjutantem. Když se později stal Alexandr carem, povýšil svého oblíbence na ministra zahraničí. Czartoryski však nezapomněl, že kdysi bojoval za nezávislost Polska, a znovu se začal těmito myšlenkami zabývat. Netajil se svým přesvědčením ani před carem. Tím přátelství mezi oběma dostalo trhliny. To všechno věděla Dorothea od Piattoliho. Ten stejně horlivě vyprávěl Adamovi o princezně Kuronské a rád by byl viděl, kdyby se tito dva jemu nejmilejší lidé setkali. Věřil, že další vývoj jejich vztahů je pouze otázkou času.

V roce 1807 bylo Adamovi třicet sedm let. Jeho matka již vyhledala slečnu Matuszewiczovou, dívku z příbuzenstva, aby z ní vychovala budoucí manželku pro svého syna.

Adam však nebral na lehkou váhu, co mu vyprávěl Piattoli o Dorothee. Rozhodl se proto navštívit Mitavu, aby dívku spatřil. Přijel zjara 1807 a zdržel se zde čtrnáct dnů. Více hovořil s matkou, ale se zájmem sledoval i čtrnáctiletou princeznu. Blíže se nevyjádřil, když se však loučil, požádal Dorotheu, aby se na zpáteční cestě do Berlína zastavila ve Varšavě a pozdravila jeho matku. Dorothea byla knížetem Czartoryským unesena a považovala pozvání do rodiny za nepřímou nabídku k zásnubám. Vévodkyně Kuronská však dceři tuto zajížďku rozmluvila. Dělala vlastně všechno pro to, aby ze známosti sešlo. Nejvíce se obávala zhoršeného vztahu mezi Czartoryským a carem a strachovala se, aby to neovlivnilo nepříznivě její důchod z Petrohradu. Při posuzování budoucího zetě hrálo toto hledisko u vévodkyně prvořadou roli. Možná že matce vadil také velký věkový rozdíl a to, že Adam žije v Polsku, což v jejích očích rovněž nezaručovalo pro Dorotheu klidnou budoucnost.

Když se Dorothea vracela v září toho roku se slečnou Hoffmannovou do Berlína, s hrůzou pozorovala cestou, co všechno způsobila válka: domy v troskách, vesnice vypálené, pole neobdělaná, všude bída, hlad a nemoci. Cestou žily Dorothea a její vychovatelka jen o vodě a suchém chlebě a bály se stoupnout na zamořenou zem.

Nové překvapení je čekalo v Berlíně. Jejich palác byl obsazen Francouzi, kteří zde pod velením Saint-Hilaira rozbili svůj hlavní stan. Princezně vykázali jen malé místnosti ve vnitřním dvoře, kde dříve bydleli služebníci. Dorothea se uzavřela a osm dnů nevyšla ven. Když se přece jen vypravila do města, šla na znamení smutku a nesouhlasu v černém. Po šesti týdnech se vrátila matka, ale ta se s Francouzi přátelila a stále více toužila poznat Paříž a na vlastní oči spatřit Napoleona. Tím si samozřejmě vytvořila v berlínské společnosti mnoho nepřátel a zhoršily se též vztahy s královskou rodinou. Stoupalo i napětí mezi vévodkyní a Dorotheou, neboť dcera pohlížela na matčino chování kriticky. Dorothea se zúčastnila divadelního představení, které dával ředitel Iffland na počest narozenin v exilu žijící královny Luisy. Publikum povstalo a volalo: „Ať dlouho žije král, ať žije královna!"

Francouzský guvernér Berlína vévoda Belluna poslal důstojníky, aby ředitele divadla zatkli. Také Dorothea aplaudovala ve své lóži a přihlížela, jak odvádějí milovaného Ifflanda.

Koncem dubna následujícího roku se rozhodla matka přemístit se s Dorotheou do Löbichau. Generál Saint-Hilaire trval na tom, aby dva jeho adjutanti doprovodili kočáry vévodkyně. Francouzská eskorta se cestou projevila jako nezbytná. Kočáry byly totiž napadeny marodéry. Dámy i jejich zavazadla se podařilo ochránit, ale pouze za cenu zranění jednoho z adjutantů, který se za své svěřenkyně bil. Těžce raněný musel proležet deset týdnů v Löbichau. Tato příhoda poněkud zmírnila Dorotheinu averzi vůči Francouzům.

V Löbichau si Dorothea vymínila, že nebude bydlet s matkou ve velkém zámku, ale že povede svou domácnost v nedalekém zámečku Tannenfeld. V této době se přihlásila řada svobodných synů ze šlechtických rodin, aby se ucházeli o Dorotheinu ruku. Přijel princ August z Pruska, vévoda z Coburgu, vévoda z Gothy, princ z Meklenburska, Florentin ze Salmu a princ Reuß. Zpráva o bohaté nevěstě však doletěla i do Francie a zaujala samotného Charlese Maurice Talleyranda knížete z Beneventa.[1] Sám byl sice bez legitimních dědiců, ale byl zde syn jeho mladšího bratra Archambauda, hrabě Alexandr Edmond z Périgordu. Ten se měl stát dědicem strýcovým a převzít po něm panství Valençay s jedním z nejhonosnějších zámků Francie.

Vévoda Talleyrand byl po Francouzské revoluci opět významnou politickou osobností, i když jeho sympatie k Napoleonovi začínaly pomalu uvadat. Nyní hledal pro svého synovce a následníka nevěstu. Ale protože Napoleon rezervoval dcery starých francouzských rodů pro své maršály, museli se další zájemci o sňatky obracet za hranice země.

Talleyrand věděl o všem, co mělo význam a bylo pozoruhodné, a tak mu neušlo, že v bohaté rodině Kuronských je ještě jedna dcera na vdávání.

Talleyrand pracoval rád najisto, a aby jeho snaha získat Dorotheu byla korunována úspěchem, rozhodl se požádat o pomoc samotného ruského cara. Věděl velmi dobře, a byl to především Batowski, kdo mu tuto radu dal, že ničí slovo nemá u vévodkyně takovou váhu jako slovo carovo.

V Erfurtu skončil právě kongres evropských vladařů, kde probíhala závěrečná jednání mezi Napoleonem a carem Alexandrem I. Talleyrand, chladný kalkulátor a chytrý hráč, věděl, že se francouzské impérium pomalu řítí do záhuby, a prozradil carovi ledacos užitečného z politické kuchyně císaře Napoleona. Za odměnu nežádal nic jiného než intervenovat ve prospěch svého synovce u vévodkyně Kuronské. Car, vědom si ceny diplomatické služby, kterou mu Talleyrand prokázal, ochotně souhlasil a předem se v Löbichau ohlásil. Pro něj to znamenalo pouze den zdržení na zpáteční cestě do Ruska.

Na zámek dorazil se svým doprovodem 16. října 1808 odpoledne.

Strávil zde sedm hodin, které podrobně popisuje Dorothea ve svých *Vzpomínkách.* V té době tu byla teta Elisa von der Recke, sestry Paulina a Johana, ale i princ Gustav z Meklenburska a princ Reuß, kteří sice věděli, že jim ze strany Dorothey nekyne žádná naděje, ale zůstali delší dobu hosty vévodkyně Kuronské. Zpráva o příjezdu ruského cara se rozšířila a k této vzácné příležitosti se dostavil i vévoda z Meklenburska, tchán rakouského císaře, aby osobně pozdravil cara Alexandra. Několik měsíců žila na zámku také saská hraběnka von Kielmannsegge se svými dětmi a přijela ještě řada dalších hostů, aby byli přítomni slavné události. Vévodkyně Kuronská byla carovou návštěvou nesmírně polichocena a vysvětlovala si tuto poctu jako odezvu na svou návštěvu před dvěma roky v Petrohradě.

Cara doprovázel v rodině Kuronských neslavně proslulý kníže Trubeckoj, druhý manžel Kateřiny Zaháňské, dále generál Caulaincourt, francouzský vyslanec v Moskvě, a vévoda z Vicenzy, pozdější francouzský ministr zahraničí. V pozadí této svity stál dvaadvacetiletý Edmond z Périgordu, nyní Napoleonův důstojník, právě přidělený Caulaincourtovi jako ataše.

Po obědě se odebral car Alexandr s vévodkyní Kuronskou do ústraní a teprve zde jí přednesl svou žádost. Vévodkyně byla mile překvapena, ale odvážila se dodat, že konečné rozhodnutí záleží na dceři. Ona že se vynasnaží připravit co nejpříznivější podmínky. Dorothee zatím neprozradila nic. Věděla příliš dobře, že dokud má dcera v hlavě svůj polský ideál, nebude přístupna jinému návrhu.

U stolu se naklonil car k Dorothee a zeptal se jí, zda si všimla podobnosti mezi hrabětem Edmondem z Périgordu a knížetem Adamem Czartoryským. Dorothea zaražena touto otázkou se začervenala a pohotově řekla:

„O kom hovoří Vaše Veličenstvo?"

„Samozřejmě o tom mladém muži tam naproti, o synovci knížete z Beneventa."

„Je mi líto, sire, já jsem si adjutanta vévody z Vicenzy zatím nepovšimla. Obávám se, že jsem tak krátkozraká, že odtud ani nerozpoznám, jak vypadá."

Na zimu se vrátila Dorothea se slečnou Hoffmannovou do Berlína. Palác stále okupovali Francouzi, ale Dorothea se zde cítila přesto volněji než v Löbichau.

Talleyrand byl s postupem věcí spokojen, jak vyplývá z dopisu, který napsal Caulaincourtovi:

„Nevím, zda se nám to podaří, ale jedno vím zcela jistě, že musím být trvale vděčný caru Alexandrovi za jeho laskavost a Vám za všechnu snahu, kterou jste vyvinul, a že jste se projevil jako dobrý přítel."

Zatímco si Dorothea klidně žila v Berlíně a prožívala svou platonickou lásku, přijeli v listopadu opět hrabě Batowski a Edmond z Périgordu do Löbichau. Edmond pak pokračoval v cestě do Petrohradu, ale Batowski v Löbichau zůstal, aby pomohl uskutečnit Talleyrandovy plány: nejprve musel ze scény zmizet Czartoryski a pak bylo na Piattolim, který byl prapůvodcem nemilé situace, aby vše opět usměrnil. Piattoli byl bohužel smrtelně nemocen a stáhl se do Altenburgu blíže ke svým lékařům. Batowski přesto přijížděl za bývalým přítelem a bezohledně na něho naléhal.

Piattoli napsal své žákyni dopis a snažil se jí domluvit. Ale psal tak tajuplně a neurčitě, zcela v rozporu se svými zvyklostmi, že Dorothea jeho dopisu neporozuměla. Když byla vyzvána, aby v únoru přijela na narozeniny matky do Löbichau, zastavila se cestou v Altenburgu, aby Piattoliho požádala o vysvětlení. Byla otřesena, když spatřila svého učitele na smrtelném loži.

Brzy po příjezdu na zámek se dostavil opět Edmond a Dorothee rázem svitlo, oč jde. Navíc jí sdělila matka, že Czartoryski se v Polsku zasnoubil a že Edmond požádal o její ruku. Prosila dceru, aby zvážila všechny přednosti této nabídky z hlediska celé rodiny, než vysloví zamítavou odpověď. Ze všech stran byly na Dorotheu činěny pokusy získat její souhlas. Vévodkyně si totiž všechny zavázala, aby Dorothee Czartoryského rozmluvili. Nakonec přiměli Piattoliho napsat Dorothee dopis, který měl potvrdit, že se Czartoryski ve Varšavě zasnoubil. Učinil tak v posledních dnech svého života pod nátlakem a s krvácejícím srdcem.

Těsně před smrtí došel Piattolimu od Adama dopis, v němž mu bývalý žák oznamoval, že přijede požádat o ruku princezny Dorothey. Odpověď napsala vévodkyně Kuronská. Spolu s oznámením, že Piattoli zemřel, mu sdělila, že Dorothea je zasnoubena. Kníže se víckrát neohlásil.

Pravdu se tehdy Dorothea nedověděla. A když ještě k tomu přišla polská hraběnka Olinská, která v té době žila na zámku, se svazkem dopisů a prohlásila, že právě došly z Varšavy zprávy, že celé Polsko mluví o chystané svatbě knížete Adama, Dorothea konečně uvěřila.

V roce 1809 se hluboce dotčená a zradou knížete Czartoryského raněná Dorothea podvolila matčiným domluvám.

Vévodkyně oznámila Edmondovi, že princezna dala souhlas, a když pozvala dceru do komnaty, kde čekal ženich, opustila oba mladé lidi se slovy:

„Teď vás nechám o samotě, jistě si máte mnoho co říci."

Oni si ovšem neměli co říci, a když mlčení trvalo příliš dlouho, chopila se slova mladší, leč pohotovější Dorothea:

„Doufám, můj pane, že v manželství, které bylo pro nás naaranžováno, budete šťasten. Ovšem musím vám říci, co již pravděpodobně víte, že jsem se poddala pouze přání matky, sice bez odporu k vám, ale přesto s naprostou lhostejností. Možná, že budu šťastna, umím si to docela představit, ale vy zajisté pochopíte mou bolest, že musím opustit svou zem a své přátele, a nebudete mi alespoň zpočátku můj smutek zazlívat."

Edmond na to odpověděl:

„Můj Bože, to se mi zdá samozřejmé. Já se také žením jen proto, abych se zalíbil strýci. Určitě se mnou budete souhlasit, že v mém věku je mnohem zábavnější, je-li člověk svobodný."

Následujícího dne odcestoval Edmond spolu s Batowským do Paříže. K dalšímu rozhovoru mezi snoubenci nedošlo.

Se svatbou spěchala matka, ale i dcera. Matka proto, aby nepokazil vše ještě Czartoryski, kdyby náhodou nečekaně přijel, Dorothea z hrdosti a uraženosti, jako kdysi její sestra Vilemína, když se rozhodla pro Rohana.

Svatebního obřadu, který se konal 22. dubna 1809 ve Frankfurtu nad Mohanem, se nezúčastnila ani jedna ze sester. Byly pobouřeny jednáním matky, která říkala, že její dcery si mohou vybrat dle vlastní vůle. Ale navíc se jich dotklo, že matka přese všechno, co Napoleon způsobil, směřuje nyní do Paříže a sleduje především svůj vlastní prospěch.

Čtyřicet osm hodin po svatbě se Edmond odebral služebně do Rakouska. Vévodkyně Kuronská a Dorothea, nyní hraběnka z Périgordu, se v doprovodu slečny Hoffmannové stěhovaly do Paříže. Zde byla Dorothea představena císařovně Josefíně a zanedlouho se stala jednou z jejích dvorních dam.

Tak opustila Dorothea v šestnácti letech domov, aniž měla možnost se důvěrněji poznat a sžít se svými sestrami.

Ani jí nebylo dopřáno provdat se z lásky. Patřila k ženám, právě tak jako její nejstarší sestra, kterým u mužů imponuje především jejich osobnost a urozený původ. V knížeti Adamu Czartoryském viděla hrdinu bojujícího za vznešené ideály a kladoucího oběti na oltář národa. Byla by ráda věnovala své city a rozum právě takovému muži. Ani věc Poláků jí nebyla proti mysli. Byla po otci Polka, i když Batowski stál nyní ve službách Francie.

V Edmondovi poznala jen vojáka. Nenalézala v něm nic z toho, co ctila. Přes věhlas rodiny, z níž pocházel, se projevil jako neodpovědný marnotratník, jehož dluhy se hradily z bezedné pokladny strýce Talleyranda. Edmonda lákaly jen ženy, hazardní hry, pití a kamarádi.

V rozmezí let 1811–1813 se Dorothee narodily tři děti: Ludvík Napoleon, Dorothea Charlotta a Alexandr Edmond. Při narození třetího dítěte bylo Dorothee teprve dvacet let. Z hubené dívky vyzrála v obdivuhodnou ženu, jak vyplývá z toho, co o ní napsal hrabě de la Garde-Chambonas:

„Její chůze, pohledy a tón hlasu tvoří okouzlující celek. Její postava a celá její osobnost má tak nevýslovný půvab, bez něhož by ani dokonalá krása nic neznamenala. Je jako květina, jež nezná vůni, kterou vydechuje."

Se sestrami se Dorothea setkala opět o vídeňském kongresu. Tam začala další kapitola jejího života.

(XI)
Ratibořická paní

Ze dvou velkých zámků, Zaháně a Náchoda, a dvou malých, Ratibořic a Chvalkovic, se časem stal ratibořický zámek nejoblíbenějším místem Kateřiny Zaháňské. Pobyt v tomto útulném a přepychově zařízeném letním sídle byl pro ni vítanou změnou po měsících prožitých v ruchu evropských velkoměst a lázní. Jedině sem spěchala, potřebovala-li si odpočinout a být sama sebou.

Když její otec v roce 1792 náchodské panství koupil, měl ratibořický zámek podobu, kterou mu při výstavbě vtiskl Vavřinec kníže Piccolomini v roce 1708. Ke stavbě použil kamene z bývalé tvrze, jež stávala opodál, a z rýzmburského hradu. Barokní budova zámečku na kosodélníkovém půdorysu byla jednopatrová a stavěná ve stylu italských letohrádků.

K severovýchodní straně přiléhala kaple a později bylo přistavěno jednopatrové křídlo pro služebnictvo a hosty.

Vévodkyně Zaháňská se po převzetí zámku pustila do nové rozsáhlé přestavby, a tak se barokní stavba změnila podle jejích představ a přání v moderní empírové sídlo. Barokní zdi i výškové poměry všech podlaží zůstaly zachovány, ale vnitřek byl upraven tak, že po obvodu půdorysu vzniklo po devíti místnostech v přízemí i v prvním patře. Podle vzpomínek pamětníků, jak je sepsal Karel Pleskač, měl zámek za Kateřiny Zaháňské celkem dvacet devět místností. Přízemí, kde byla umístěna i knihovna, si Kateřina vyhradila pro sebe. První patro bylo určeno pro pohodlí hostů. Celkový architektonický ráz zámku byl střídmý, odpovídající evropskému klasicistnímu slohu, stropy ani stěny nebyly plasticky zdobené, okna i dveře byly bílé se zlacenými ozdobami a s bronzovým kováním. Zámek má valbovou střechu, z ní vystupuje polopatro v podobě střešního altánu se šesti komíny pro příjemné vyhřívání celé budovy. I kamna byla v zlatobílém provedení a náležela k důležitým složkám interiéru.

Za Kateřiny Zaháňské bylo rovněž nově upraveno jednopatrové křídlo pro hosty, kde se nacházely i byty zaměstnanců, kuchyň a stáje. Kapli obnovit nedala, protože ji jako protestantka ve svých mladých letech nepotřebovala. Z náchodského zámku sem byla převezena část gobelínů a obrazů i část knihovny.[1] Výsledný efekt byl jak po stránce estetiky a uměleckého dojmu, tak po stránce účelové vynikající. Některé pokoje byly v rozmezí let 1808–1811 vyzdobeny nástěnnými malbami.

S nemenší péčí a vkusem budovala Kateřina zámecký park. V roce 1811 dala přeložit hospodářský dvůr z blízkosti zámku směrem k mlýnu a na jeho místě upravit park s jezírkem, jak tomu bylo zvykem i na zámcích v Kuronsku. Letopočet 1811 na velkých slunečních hodinách na zdi stájí je vzpomínkou na tuto dobu. V duchu rousseauovského romantismu budovala zámek a park jako jediný celek se záměrem vytvořit pro sebe i pro své hosty ty nejpříznivější podmínky pro soužití člověka s přírodou. Park nebyl koncipován v tradiční souměrnosti jako italské a francouzské barokní zahrady a parky, ale podle anglického vzoru. Měl volně napodobovat přírodu se skupinami stromů, lučním porostem, množstvím cest a stezíček, alejemi a mosty přes řeku Úpu. Park má tvar velké elipsy a rozkládá se na ploše 5,58 ha. Na severní a jižní straně přechází do volného lesního porostu. Zámek leží na vyvýšeném místě, takže je dobře viditelný z dálky a sám nabízí krásné pohledy do půvabného okolí s široce rozloženou lučinatou krajinou.

Vévodkyně si objednávala stromy ponejvíce v zahraničí, jak dokládají její dopisy s hrabětem Vratislavem. Vysazovaly se zejména dřeviny severoamerické, které plnily nároky na romantické představy o uspořádání parku, ale také nejlépe vyhovovaly zdejším drsnějším klimatickým podmínkám. V době, kdy sem Kateřinu doprovázel John King, byla přestavba zámku v plném proudu a její irský přítel mohl ledacos poradit, pokud šlo o pojetí anglických parků. Ze severoamerických dřevin byl dovezen liliovník tulipánokvětý, americký jasan, borovice vejmutovka a jedlovec kanadský. Při cestě bažantnicí z Ratibořic do České Skalice byl kolem roku 1800 postaven lovecký pavilon, takzvaná čajovna, kde hosté při procházkách parkem popíjeli čaj.

Prvním zámeckým zahradníkem byl Čech Karel Binder, po něm saský Němec Gottlieb Bosse, jemuž se přisuzuje největší zásluha o budování parku.

Kateřina milovala své Ratibořice, tento zaslíbený kousek země. Žila zde jinak než ve Vídni, mnohem jednodušeji, obklopena menším množstvím služebníků. Vychutnávala klid a krásu všeho okolo sebe a cítila se vyrovnanější a zdravější. Balzámem na duši jí byl zpěv ptáků, ranní hlas kohoutů a štěkot psů i kontakt se zdejšími velkoměstem nedotčenými lidmi. A co přináleželo k ženě empíru, sama se občas oblékla do venkovských šatů a zkusila práci na zahradě.

Budovat zámky a zámecké parky bylo doménou mužů, Ratibořice se budovaly dle přání ženy – Kateřiny Zaháňské. K její spokojenosti se rozestavovaly skupinky stromů podle barev listí a tvarů korun, zakládaly se záhony květin a vinuly cestičky parkem. Vévodkyně skoupila všechny louky podél Úpy a u dvora rýzmburského dala z rozvalin hradu zřídit vysoko nad řekou pavilonek, odkud měla nádhernou vyhlídku do údolí a na okolní hory. Sem zajížděla na koni, zde ráda rozjímala a těšila se z krásy přírody.

Zjara 1810 po rozbitém vztahu s Johnem Kingem byla Kateřina opět sama. V té době onemocněl ve Vídni kníže Alfred Windischgrätz na zápal plic. Z nejhoršího mu pomohly Kateřininy sestry Paulina a Johana, které se ho ujaly ve svém vídeňském bytě. Pak mu nabídla vévodkyně Zaháňská, aby se přijel zotavit na její letní sídlo do Ratibořic. Tam se jejich přátelství proměnilo v hluboký citový vztah. Prožili tu společně květen a červen a byli šťastni.

Spolu se probouzeli, spolu snídali v sluncem zalitém salonku, jehož otevřeným oknem pronikal dovnitř lahodný vzduch, prosycený vůní kvetoucí přírody. Procházeli se parkem, proháněli se na koni širokým údolím, až se jim v žilách rozproudila krev, a znaveni klesali do svěží trávy.

Alfred Windischgrätz se snad nejvíce přibližoval Kateřininým představám o muži, s nímž by mohla žít. Pocházel z jedné z nejurozenějších rodin vysoké rakouské aristokracie, byl mladý, vzdělaný, obdivovaný ženami a vášnivý v lásce.

Ale i tomuto vztahu se časem položily do cesty vážné překážky. Jeho matka a sestra naléhaly, aby ukončil aféru s dvakrát rozvedenou a o šest let starší vévodkyní. Kateřině zase vadila jeho chorobná žárlivost. Alfred ji miloval, jak dokládají dochované dopisy, ale těžko se smiřoval se způsobem života, jaký vedla. Vadila mu její samostatnost, sebejistota a potřeba obklopovat se dalšími vzdělanými a významnými muži.

Žárlil na všechny, které přitahoval její šarm a půvab. Z uražené ješitnosti ji trápil tím, že předstíral zájem o jiné ženy nebo se stahoval do ústraní a soužil ji mlčením. Tehdy trpěli oba. Ale vždy znovu byli k sobě přitahováni a o to nádhernější bývalo usmíření. Po několika rozmíškách se v létě 1812 rozešli. Kateřina mu napsala:

„Po dlouhou dobu jsi mi lámal srdce. Včera jsi se mnou jednal s takovou náladovostí a chladem, že jsem byla zoufalá. Proč? Ve svém srdci ani ve svém počínání nenacházím nic, co Tě k něčemu takovému opravňuje. Mé obavy, mé slzy – nic Tebou nepohne – má přítomnost je Ti břemenem."

Napsala mu, že je mezi nimi konec. Ale už na podzim přijel Alfred do Ratibořic znovu a vše bylo zapomenuto nad šťastným usmířením.

Když odjel, vyznala se mu Kateřina:

„Byl jsi ke mně tak dobrý, tak úžasný, nesmím o Tobě pochybovat, jinak bych byla nevděčnice… Během posledních dvou a půl roku jsem někdy myslela, že mě máš rád, občas, že chceš mé dobro. Teprve v posledních dnech jsem pocítila, že mě skutečně miluješ…"

Zimu 1812/13 trávila Kateřina opět ve Vídni, kde si podávaly dveře jejího salonu nejvýznamnější vídeňští politici. Poté co Napoleon uprchl z mrazivého a zasněženého Ruska a z jeho „disciplinované" armády čítající 600 000 vojáků zbyly po prodělaných útrapách a bitvě u Borodina pouhé trosky, kladla si celá Evropa otázku, zda bude Napoleon v bojích pokračovat.

V koalici proti Francii zaujalo vedle Velké Británie a Ruska své místo také Prusko. Vídeňské kruhy naléhaly na Metternicha, aby se i Rakousko definitivně odklonilo od Napoleona. Na Metternicha byl dokonce spáchán atentát a rakouský císař ho jmenoval za přestálé nebezpečenství „velkokancléřem Řádu Marie Terezie". Metternich cítil, že nastala chvíle vyvléci se z napoleonského jařma.

Zjara 1813 překročila ruská vojska Němen a Vislu a valila se opět na západ. Byl to neklamný signál, že válce není konec. Také Napoleon stavěl novou armádu, přesvědčen, že úspěch bude tentokrát zaručen. Přestálou tragedii přičítal pouze ruské zimě a prohlašoval, že „Francouzům stačí říci ,la gloire' a hned jsou strženi k boji".

Centrem válečných příprav se stala střední Evropa. Napoleon rozbil svůj velitelský stan v Drážďanech a car Alexandr I. a pruský král Fridrich Vilém III. utábořili své štáby v Reichenbachu ve Slezsku.

Čechy sehrály roli blízkého zázemí, odkud bylo možno bezprostředně pozorovat dění na rozžhavené politické plotně. Bylo dohodnuto, že právě v Čechách se sejde car Alexandr s rakouským kancléřem Klemensem Metternichem, aby projednali postavení Rakouska v rámci blížících se událostí. Metternich zastával stále ještě teorii míru, zatímco car usiloval o to, získat Rakousko jako vojenského partnera.

Metternich s rakouským císařem a s osmdesátičlenným doprovodem se usadili v Trautmannsdorffově zámku v Jičíně. Za místo schůzky s carem byl určen zámek Opočno a dnem setkání 15. červen 1813. Všude se hovořilo jen o válce. Rakouské mocnářství zachvátil zvláštní neklid.

Lorel Metternichová psala svému muži do Jičína:

„Vídeň se změnila v úplnou pustinu. Denně ji opouští spousta lidí, většinou cestují do Čech. Mezi nimi je i vévodkyně Zaháňská a její sestra Paulina. První se odebírá na své statky, druhá chce navštívit matku v Karlových Varech... Také kníže Windischgrätz jde jako dobrovolník do pole."

Metternich byl touto zprávou nadšen. Ratibořice ležely od Jičína asi šest hodin jízdy kočárem. S nikým nemohl hovořit tak otevřeně a upřímně o nejskrývanějších politických úvahách jako s vévodkyní Zaháňskou... a navíc mu bylo mimořádně dobře ve společnosti této nevšední ženy. Kateřina stále ještě milovala Windischgrätze. Uvědomovala si sice, že jejich vztah spěje pomalu ke konci, ale teď šel Alfred do válečné vřavy a od smrti prince Louise Ferdinanda měla Kateřina z pušek a střílení strach. Svou čtyřdenní cestu z Vídně do Ratibořic přerušila v Čáslavi, kde se s Alfredem setkala. Mířil k regimentu do Pardubic a v pokoji čáslavského hostince prožili spolu několik šťastných hodin. Pak se rozloučili a každý se ubíral vlastní cestou.

Jaro 1813 bylo mimořádně chladné a deštivé. Kateřina přijela do Ratibořic 10. června promrzlá a se silnou migrénou. Čekal ji zde dopis od Metternicha. Napsal ho ihned, jakmile přečetl zprávu od Lorel. Srdečně ji vítal ve své blízkosti a přál si co nejdříve se s ní setkat. Také jí sdělil, že Ratibořice leží téměř na trase jeho kurýra z Jičína do Reichenbachu a že ji touto cestou bude informovat o všem novém, co se ve světě války a míru odehrává. Kateřině Metternichův dopis zalichotil a hned mu odpověděla:

„Myslím, že jsem uhodla, co Vás přivádí do této končiny, a proto si nelámu hlavu, abych shledávala další důvody."

111

Byla by mu poslala koně na příští stanici, kdyby byla věděla, kdy přijede.

„Chtěla bych, aby těch několik okamžiků zde strávených Vás osvěžilo… Buďte ujištěn, že na Vás často myslím a vždy s nejupřímnějším přátelstvím, aniž bych zapomínala, že nic na světě Vás v mých očích nemůže učinit přitažlivějším, než kdybyste byl největším nepřítelem toho muže, který je nepřítelem všech. Adieu, milý Klemensi, očekávám Vás brzy – tady, bude-li to možné, a kdyby ne, pak kdekoliv si budete chtít dát randes-vous."

Obvyklého klidu a ticha si tentokrát Kateřina ve svých Ratibořicích neužila. Již třetího dne přijel Alfred Windischgrätz. Po nedávném setkání v Čáslavi se nemohl dočkat, až ji opět sevře do náruče. Od 5. do 20. června bylo příměří. Spolu s Alfredem přijel i jeho přítel major Trogoff. Chtěli zde strávit dovolenou. Windischgrätz měl stále vyhrazené pokoje hned vedle Kateřininých. Toužil po tom, aby se opakovaly šťastné chvíle z minulého podzimu.

Ale tentokrát zavládla na zámku jiná atmosféra. Ratibořice se měly v nejbližších dnech včlenit do běhu světových dějin. Ratibořice, Jičín a Opočno – pozoruhodný trojúhelník v severovýchodních Čechách.

Hned následujícího dne zavítali další hosté. Mezi prvními byl Friedrich Gentz, který přijel se svým komorníkem Leopoldem. Chtěl, jak napsal baronu Karlu Nesselrodovi, „být co možná nejblíže Jičína, aniž by byl vlastně až tam".

Ratibořicemi byl uchvácen, jak dokládají řádky napsané příteli Pilatovi do Vídně:

„Žiji zde jako v nebi. O kráse místa jsem Vám již psal, ale co všechno je mi dopřáno, ať už se to týká přijetí, všeho možného pohodlí, božského klidu, báječné stravy (zejména takové, co mám nejraději) a ostatního komfortu, to lze jen těžko popsat."

K snídani se podávalo čerstvě dojené mléko, čerstvě tlučené máslo a čerstvě pečený chléb. Prostíralo se s péčí a vkusem, a bylo-li ráno chladné, prohřála se jídelna kachlovými kamny vytápěnými z chodby. A k tomu všemu kouzelné výhledy z oken zámku a přímý kontakt interiéru s rozkvetlou zahradou.

15. června přijel rakouský vyslanec baron Marschall se vzkazem, že zítra zavítá do Ratibořic na oběd ruský car Alexandr I. Tento vzkaz spadl jako blesk z čistého nebe. Kateřina nebyla na tak vznešenou

návštěvu připravena. Z Vídně přivezla s sebou pouze jediného komorníka, který teď ležel nemocen v posteli, a svou komornou Hannchen. Ostatní personál najímala během léta z žen místního statku. Byla by nutně potřebovala kuchaře a číšníka a jedinou záchranou se mohl stát hrabě Metternich. Uvědomovala si, že nepůjde pouze o její jméno, ale o reprezentaci celého rakouského císařství. Vždy, když šlo do tuhého, dokázala Kateřina téměř nemožné. Jednala energicky a s nasazením vlastních sil.

Knížete Windischgrätze a hraběte Trogoffa poslala zpět k regimentu a ponechala si jen Alfredova komorníka Françoise. S neuvěřitelnou rychlostí obeslala svá hospodářství a vzápětí přijížděly povozy s potravinami z celého panství. Sto hospodářů dodalo pro vzácnou návštěvu to nejlepší, co bylo po ruce. Metternich kuchaře u sebe neměl a císař se nemohl bez svého obejít, ale Klemens poslal svého mladého adjutanta hraběte Bombellese, jehož šikovnost a schopnost poradit si v každé situaci byla pověstná. K tomu přidal ještě karton s dorty a různými sladkostmi z císařské kuchyně. Kateřinino pozvání na oběd však odmítl. Prozatím se setkat s carem nechtěl.

Kateřina najala tucet žen, které zajistily vše potřebné, a tak s nasazením všech sil byl během čtyřiadvaceti hodin ratibořický zámek připraven k přijetí ruského cara.

Gentz sledoval celou proměnu s netajeným zájmem. S příznačnou všetečností a dávkou roztomilé škodolibosti napsal ještě před příjezdem cara věrnému příteli Pilatovi:

„Řekni kněžně Bagrationové (ale s ohledem na její zdraví), jak významný den má zítra před sebou její úhlavní nepřítelkyně; car sem přijede na oběd."

Vévodkyně Zaháňská byla carovou návštěvou poctěna. Sama se s ním dosud nesetkala. Osobně ho znala její matka i její tři sestry, které byly přítomny carově návštěvě v Löbichau. Radost z této návštěvy by byl měl i její otec Petr Biron. I když měl k Rusku mnoho výhrad a s nelibostí vzpomínal na intriky u carského dvora, považoval se do konce života spíše za Rusa a portrét carevny Anny I. visel stále na stěně zaháňského zámku.

Kateřinina matka, vévodkyně Kuronská, od loňského roku čekala na apanáž z Ruska a i to byl důvod, proč musel car z Ratibořic odcházet spokojen.

Návštěvu u vévodkyně Zaháňské zaranžovali Stadion a hrabě Lebzeltern. Vedli cestu Alexandra z Reichenbachu do Opočna přes Náchod, odkud byl už jen skok do Ratibořic, a předpokládali, že vévodkyně bude pro cara zajisté příjemným vytržením. Ale spekulovali i s tím, že Kateřina Zaháňská po tomto setkání podnítí Metternicha k rychlejším reakcím, pokud jde o vojenské rakousko-pruské vztahy.

Car Alexandr byl ohlášen na 16. června okolo druhé hodiny odpolední. Avšak prohlídka kladských pevností a přivítací ceremoniál v Náchodě ho zdržely, a tak dorazil na zámek v Ratibořicích až po čtvrté hodině.

Mezitím ustal déšť a celý kraj zalilo slunce. Ratibořice se ukázaly v tom nejkrásnějším světle. Kateřina uvítala cara před zámkem a uvedla ho k slavnostně upravené tabuli. Prostřeno bylo jen pro korunovanou hlavu, jak to žádala přísná dvorní etiketa. Ani hostitelka nemohla zasednout bez vyzvání vzácného hosta. Ale car pozval ke stolu všechny přítomné. Jídelnu zdobenou růžovočervenými a stříbřitě šedými barvami pozlatilo odpolední slunce.

Car byl Kateřinou nadšen. Seděla po jeho pravici a on, na jedno ucho nedoslýchavý, se co chvíli k ní naklonil, aby mu nic neuniklo z živé konverzace. Oči všech byly upřeny na něho. Byl vysoké urostlé postavy, na svých čtyřiatřicet let poněkud při těle, takže se ve vojenské uniformě neobešel bez korzetu. Svými světlými kučeravými vlasy a modrýma očima připomínal babičku Kateřinu Velikou. Oplýval osobním šarmem a kavalírskou ochotou. A tyto své přednosti uplatňoval zejména ve styku s krásnými ženami.

Vedle Alexandra a Kateřiny zasedli ke stolu jeho adjutant hrabě Tolstoj, hrabě Filip Stadion, baron Ludvík Lebzeltern, hrabě Bombelles, hrabě Marschall, pruský důstojník Schwedhof, nelegitimní bratr Kateřiny Zaháňské, a také Gentz, jehož hlavním cílem bylo získat co nejvíce informací pro Metternicha.

Po obědě byl podáván čaj v knihovně, a když se car krátce po sedmé hodině loučil, aby pokračoval do nedalekého Opočna, rozplýval se chválou nad krásou zámku a parku, jedinečným pohoštěním a jeho obdiv patřil především půvabné a duchaplné hostitelce.

Car slíbil, že asi za týden, až se bude z Opočna vracet, zavítá opět k obědu.

Ratibořice obstály znamenitě. Neuplynula ani hodina, a už tu byl další host – Klemens Metternich. Nechtěl se s carem setkat, těšil se pouze na Kateřinu. Vévodkyni Zaháňskou, přemoženou velkým psychickým i fyzickým vyčerpáním, však nenašel. Stáhla se do svých pokojů a pro Klemense zanechala pouze kartičku s poděkováním za pomoc.

Ve svém salonku usedla k psacímu stolu a psala Windischgrätzovi, pronásledována výčitkou, že ho poslala zpět do Pardubic. Aby nevzbudila jeho žárlivost nad přítomností tolika můžů, vylíčila carovu návštěvu opatrně a lichotivě:

„Car byl velmi příjemný, ale musel by mít ještě daleko více předností, aby mi nahradil, co jsem kvůli němu musela obětovat… Byla jsem oloupena o nejlepší část svého já, že jsem byla připravena o Tvou přítomnost, milý, milý Alfrede… Asi se schyluje k válce. Umíš si představit, jak trpím, když musím své skutečné pocity skrývat ve svém srdci… Adieu, mysli na smutnou noc, která mě očekává, a na všechny noci, co budou následovat, než Tě budu moci zase přitisknout na své srdce. Líbám Tě nastotisíckrát. Adieu, drahý Alfrede, mé všechno…"

Metternicha informoval o všem, co zde právě proběhlo, Gentz. Seděli spolu dlouho do noci, pokud vůbec tu noc spali. Co chvíli totiž dorazil za Metternichem nějaký kurýr z Vídně či Drážďan s důležitou depeší, která nesnesla odkladu.

S Kateřinou se setkal Klemens až u snídaně, ale hned poté musel vyrazit do Opočna, vzdáleného asi dvě hodiny cesty kočárem. Doprovázel ho hrabě Bombelles a baron von Lebzeltern.

Diplomatického jednání v Opočně na zámku Rudolfa Colloreda ve dnech 17. a 18. června 1813 se zúčastnil vedle cara Alexandra ruský ministr zahraničních věcí hrabě Nesselrode, šéf generálního štábu kníže Volkonskij a carův dvorní rada hrabě Tolstoj. Kromě Metternicha byl přítomen i hrabě Stadion a Friedrich Gentz. Později zavítal pruský král Fridrich Vilém III., ale schůzky se nezúčastnil.

Císař František I. sledoval setkání z Jičína. Vzhledem k neutralitě Rakouska do rokování nezasahoval a do Opočna osobně nepřijel. Jednání nedospěla k velké shodě, ale úspěchem bylo, že car zde Metternichovi slíbil, že se zúčastní kongresu, Metternich zas prohlásil, že v případě války půjde Rakousko proti Francii.

Metternich Kateřině napsal, že car je do ní zamilován a že Ratibořice plní diplomatické poslání.

18. červen byl v Ratibořicích den klidu. Všichni nakrátko odcestovali a Kateřina psala Windischgrätzovi:

„Setkání Metternicha, Hardenberga a Nesselroda, které se zde má konat, rozhodne pravděpodobně o osudu Evropy. V mém skromném domě se budou kout plány pro mír, bude-li také v zájmu toho netvora (Napoleona), neboť na něm závisí válka a mír, a tyto vážné věci jsou v neznámu."

Pak přišlo oznámení, že schůzka v Ratibořicích proběhne ve dnech 19. a 20. června.

V sobotu 19. června hned po ránu se vracel Metternich, doprovázen hrabětem Bombellesem, z Opočna. Hodinu po něm dorazil pruský kancléř Hardenberg spolu s Humboldtem, pruským vyslancem ve Vídni, bratrem známého vědce, a s tajným radou Barbierem. Ruský kancléř Nesselrode se schůzky nezúčastnil. Dostavil se však ještě jeden zástupce Pruska, a to Felix Bartholdy, strýc Felixe Mendelssohna.

Jednání, tentokrát mezi Rakouskem a Pruskem, se konala v zámecké knihovně, odkud co chvíli doléhaly hlasité a vzrušené hlasy. Když se domácí paní zdálo, že se diskuse vyhrotila na ostří nože, vstoupila a své hosty vyzvala na procházku parkem. Společnost byla na chvíli od rušné debaty odvedena a těšila se krásou přírody. Větve stromů a svěží růže se v podvečerním slunci dosud třpytily krůpějemi deště a vydechovaly svěží vůni posledních jarních dnů.

Metternich byl Ratibořicemi okouzlen. Své ženě Lorel je přiblížil slovy:

„... Mistrovské dílo. Představ si malou venkovskou usedlost, překrásnou co do tvarů, šperkovnici co do zařízení, ležící na kopci, který tvoří jednu stranu líbezného údolí; celé údolí jsou louky, jimiž protéká rozkošná říčka Úpa."

Večer debata pokračovala a nebyla o nic mírnější než ta předchozí. Metternich navrhoval vyjednávat formou mírové konference. Prusové namítali, že prodlouží-li se příměří, bude mít Napoleon příliš mnoho času, aby se vyzbrojil. Byli pro zaútočení, jak jen to bude možné. Teprve druhého dne dopoledne přistoupili Prusové na požadavek zúčastnit se kongresu, a Metternich je zase ujistil, že Rakousko sáhne ke zbrani, budou-li kongresová jednání bezvýsledná.

Vévodkyně Zaháňská zvládala úlohu hostitelky dokonale. Přála si, aby Napoleon byl zneškodněn. Když si však uvědomila, že jediným východiskem bude zřejmě válka, padla na ni tíseň. 19. června večer, zatímco se pánové hlasitě a bouřlivě dohadovali, sedla a napsala Alfredovi: „Hardenberg… hovoří jen o tom – statečně bojovat. Můj drahý! – Jaké hoře mi všichni ti lidé připravují. Nemohli by mluvit tak bez obalu, kdyby tušili, s jakým neklidem naslouchám jejich úvahám o válce a míru a jak trpím, když musím vyjadřovat názory, které tolik odporují těm, které nosím hluboko v srdci… Co pro mne znamená osud a existence císařství, co mi je po tom, kdo a jak vládne a zda se tento svět více nebo méně otřese. Kdysi mi byly tyto zájmy důležitější než všechno ostatní – teď však vidím pouze Tebe, milý Alfrede."

Pro Ratibořice skončily další dva významné dny. Ale již ve středu 23. a ve čtvrtek 24. června čekaly Kateřinu nové starosti. Opět přijížděl car Alexandr na oběd. Tentokrát ho však navíc doprovázela řada generálů a důstojníků, adjutantů i skupina kozáků. V carské svitě byl také Alexandrův bratr Konstantin.

Za bratry přijely z Prahy do Opočna i jejich dvě sestry, velkovévodkyně Kateřina Oldenburská a velkokněžna Marie. Nyní pokračovaly dále do českých lázní.

Den byl deštivý a studený a ve všech kamnech se od rána topilo, aby se hosté cítili co nejlépe. Sotva byl zahájen oběd, vřítil se do jídelny správce statku a celý bez sebe křičel:

„Jasnosti, kozáci kácejí ty nádherné duby podél Úpy. Dělají si z nich dřevo na topení."

Dříve než se vévodkyně zmohla na odpověď, vyskočil Konstantin a rudý hněvem zaburácel na své pobočníky:

„Pověste každého chlapa, kdo položil ruku na stromy vévodkyně Zaháňské! Pověste je na ty duby!"

Kateřina propukla v pláč:

„Raději nechám své stromy pokácet než jediného člověka pověsit."

Všechno dopadlo dobře. Stromy zůstaly stát a nikdo z kozáků nepřišel o život. Ale nálada se touto událostí zkalila. Teprve druhého dne se na příhodu s duby pozapomnělo.

Dříve než car z Ratibořic odjel, dorazil z Jičína posel s dopisem od Metternicha, datovaným 24. 6. 1813:

„Jak ty dny běží a vůbec se sobě nepodobají, má drahá Vilemíno. Odjíždím ještě dnes v noci do Drážďan, kam jsem osobně pozván. Zdržím se tam 24 hodin. Do Jičína se vrátím v sobotu 27. června.

Nemusím Vám říkat, jak šťastným mě tato cesta činí. Připadám si totiž, jako bych nesl na bedrech veškerou tíhu světa. Přál bych si, abych nebyl obtížen takovým břemenem!" Všichni přítomní byli zprávou o rychlém odjezdu Klemense Metternicha k Napoleonovi překvapeni. Také Alexandr se vracel do Reichenbachu zvědav a pln očekávání.

Když dorazil Metternich do Drážďan, napsal Kateřině:

„… Poroučím se Vašim každodenním návštěvníkům a řekněte jim, že bych byl velice rád, kdyby ten nebo onen mohl zaujmout mé místo na březích Labe a přenechat mi to své na břehu Úpy."

Společnost v Ratibořicích, která netrpělivě čekala, s jakou se Metternich z Drážďan vrátí, byla početná, jak vyplývá z Gentzovy poznámky, že by „v Ratibořicích už ani jediná lidská duše nenašla přístřeší". Byl zde svobodný pán von Hardenberg, jeho bratr Karel Filip, soudce z Hannoveru, Humboldt a jeho šestnáctiletý syn, který otce vyhledal, když se vrátil zraněn z bitvy u Budyšína. Přijel i Alfred Windischgrätz a jeho přítel Trogoff, kteří dostali opět týdenní dovolenou.

Přítomen je Gentz se svým komorníkem Leopoldem, ale přijíždějí i další hosté, mezi nimi francouzský emigrant Fontbrune, stálý člen vídeňského salonu kněžny Bagrationové a její důvěrník. Když se kněžna Bagrationová dověděla, že car Alexandr dvakrát navštívil vévodkyni Zahaňskou na jejím letním sídle v Ratibořicích, vzrostla její zvědavost, a především závist. Ale když se k ní donesla zpráva, že také Metternich vyhledává Ratibořice, vyslala Fontbruna, aby zjistil, jak se věci mají.

Sama nedávno ovdověla. Její muž, generál Bagration, padl v bitvě u Borodina a ona byla nyní i po stránce právní volná. Metternicha, jehož lásku jí každodenně připomínala dcera Klementina, dnes už desetiletá, stále sledovala a velmi těžce nesla, že se od ní odvrátil. Teď ji navíc trápila myšlenka, že se zahleděl do vévodkyně Zahaňské.

Na podzim 1811 se kněžně narodila druhá dcera. Francouzský vyslanec ve Vídni tehdy napsal do oficiálního raportu:

„Po dlouhém odloučení se kníže Bagration teprve před čtyřmi měsíci objevil ve Vídni a po krátkém pobytu opět odjel. Zatím kněžna porodila a zlomyslná veřejnost se dobře pamatuje, že pan hrabě Metternich nebyl před devíti měsíci nepřítomen…"

Důkazy pro toto podezření nejsou a tajná zpráva má spíše charakter pomluvy.

Všem v Ratibořicích bylo jasné, proč Fontbrune přijel, a po straně se tomu smáli, především Friedrich Gentz. Ale Kateřina přijala také tohoto hosta s obvyklou srdečností a pohostinstvím.

V sobotu 26. 6. byl Metternich přijat u Napoleona. Když ho uváděl Napoleonův adjutant Berthier k císaři, zašeptal prý:

„Nezapomeňte na to, že Francie nechce nic jiného než mír."

Napoleon stál opásán kordem a svůj dvourohý klobouk držel pod paží. Vypadal jinak, než když ho Metternich viděl na svatbě s Marií Luisou v roce 1810. Ztloustl, jeho obličej se zakulatěl a byl vráščitější, prořídlé vlasy měl sčesané přes začínající pleš. Nejprve se Napoleon zeptal, jak se daří jeho tchánovi, rakouskému císaři, a pak oslovil příchozího:

„Tak tady jste, Metternichu! Jestliže máte v úmyslu naše spojenectví zrušit, proč jste mi to neřekl dříve? Mezitím jsem vyhrál dvě bitvy. Moji nepřátelé jsou poraženi a lízají si rány. Najednou se objevíte Vy, postavíte se do středu událostí a vedete lišácké řeči o zprostředkování míru a o klidu zbraní. Kdybyste se do toho nemíchal, bylo by mezi mnou a spojenci dávno vše srovnáno a ukončeno."

Pak se rozproudil dialog, který trval plných devět hodin, aniž se dospělo k jakémukoliv konstruktivnímu závěru.

Když Metternich řekl, že nová francouzská armáda je složena ze samých dětí, mrštil Napoleon vztekle svým kloboukem do rohu místnosti, a jak bez ustání přecházel po pokoji sem a tam, na klobouk šlápl. Teatrálně ho zvedl a během debaty jím ještě třikrát mrštil o zem.

Napoleon, dotčen Metternichovou poznámkou o složení francouzské armády, křičel:

„Nejste voják a nikdy vojákům neporozumíte! Já vyrostl na bitevním poli. Pro muže, jako jsem já, nemá život milionu vojáků větší cenu než bláto."

Metternich namítl:

„Proč mi to říkáte zde při zavřených dveřích? Otevřte je, ať jsou vaše slova slyšet z jednoho konce Francie na druhý."

Napoleon se bezostyšně bránil:

„Francouzi si nemohou na mne stěžovat. Abych je uchránil, obětoval jsem Němce a Poláky. V Rusku jsem ztratil 300 000 mužů, ale nebylo mezi nimi více než 30 000 Francouzů."

Během této vzrušené debaty, kdy Napoleon vyčetl a předhodil Metternichovi kdeco, nepřijal nic z toho, co Metternich navrhoval nebo požadoval, a dal jasně najevo, že nehodlá od svého válečného programu ustoupit a že nemíní ze zabraných území nikomu nic vrátit. V půl deváté večer se Metternich odporoučel. Císař ho vedl za paži dveřmi a rozloučil se s ním slovy:

„Ještě se spolu uvidíme."

Metternichovi bylo z prvního setkání zřejmé, že Napoleon od války neupustí, a proto poslal kurýra do hlavního stanu za knížetem Schwarzenbergem s dotazem, kolik času je třeba, aby se rakouská armáda vyzbrojila k boji. Po dvou dnech došla odpověď, že je nutných dvacet dnů, aby bylo připraveno 75 000 mužů. Pro Metternicha šlo o důležitou informaci pro další jednání s Napoleonem. Na pozvání k pokračování rozhovorů však čekal marně. Uplynuly tři dny, aniž mu Napoleon cokoli vzkázal, a proto dal Metternich ve středu 30. června ráno zapřáhnout. A když se již oblečen do cestovního obleku chystal nastoupit do kočáru a vydat se na zpáteční cestu do Jičína, přispěchal posel se vzkazem, že císař si přeje hovořit s Jeho Excelencí, panem ministrem Metternichem.

Po několika minutách ho Napoleon přivítal téměř přátelsky, ale s ironickým popíchnutím: „Vy děláte, jako byste byl uražen. Proč?"

Metternich se ohradil, že nemá čas déle se zdržovat v Drážďanech. Vtom vytáhl císař duplikát nóty, kterou mu Metternich předem doručil, a pravil:

„Snad se dopracujeme k lepším výsledkům, Vy a já."

Pak vyzval vévodu z Bassana, svého ministra pro zahraniční záležitosti, a požádal ho, aby je následoval do pracovny. Zde požádal Metternicha, aby ještě jednou stručně shrnul, co požaduje. Metternich přednesl čtyři rakouské požadavky:

1. Císař Francie uzná rakouské zprostředkování míru.
2. Zmocněnci válčících stran se setkají na konferenci v Praze dne 10. srpna 1813.
3. Za poslední den pro vyjednávání uznat 10. srpen.
4. Do tohoto data zabránit všem vojenským operacím.

Všichni tři přítomní rakouskou nótu podepsali. Napoleon však měl jedinou podmínku. Požadoval, aby příměří s Ruskem a Pruskem bylo prodlouženo z 20. července do 10. srpna.

Metternich vysvětlil, že nemá oficiální souhlas k takovému rozhodování, ale že se na svou osobní odpovědnost zavazuje, že pro ruskou armádu, která nyní leží ve Slezsku, dodá obilí z Čech a Moravy.

Hodinu poté byl Metternich na cestě do Jičína. Vracel se unaven, ale vnitřně uspokojen. Měl pocit vyhrané bitvy. V duchu si opakoval Napoleonovy smělé a svérázné řeči a své reakce a kličkování. Těšil se, až bude moci všechno vyprávět v Ratibořicích. Představoval si, jak bude Kateřina naslouchat, hltat jeho slova, a jak bude ráda, že v souboji myšlenek a slov nad Napoleonem vyhrál. Hned po návratu do Jičína poslal vévodkyni Zaháňské psaní:

„Říká se, moje drahá Vilemíno, že Ratiboříce se zapíší do stránek historie. Toto místo se stává diplomatickým centrem Evropy v době, kdy se nebohá Evropa stala shromaždištěm všech těžkostí světa."

Metternich dále oznámil, že příští den přijede do Ratibořic, aby se tu setkal s hrabětem Stadionem a hrabětem Nesselrodem. Prosil o poskytnutí pokoje na jednu noc a slíbil, že bude zdejší společnost informovat o všech novinkách z Drážďan.

Kateřina byla Metternichovým dopisem potěšena. Jeho ocenění se jí stalo odměnou za vynaloženou energii, ochotu i nemalé finanční náklady, které padly na zajištění veškerého pohodlí a spokojenosti, jež svým hostům poskytovala.

Všichni Metternicha netrpělivě očekávali. Gentz puzen přímo nepřekonatelnou nedočkavostí vyjel ve vypůjčeném kočáře Metternichovi naproti. Když se setkali, nabídl mu Lebzeltern ochotně své místo vedle Metternicha a sám pokračoval v Gentzově kočáře. Gentz byl tedy prvním z ratibořické skupiny, kdo se dověděl, s jak úspěšným výsledkem se Metternich z Drážďan vrací.

Snad nikdy potom nelíčil Klemens návštěvu u Napoleona tak podrobně a barvitě, s tak výstižnými gesty a živou mimikou. Když své vyprávění ukončil a zdvihl Napoleonem a vévodou z Bassana podepsanou nótu, propukli přítomní v jásot. Jen Hardenberga, Nesselroda a Stadiona se závěr vypravování dotkl. Jak si mohl Metternich dovolit rozhodovat za Rusko a Prusko a dát souhlas k prodloužení příměří, aniž se zeptal na jejich mínění a vyžádal si jejich souhlas?

Ještě druhý den se vedly v Ratibořicích za zavřenými dveřmi vyostřené debaty a Nesselrode později o této rozmluvě napsal:

„Tato konference byla jednou z nejbouřlivějších, jichž jsem se kdy zúčastnil, ale bylo nad jiné důležité přitáhnout Rakousko na naši stranu. Proto jsme všichni museli předložené podmínky přijmout." Když se o prodlouženém příměří dověděl car Alexandr, byl rozlícen na nejvyšší stupeň. Ale nic naplat, také on musel uznat, že Rakousku přijde prodloužené příměří pro mobilizaci vhod a účast Rakouska ve válce s Napoleonem byla nezbytná.

Tak významné a rušné dny nezažily Ratibořice snad nikdy předtím a také nikdy potom. 5. července začali hosté odjíždět. Dopoledne Humboldt, Stadion a Nesselrode, kteří mířili do Reichenbachu, odpoledne Metternich za císařem do Jičína. Den nato vypršela dovolená také Windischgrätzovi a Trogoffovi. Několik dnů zůstal jen Gentz. Kateřina s ním mohla nyní v klidu zhodnotit uplynulé dny. Ale nejvíce ze všeho toužila po odpočinku. Její nervy se potřebovaly uvolnit. Silně na ni doléhala myšlenka, že se do ní Metternich zamiloval. Strávil pod její střechou pouhé tři noci, a i když chvilek, kdy se spolu ocitli sami, bylo málo, cítila, že ji miluje z celé duše.

Císař František I. rozhodl přestěhovat se do Brandýsa, aby byl blíž Praze, kde se budou odehrávat další významné události. Pozval Metternicha, aby ho doprovodil. Ten ještě poslední den před odjezdem 5. července napsal své ženě Lorel do Vídně:

„Vedu nyní takový život, ma bonne amie, a pociťuji takovou potřebu odpočinku, že Ti to nemohu ani vylíčit... Stále mezi Francií a spojenci, nucen jeden den hovořit francouzsky, druhý den rusky, a přitom se věnovat všem svým rakouským záležitostem, na všechno sám, protože nemám ani přítele, kterému bych mohl svěřit napsání dopisu. Bude-li toto štvaní trvat dlouho, určitě to nevydržím. Nedostatkem spánku mé zdraví těžce utrpělo. Během patnácti dnů jsem nikdy nespal víc než čtyři hodiny."

Přece však tu bylo něco, co mu pomáhalo tyto obtíže překlenout. Přes všechny těžkosti ho přenášela vidina Vilemíny, jak vévodkyni Zaháňskou nazýval. Dosud si nebyl jist její láskou, ale cítil, že po ní touží více než po kterékoli jiné ženě.

Cestou do Brandýsa 6. července (omylem označil dopis datem 6. 6.) jí napsal do Ratibořic:

„Moje milá V., nezapomeňte na mne; zachovejte si mě provždy alespoň trochu ve vzpomínkách a řekněte si, že Vás z hloubi srdce miluji, ach! mnohem více, než bych pro dobro svého nebohého srdce a situaci, v níž se nacházíme, měl."

Rušný červen 1813 skončil. Ratibořice se zapsaly do vzpomínek řady významných politiků. Friedrich Gentz to vyjádřil slovy: „Co je nyní Paříž, Petrohrad, Vídeň a Berlín proti Jičínu, Ratibořicím, Opočnu a Náchodu! Co je všechen lesk těchto míst proti světodějným faktům, která se odehrávají v malém koutě Čech, v několika nepatrných místech, o nichž svět dosud nevěděl!"

Mezi lidmi se tradovalo, že v Ratibořicích se setkali „tři císařové": car Alexandr I., rakouský císař František I. a pruský král Fridrich Vilém III. Vévodkyně Zaháňská, aby nikoho ze vzácných hostů neurazila, prý rozhodla, že všichni tři monarchové vstoupí do sálu k jednání současně, ale každý jinými dveřmi. Dodnes se salon v ratibořickém zámku nazývá sálem tří císařů. Nad dveřmi zmíněného sálu v prvním patře zámku byla v druhé polovině minulého století umístěna poprsí těchto tří mocnářů, s nimiž se Kateřina osobně dobře znala a kteří společnými silami zvítězili nad Napoleonem.[2]

Toto půvabné vyprávění vzniklo zajisté tím, že v onom deštivém červnu se tyto tři vedoucí osobnosti usadily v blízkosti ratibořického zámku a že důležitá jednání týkající se Rakouska, Pruska a Ruska se v zastoupení vyznamných státních zástupců odehrávala právě zde na zámku.

Vyprávění o setkání tří císařů v Ratibořicích je tedy legendou, ale ratibořický červen 1813 byl skutečností a vzpomínka na něj v podobě tohoto symbolického vyprávění zdobí zámek dodnes a klene most mezi přítomností a dobou, v níž v Ratibořicích působila Kateřina Zaháňská.

(XII)

Osudová láska

Vztah, který vznikal mezi Kateřinou Zaháňskou a Klemensem Metternichem, lze bez nadsázky nazvat osudovým. Nikdy předtím a nikdy potom nepotkal ani jeden z nich nikoho, kdo by pronikl intenzivněji a hlouběji do jejich citu a povědomí. Metternichovi bylo čtyřicet a Kateřině dvaatřicet let. Byl to právě ten věk, kdy vévodkyně dosáhla „nádherné zralosti".

Klemens Metternich se narodil 15. 5. 1773 na rodovém sídle v Koblenci v Porýní a dostal při křtu jméno Klemens Václav Nepomuk Lothar. Jeho otec byl ministrem trevírského kurfiřta prince Klemense Václava Saského. Když byly malému Klemensovi dva roky, přešel jeho čtyřiadvacetiletý otec do služeb Vídně a stal se vyslancem při různých dvorech. Přes své mládí byl konzervativní, bál se změn starých poměrů (těmito vlastnostmi se později vyznačoval i jeho syn). Byl to požitkář znalý ceny peněz a rozkoše.

Klemensova matka Marie Beatrix byla v mládí přítelkyní císařovny Marie Terezie a i po letech z této známosti náležitě těžila.

Klemens byl vychováván v křesťanské víře, ale jeho vychovatelé ho seznamovali i s osvícenskými myšlenkami Rousseauovými, Voltairovými a Montesquieuovými. Když však v roce 1789 vypukla Francouzská revoluce, šestnáctiletý mladík hesla volnost, rovnost, bratrství odmítal.

Spolu se svým bratrem začal studovat na univerzitě ve Štrasburku práva. Přitahovaly ho však i přírodní vědy, chemie a medicína, a nic nenasvědčovalo tomu, že by se jednou dal na politickou dráhu. Po necelém roce přestoupil na univerzitu v Mohuči. Byl nadaný, učil se lehce, ale studia práv nedokončil.

Kamkoliv tento štíhlý, světlovlasý a modrooký mladík uhlazeného vystupování přišel, upoutal pozornost žen. Jezdil výborně na koni, šermoval, hovořil plynně francouzsky, lépe než německy, protože doma se dávala přednost francouzštině.

Roku 1790 si v průběhu své korunovace všiml pohledného chlapce z hraběcí rodiny císař Leopold II. Po dvou letech se stal oblíbencem i jeho syna a následníka trůnu, císaře Františka. V jeho službách strávil převážnou část své politické kariéry.

Když se Klemensův otec stal zplnomocněným ministrem v Bruselu, přestěhovala se rodina do tohoto města. Avšak Metternichovi zde setrvali pouze do roku 1794, do doby, kdy se sem přiblížila francouzská vojska. Poté se usadili ve Vídni. Jejich majetek se v té době ztenčil.

Klemensovi bylo jedenadvacet let, když se mu matka začala ohlížet po nevěstě. Našla ji v městečku Slavkově nedaleko Brna na zámku Václava Kounice, dlouholetého kancléře Marie Terezie.

Svatba s kancléřovou vnučkou Eleonorou se konala 27. září 1795 v Slavkově. Nevěsta byla o dva roky mladší než ženich. Mladí lidé se nebrali z lásky, ovšem matka zvolila tuto dívku s největší uvážeností. Zajistila tak synovi panství Kojetín a Vrchoslavice, politický vliv a mladou ženu. Eleonora nebyla právě krasavice, ale po všechna léta stála při svém muži jako dobrá manželka. Zůstali spolu až do její smrti, tedy plných dvacet devět let. Prý se spolu dohodli, že budou věrně při sobě stát, jen ve věcech srdce si dají volnost. Metternich hovořil o své ženě „Lorel" vždy s úctou i před jinými ženami. Říkal, že je „vynikající, duchaplná a že má všechny vlastnosti, které činí rodinný život šťastným". Během manželství se jim narodilo sedm dětí. Přežilo pět, ale tři z nich zemřely v nejlepším rozkvětu mládí. Byla to Marie, jeho nejmilejší, Klementina a Viktor. O Klementině a Viktorovi zlí jazykové prohlašovali, že nejsou Klemensovy, že mu tak Lorel vrátila narození jeho nemanželské dcery Klementiny Bagrationové. Poslední v řadě dětí byly Leontina a Hermína.

Jaký člověk byl vlastně Klemens Metternich? Učebnice dějepisu ho označují za nástroj absolutisticky vládnoucí rakouské monarchie, za muže, který stál téměř půl století v čele rakouské reakční vlády a měl neblahý vliv na politický vývoj v Čechách. On sám sebe označoval za zastánce míru. O sobě prohlásil: „Jsem dítě světla a potřebuji zářivý jas, abych mohl žít."

Ve stáří, kdy už stál mimo politiku, se označil za „starého lékaře ve světovém špitále, který už musel zanechat praxe". Lékařské terminologie používal Metternich rád i při hodnocení politické situace.

Do politiky a diplomatických služeb vstoupil v roce 1801 v Drážďanech. Byl rakouským císařem pověřen funkcí vyslance na drážďanském dvoře. Jeho hlavní úkol spočíval v tom, připoutat saského kurfiřta Fridricha Augusta těsněji k rakouským zájmům. Drážďany žily dosud naplno společenským životem. Každý rok, vždy v úterý před popeleční středou, se pořádal dvorní ples. Losovalo se, kdo z mužů a žen zahájí úvodní tanec. V roce 1802 padl los na Metternicha. Za společnici mu přisoudili ruskou kněžnu Kateřinu Bagrationovou. Následujícího roku se kněžně narodila nemanželská dcera Klementina.

V Drážďanech se Metternich seznámil s Friedrichem Gentzem (1764–1832), publicistou, který právě odcházel z pruských služeb a hodlal přestoupit do rakouských. Později se stal Metternichovým sekretářem a korespondentem. Jeho deníky jsou cenným obrazem doby.

V roce 1803 přijal Metternich místo vyslance v Berlíně, roku 1806 v Paříži. O tři roky později byl v šestatřiceti letech jmenován ministrem zahraničí a rakouským kancléřem. Tím zahájil svou závratnou politickou kariéru.

S vévodkyní Zaháňskou se blíže seznámil až roku 1810, kdy vstoupil do jejího salonu v Palmovském paláci ve Vídni.

Pro Metternicha, obletovaného tehdy několika francouzskými kráskami, mělo setkání s Kateřinou Zaháňskou spíše jen společenskopolitický význam, jak lze usoudit z dopisu, který jí po několika letech napsal:

„Ach, kdybychom byli v roce 1810. Kde jsem měl tehdy své srdce? Kde svou hlavu? Moje drahá, jaká to léta promarněného štěstí."

Láska ke Kateřině se v Metternichovi probudila až v červnu 1813 po třech nocích prožitých pod její střechou v Ratibořicích. Důkazem toho je řada dopisů, v nichž se jí vyznává ze svého citu, ale zároveň se trápí myšlenkou, že ona jeho lásku neopětuje a možná nikdy opětovat nebude:

„Žehrám na osud, že mi přisoudil tak tvrdou školu," napsal v dopise hned cestou z Jičína do Brandýsa v červenci 1813.

„Je zvláštní, že právě Vy znásobujete všechna ostatní trápení v mém životě."

Praha se připravovala na mírový kongres, ale válka s Francií visela ve vzduchu. 9. července se v Trachenbergu ve Slezsku sešel pruský král Fridrich Vilém a švédský korunní princ Bernardotte, dřívější Napoleonův maršál, aby dojednali plány pro případnou válku.

Bylo paradoxní, že právě v Praze, kde panovala již řadu let ostrá protifrancouzská a protinapoleonská nálada a kam se stahovala i francouzská protinapoleonská opozice z řad emigrantů, se měl uskutečnit kongres, jehož cílem bylo smíření s Francií a Napoleonem. Když sem dorazila zpráva, že Wellington porazil Francouze u Vitorie, Praha jásala. Zde snad nikdo, s výjimkou Metternicha, nevěřil, že je možno zabránit válce. Většinou si to nikdo z politických činitelů ani nepřál. Prusko ani Rusko nepřičítaly pražské konferenci velký význam a poslaly sem jen zástupce druhého řádu. Místo ruského ministra Nesselroda přijel pouze baron Anstett, místo pruského kancléře Hardenberga jen vyslanec Vilém von Humboldt. Francie s delegáty čekala do poslední chvíle. Nakonec se objevil Narbonne, francouzský vyslanec z Vídně. Ten však vystupoval spíše jako soukromá osoba než jako zástupce státu.

Gentz si v Praze liboval. Uvelebil se v příjemném apartmá nádherného Valdštejnského paláce s okny do zahrady a najal si vlastního komorníka a kuchaře.

Metternich se usadil v Schönbornském paláci na Malé Straně a dal si z Vídně poslat kočár a čtyři dobré koně, kočího a komorníka, ale i jídelní soupravy a stříbrné příbory, damašková povlečení a další věci zpříjemňující život. Zdůvodňoval to tím, že bude přijímat delegáty. Manželku a děti do Prahy nepozval, jak to učinila řada politiků, ale denně psal Kateřině do Ratiboř a pln netrpělivosti ji přemlouval, aby přijela.

12. července (opět napsal chybně 12. června) už své napětí neunesl a postesknul si:

„Jak je možné, že jste nenašla ani jediný okamžik, abyste mi řekla sebemenší milé slůvko. Proč?... Tak snadno se přece najde minuta, abychom sdělili, co cítíme; ale k tomu, abychom řekli, co necítíme, čas nikdy není. Ne, má drahá Vilemíno, Vy mě nemilujete a já jsem nešťasten, protože Vás miluji příliš. Kdo bojuje proti srdci, marně si přiznává rozumné důvody... Jedna minuta s Vámi a já si uvědomuji smysl života. Pár dní bez Vás a nepociťuji nic než bolest."

Každá chvíle, kterou prožíval, patřila Kateřině. Zbožňoval ji, šíleně ji miloval. Co byly proti tomu jeho dřívější milostné avantýry? Jen pomíjivé flirty. Kateřina byla něco docela jiného. Potřeboval ji ne pro chvilkové pomilování, toužil po ní více než po kterékoli ženě, s níž se kdy setkal. Byla to žena krásná a žádoucí, nevšední v jednání i myšlení. Přitahovala ho její moudrost, klid a rozvážnost. Jak mu připadala vyrovnaná, když v Ratibořicích vkročila do salonu, a to v pravou chvíli, kdy se situace vyostřila a nervy se napnuly k prasknutí. Stačil její úsměv, její laskavé slovo či žertovná poznámka a jako švihnutím proutku se všichni uklidnili. Rozpálené hlavy se zchladily, přítomným se vrátila důstojnost a střízlivý rozum a mohlo se v jednání pokračovat.

V takové chvíli Metternich zkoumal, zda právě jemu patří její pohled, jiskra v jejích očích, a přistihoval se, že žárlí. Žárlil na všechny. Nejvíce však na Windischgrätze, který byl častým hostem na ratibořickém zámku a jehož vztah k vévodkyni nebyl tajemstvím.

Klemens potřeboval Vilemínu jako přítelkyni, která umí být trpělivým diplomatem, stratégem, obdivuhodným prognostikem. Nikdo se jí v tom nevyrovnal. Nemohl najít talentovanějšího a nadšenějšího spolupracovníka, ale zároveň přitažlivější ženu.

Zamýšlel se nad tím, čím se mohlo stát, že dříve ji znal, aniž ho vzrušovala, a nyní taková proměna!

„Znám Vás již řadu let, zdála jste se mi hezká, ale mé srdce ještě mlčelo, proč mě jen opustil ten sladký mír v duši? – Moje, moje drahá Vilemíno, proč jsem pro Vás pouze kýmsi bezvýznamným?"

Dále filozofoval:

„Moje milá, mám dnes velmi chmurnou náladu a nechci tyto pocity přenášet na Vás. Jste stvořena pro štěstí a Vaše štěstí bude vždy štěstím mým. Vidím předem, že můj žal bude jen narůstat, vypořádám se s tím… Miluji Vás jako svůj život, vydržte to; je snadné to poskytovat a těžké to přijímat; je nemožné si to odepřít a přitom tak málo si lze vyprosit."

Kateřina Zaháňská byla těmito dopisy ujištěna o hloubce jeho citu. Už v Ratibořicích poznala, že se vztah mezi nimi změnil, že je to více než sympatie, co je k sobě přitahuje. Ale Klemens byl ženat, měl děti, které miloval, a s tím bylo nutno od samého začátku počítat. Odpověď na Metternichův dopis byla proto rezervovaná:

„Znáte-li slovo, milý Klemensi, které znamená více než cit, vděčnost, přátelství a něžnost, prosím Vás, řekněte je, abyste měl představu, co jsem pociťovala, když jsem obdržela Váš dopis z 6. 6. (správně 6. 7.)

Nepovažujte mě za své další trápení – i když náš vztah není takový, jak si přejete, má přece jen svou dobrou stránku; přidržme se toho –

a dovolte mi uvěřit, že bych Vám občas mohla Vaši pozici ulehčit. Chtěla bych, abyste na břemeno, které nesete a které zahrnuje málem celý svět, na okamžik zapomněl." Kateřinin dopis Metternicha neuspokojil. Připadal mu jako „úder rovnou do srdce". Byl zvyklý, že se mu ženy poddávaly hned, a to i v době, kdy nebyl tak známým politikem a mužem prvořadého významu. Kateřina byla jiná. Slíbila, že přijede do Prahy, ale s příjezdem nespěchala. Své zdržení omluvila návštěvou sestry Pauliny a opakujícími se trýznivými migrénami. Ovšem závěrečné přípravy na mírový kongres si nechtěla nechat ujít. V rozhodné době musela být při tom, chtěla stát přímo u kormidla směrujícího dějiny Evropy.

Přijela 28. července 1813, ve stejný den jako očekávaný francouzský ministr Caulaincourt. Dalším důvodem jejího příjezdu byl Alfred Windischgrätz. Chtěla se s ním ještě setkat před jeho odchodem na frontu. Bála se o něho, měla příliš špatné zkušenosti s tím, co dokáže válka. V takových chvílích pociťovala k mladému příteli přímo mateřský vztah.

Palác na Malé Straně prodala sestra Paulina před dvěma roky, a proto musely princezny Kuronské, přišly-li do Prahy, bydlet v pronajatých bytech.

Kateřina se usadila ve Valdštejnském paláci jako Friedrich Gentz. Byt jí tu u svého švagra zajistil její přítel a rádce hrabě Vratislav.

Gentz, který nyní mohl sledovat počínání vévodkyně Zaháňské zblízka, o ní napsal:

„Všechno na ní je pravé a ryzí, sám nyní chápu, že když ji člověk jednou začne milovat, nemůže hned tak brzy přestat."

V jejím pražském salonu, narychlo otevřeném, se scházela společnost jejích přátel: kníže Windischgrätz, hrabě Trogoff, Friedrich Gentz, ale i Louis Rohan, její první manžel, přijela teta Elisa von der Recke se svým stálým průvodcem, básníkem Christophem Tiedgem.

Každý večer přicházel také Metternich, ale měl málo příležitosti být s Kateřinou o samotě. Zval ji proto k sobě do Schönbornského paláce. Obědvali spolu, procházeli se palácovou zahradou nebo vyjížděli za město. Potřeboval prohovořit tolik důležitých věcí a být jí nablízku.

V Praze se o Metternichově nové milostné avantýře vědělo. Gentz hrál roli důvěrníka i prostředníka. Zprávy o nové Metternichově známosti však nezůstaly uvězněné pouze v hradbách Prahy. Donesly se až do Badenu, kde trávila Lorel letní měsíce se svými dětmi – s šestnácti-letou Marií, desetiletým Viktorem, devítiletou Klementinou a dvouroč-ní Leontinou.

5. srpna napsala manželovi:

„Nechci Ti zatajit, že Paulina vyprávěla věci, které mě uvedly v úžas. Říkala, že vévodkyně Zaháňská se nastěhovala až do konce kongresu do Prahy – a že se zde setkala, hádej s kým?"

Klemens dlouho neodpovídal. Pak se vymluvil na zraněný prst a také na politické okolnosti. Blížil se 10. srpen, konec příměří. Napoleon si do poslední chvíle nepřipustil, že by se Rakousko, země jeho tchána, připojilo k nepřátelům Francie. Hřešil na to a Metternich mezitím připravil memorandum. Pravilo se v něm, že Rakousko je ochotno vyjednávat pouze do 10. srpna. Od tohoto dne je nutno vzít na vědomí, že Rakousko se připojuje na stranu spojenců.

Rozhodným okamžikem byla půlnoc v úterý 10. srpna 1813. Ten večer se měl Klemens vidět s Kateřinou naposled. Následujícího rána se chystala do Ratibořic, kam se již potřetí, tentokrát na 14. srpen, ohlásil ruský car. Cesta kočárem trvala z Prahy do Ratibořic asi deset hodin, a vévodkyně spěchala, aby stačila připravit pohoštění.

Metternich věděl, že 10. srpna večer bude sotva možnost se s Kateřinou rozloučit, a tak jí hned ráno toho dne napsal dopis na rozloučenou:

„Moje přítelkyně, mon amie, dovolte mi se s Vámi takto písemně rozloučit. Nemám sil Vás zítra ráno ještě spatřit; znáte důvod a já respektuji všechny okamžiky, které nejsou určeny mně! Milovaná mého srdce – vlastníte je bez výhrad – nic není tak pravdivé a čisté jako oheň, kterým pro Vás hoří. Milujte mě vždy, kdykoli budete mít čas; zítra na mne nemyslete; ze všech obětí, které Vám přináším, je to ta nejbolestnější, takové zapomnění, o které Vás prosím. Dávejte cestou na sebe pozor. Myslete na shledání, které všechny tyto tíživé momenty z mého vědomí vymaže. Kdykoli si Vaše srdce vzpomene na mé jméno, pak si řekněte, že jste byla i dříve milována – ale nikdy ne tak jako svým nebohým přítelem."

Večer toho dne se shromáždilo u ministra Metternicha v Schönbornském paláci mnoho významných účastníků pražského jednání. O konferenci v pravém slova smyslu se nedalo hovořit. Byl zde Humboldt, Anstett, kníže Karel Schwarzenberg, který byl vybrán, a Metternich tomu velice přál, za hlavního velitele spojených protinapoleonských vojsk. Přišel Fontbrune, Pavel a Marie Esterházyovi, Windischgrätz, baron Trogoff a také vévodkyně Zaháňská.

Když se přiblížila dvanáctá hodina noční, všichni čekali s napětím, jestli právě v těchto posledních sekundách nepřispěchá kurýr od Napoleona z Drážďan. Když hodiny odbily půlnoc a žádný posel se neobjevil, chopil se Metternich pera, které mu podala Kateřina, a podepsal vyhlášení války. Byla to vzrušující chvíle, která rozhodla o dalším dění v Evropě. V ohnisku této události stál Metternich a spolu s ním – vévodkyně Zaháňská.

Ten den dopoledne, když Metternich zapečetil dopis na rozloučenou pro Vilemínu, napsal také své ženě do Badenu a vyjádřil se k tomu, co zaslechla o něm a o vévodkyni. Psal promyšleně, aby oslabil manželčino podezření:

„Tvé sdělení o cestě W. von Sagan v Tvém posledním dopise je k smíchu. Jak je to přesto hezké, že se veřejnost zaměstnává mými ‚milostnými aférami', zatímco mně může hlava prasknout napětím. Byl bych velmi polichocen, kdyby sem byla přijela kvůli mně, ale není tomu tak; strávila čtyřiadvacet hodin s Windischgrätzem v den, kdy odtud odjížděl. Windischgrätz není k poznání. Přešel k jinému regimentu a v poslední den se objevil bez vousů... Sbohem, moje drahá Lorel. Ty víš, že Tě z celého srdce miluji, nikdy se neutěším, že nemohu být s Tebou. Polib děti a modli se, aby se vše obrátilo v dobré. Tuším, že nyní neuslyším nic než kanony a neuvidím nic než padlé a umírající."

Kateřina odjela 11. srpna do Ratibořic, ale slíbila, že se vrátí do Prahy, jakmile car Alexandr opustí Ratibořice.

Metternich však nečekal, až se Kateřina sama ohlásí. Měl niternou potřebu živit svou lásku, připomínat ji, naplňovat mysl zbožňované ženy, aby v ní nezůstalo místečko pro jiné myšlenky nebo dokonce pro cit k dalším mužům.

Metternich proto poslal do Ratibořic Pavla Esterházyho, svého adjutanta, ještě s dvěma služebníky, aby vévodkyni Zaháňské předali dopis.

Narážel na posla a podle svého zvyku meditoval:

„Přál bych si být jím. Přál bych si být dopisem. Přál bych si být čímkoli, jen ne sám sebou, a přesto bych své já nechtěl s nikým vyměnit... Těším se, že Vás 16. zase uvidím. Kdyby se má naděje nesplnila, byl bych velmi nešťasten. Nevím, co mě vede k tomu o tom uvažovat – asi ona smutná zkušenost, že se nemohu spolehnout na své štěstí – já, který jsem na druhé straně nejšťastnějším člověkem na zemi. Sbohem, drahá Vilemíno. Neokouzlete cara příliš, ale pouze tolik, abyste ho mohla následovat do Prahy."

Car Alexandr přijel do Prahy 15. srpna a byl přivítán hudbou a nadšenými ovacemi.

Kateřina nabídla tetě Elise a jejímu příteli Tiedgemu náchodský zámek pro zimní pobyt, protože Berlín, kde teta bydlela, byl v této válečné době místem nanejvýš nebezpečným.

Elisa se vracela z Karlových Varů, kde pobývala také vévodkyně Dorothea Kuronská. Společnými silami ošetřovaly svého kmotřence Theodora Körnera, zraněného zákeřným přepadením během válečného příměří. Tehdy ještě netušily, že radost nad uzdravením mladého nadějného básníka bude krátká, že totiž v první den připravované války 26. 8. 1813 padne jako válečný hrdina.

Klemens očekával Kateřinu 16. srpna. Ale místo toho obdržel od ní lístek, v němž mu sdělovala, že právě když dala zapřahat do kočáru, přepadla ji opět tak silná migréna, že musela ulehnout. Dodala:

„Neopomeňte mě informovat o všem, co se stane. Adieu, milý Klemensi, spoléhám na Vás jako na toho nejpravějšího, nejvěrnějšího a nejdražšího přítele."

Metternich byl zdrcen. Stalo se to, čeho se tolik obával. Ještě zadržel posla, nemohl nechat dopis bez odpovědi. Kateřina si musí uvědomit, jak ho ranila, jak je nešťasten a jak mu ublížila:

„Měl jsem chvíli Vašeho příjezdu vypočítanou. Těšil jsem se na ten skvostný okamžik. Očekával jsem ho s takovým pocitem štěstí a vděčnosti – a pak jsem obdržel Vaše psaní! Nechci Vám nic vyčítat, moje přítelkyně. Jaký by to mělo smysl? Vy mě nemilujete. Kdybyste mě milovala, byla byste přijela. Neměl jsem nikdy doufat v to, co nemůže být... Slibuji Vám, že udělám vše, jen abych se osvobodil od bolesti, která mě zabíjí. Mon amie, neumím si dosud představit, jaký to bude život bez Vás. Kdybych měl sto životů, položil bych je za Vás. Ztratil jsem hlavu – mám pouze srdce a to je zlomené. Právě jsem překonal nejtěžší chvíli svého života. Proč jen jsem nezůstal ušetřen něčeho tak strašného?"

Kateřina mu odpověděla:

„Vím, že k Vám nejsem tak dobrá, jak jsem chtěla být, milý Klemensi, odpusťte mi to, ale nemohu jinak. Nesmírné břemeno tíží mé srdce, trpím nepředstavitelně. Jsou okamžiky, kdy myslím, že zemřu. Nemějte mi to nyní za zlé. Musíte vědět, že mé srdce trpí, když Vašemu srdci připravuje bolest, a že jsem Vám upřímně nakloněna. Sleduji svůj tep, zda nejsem nemocná. Ach, jen moje duše churaví a proti té bolesti není léku… Adieu, drahý Klemensi, kterého smím, naplněna vděkem a pýchou, považovat za přítele. Adieu."

Dopis byl napsán 17. srpna v Náchodě. Kateřina zde očekávala příjezd pruského krále Fridricha Viléma III., když v slavném vojenském průvodu táhl do Prahy. Stála spolu s tetou Elisou a Tiedgem na věži svého zámku a dívali se na pestré hemžení dole pod sebou.

Toto psaní bylo Metternichovi prvním signálem Kateřininy lásky. Byl šťasten, když četl její slova, a jak bylo jeho zvykem, hned na ně odpověděl:

„Adieu, moje V., patříš ke mně a mé srdce mi říká, že mi budeš patřit ještě více; srdce mě ještě nikdy neoklamalo, miluje pouze ty, kteří jsou s ním spojeni vroucím citem. Cožpak bych Tě byl našel, abys přinesla bolest a muka do mého života ?"

Metternich použil poprvé důvěrného oslovení „ty", Vilemína setrvala u vykání. Slůvka „ty" používala pouze v nejintimnějším rodinném styku, ale oslovení „vy" u ní na vřelosti citu neubíralo.

Kateřina byla vyčerpána, ale i Metternich z přepracování onemocněl. Jen co se mu vrátily síly, vypravil se k hlavnímu štábu ruských vojsk do Chomutova a pak odjel do Saska. Zde se šikovali k boji Francouzi.

Boj začal 26. srpna 1813 ve tři hodiny odpoledne. Povel k útoku vydal kníže Schwarzenberg. Nejprve byla spojenecká vojska poražena u Drážďan, posléze zvítězila u Chlumce.

Kateřina byla stále ještě v Ratibořicích, ale myšlenkami prodlévala u Klemense a u napjatých událostí, které ho obklopovaly. Přepadaly ji obavy, co by se stalo, kdyby se válka přehnala přes Ratibořice. Měla špatné zkušenosti ze Zaháně z let 1806–7, kdy tudy prošla francouzská vojska. Nyní dala zabalit knihy ze své zámecké knihovny a Metternichovi napsala:

„Ke svým knihám pociťuji velkou něhu. Zde přispívá všechno k tomu, abych byla smutná – dům, zcela prázdný, až se člověk bojí – déšť, který se řine dnem i nocí, a stále tytéž tváře, které mám dozajista ráda, které mě však nedokáží rozveselit."

V Ratibořicích dlela s Kateřinou teta Elisa, August Tiedge a madame Trogoffová, manželka Alfredova přítele, která se stala Kateřininou společnicí. Tato malá pohyblivá žena s tmavýma jiskrnýma očima, francouzská emigrantka z Bretaně, našla u vévodkyně Zaháňské druhý domov. Prospívala Kateřině radou a pomocí v otázkách společenských, finančních i zdravotnických.

Avšak Kateřina se cítila osamocena. Vzpomínka na Alfreda bledla, neměla o něm žádné zprávy a do jejích představ začala pronikat jiná tvář – tvář kancléře Metternicha. Nyní ho milovala, stýskalo se jí po něm, toužila mu být nablízku. Připadala si zde odříznuta jakoby na konci světa. Svěřila se mu se svými pocity:

„Tento stav nejistoty mě ubíjí... Řekněte mi, kam se mám obrátit, abych byla blíže svým přátelům. Řekněte mi, co o tom soudíte, milý Klemensi, a dejte mi dobrou radu – především radu, která mě podnítí odcestovat odtud, samota mě žene k zoufalství."

Tento dopis zastihl Metternicha 26. srpna, v den, kdy se vrátil po bitvě u Drážďan do Teplic, hlavního ležení rakouského štábu. Ihned odpověděl. Popisoval své dojmy z bitevního pole a pak dodal:

„Chci Ti dokázat, že Tě miluji víc než sebe, že vidím pouze Tvoje zájmy – nic si nevyčítej – nemáš vinu na utrpení, které si způsobuji sám. V den své smrti Tě poprosím o prominutí za mnohé, mnohé trýzně a za každou Tvou slzu lítosti!"

Metternich Kateřině poradil, aby se přemístila do Prahy, ale opatrně: málo zavazadel, málo služebnictva a s vlastními koňmi.

Teprve nyní se Kateřina vyznala Klemensovi:

„Vy, milý Klemensi, Vy, kterého s radostí a pýchou, s nejlepšími pocity svého srdce, mohu nazvat svým přítelem, jste neodpovídal pouze mému očekávání, nýbrž i mým vysněným představám... Můj milý, dobrý Klemensi, z celého srdce Vás miluji; a jestli tato láska snad není všechno, co byste mohl žádat, v mnohém ohledu znamená víc, tím jsem si jista. Pozítří ráno pojedu do Prahy, kde jak doufám mě hodně brzy a často zastihnou zprávy od Vás – a mohu, budete-li chtít – přijet za Vámi."

2. září cestuje vévodkyně Zaháňská do Prahy, doprovázena pouze hraběnkou Trogoffovou a nepostradatelnou komornou Hannchen, kte-

rá však je v osmém měsíci těhotenství. Kateřina napsala Gentzovi, že dorazí asi o půlnoci, a prosila ho, aby zařídil otevření městské brány. Cesta však byla obtížná a nebezpečná a Kateřina se dostala do Prahy až pozdě večer následujícího dne, v pátek 3. září.

Zde ji očekával dopis. Metternich navrhoval, že se sejdou v Lounech, na poloviční cestě mezi Prahou a Teplicemi. Dal Kateřině přesné instrukce a za jejího průvodce určil Friedricha Gentze, protože bylo nutné mít s sebou na venkovských silnicích muže. (O Gentzovi se však ironicky vyjádřil, že je „mužem tak málo".)

Další dopis obsahoval pokyny pro cestu. Kateřina měla už v neděli 5. 9. poslat napřed koně pro výměnu a v pondělí ráno vyjet. Na lounském zámku budou pro ni a Gentze k dispozici čtyři pokoje. Kuchaře a pomocníka poslal Metternich již napřed, aby bylo vše připraveno pro pohodlí hostů.

„Budeme tam muset strávit noc, poněvadž kvůli kozákům a raněným není na noční jízdu ani pomyšlení, ledaže by jela s sebou eskorta."

Jak Metternich předvídal, nebyla cesta snadná. Silnice přeplněné pochodujícími vojáky, kolonami válečných zajatců v roztrhaných uniformách a kárami plnými raněných.

Kateřina byla vším, co viděla, otřesena. Klemense však zastihla klidného a šťastného. Gentz napsal Pilatovi:

„... V takové náladě, tak uspokojeného, tak hezkého, tak naplněného pevnou a klidnou nadějí jsem ho ještě nikdy neviděl. Na jeho tváři byl zřetelně zapsán šťastný závěr války."

6. září večeřeli v Lounech a Metternich vyprávěl o hrůzách drážďanské bitvy a o vítězství u Chlumce a Přestanova. Věřil, že konec války je otázkou nanejvýš několika týdnů.

Gentz byl nadšen, že mohl být opět u toho. Poznamenal si:

„Hodiny, které jsem strávil s hrabětem Metternichem v Lounech, počítám k nejšťastnějším ve svém životě."

Ještě šťastnější, i když jinak šťastni, byli Metternich a Kateřina. Prozrazují to opět dopisy. Metternich vzpomínal na tento den i později:

„Viděl jsem Tě v Lounech! Nikdy nezapomenu na těch několik hodin, které jsem tam prožil – byly to první dobré okamžiky v našem vztahu. Budu-li dlouho žít – což mi asi není souzeno – pak se ve stáří dám zase zavézt do Loun, abych tam prolil slzy nad nejdražší ze všech svých vzpomínek."

135

Ihned po návratu do Teplic napsal:

„Způsobila jsi, že jsem byl opilý štěstím. Miluji Tě, miluji Tě stokrát víc než svůj život. Nežiji, nechci žít, leda pro Tebe."

Kateřina rovněž děkuje „tisíckrát" za krásné okamžiky v Lounech:

„Vedle Vás mám pocit jistoty, cítím, že se mi nemůže nic stát, neboť mě ochraňuje Vaše přátelství... Nevím, jak Vás miluji, ale miluji Vás velice, z celého srdce."

Klemens vzpomíná na jednotlivosti:

„Učiním vše, co budeš chtít. Dokonce se naučím klepat na dveře jako Ty, i když mi to připadá – nešikovné. Mon amie. Klepal bych, usmrtil bych se, udělal bych vše, jen když budu vědět, že mi otevřeš."

Hodiny prožité v Lounech patřily mezi mnohé šťastné chvíle, které Metternich s Vilemínou prožil. Ona měla těchto šťastných chvil, kdy její mysl nekalily žádné obavy a starosti, méně. Ani po Lounech se nedívala optimisticky do budoucna:

„Mám zlou předtuchu. K mým obvyklým obavám se přidružil, nevím jak a proč, strach z nějaké události, která mě zcela odloučí od mých přátel."

Čeho se Kateřina bála? Klemens ji přece ujišťoval o lásce až za hrob. On měl ovšem své rodinné zázemí – jistotu v podobě trpělivé a vyrovnané ženy a milujících dětí.

Kateřina byla sama. Otec zemřel, matka žila s nejmladší sestrou Dorotheou v daleké Francii, sestry rovněž žily svůj vlastní život a měly alespoň své děti. I když Fritz a Marie nebyli legitimováni, přece se pohybovali v blízkosti svých matek. Ona svou Gustavu ztratila. Od jejích dvou let ji neviděla a dívka, které se pomalu blížil třináctý rok, žila ve Finsku a ani nevěděla, kdo je její skutečná matka. Další děti zůstaly Kateřině odepřeny. Měla sice tři schovanky, ale už nyní se bála, že jí jednoho dne odejdou a ona zůstane sama. Ohrožena byla nyní také její známost s Alfredem. Dnes měla ještě lásku obou, ale co bude za měsíc, za rok? Neztratí všechno? Přesto ji hřálo vědomí, že má věrného přítele:

„Myslím často na Vás, mon ami, a ujišťuji Vás, že můžete být s mým chováním spokojen. Nikdy nebudu želet toho, co mohu udělat pro Vaše štěstí – spolehněte se na to – jsem přesvědčena, že mě opravdu milujete – v tomto přesvědčení je mé bezpečí, když bouře, která kolem mne a ve mně běsní, mě příliš vyčerpává. Pak myslím na přítele, jehož mi seslalo nebe, na city, jimž, jak věřím, čas neublíží, a v mé duši klíčí opět radost.

Necítím se už tak sama na tomto světě, mohu-li myslet na člověka, který mě chce stále milovat."

Klemens ji požádal, aby v Praze koupila pro něho zlaté prýmky na uniformu a čepeček a taft pro Lorel. Kateřina mu vyhověla a nakoupené věci poslala. Když se z Loun vrátila do Prahy, čekal na ni Alfred Windischgrätz. Jel z Litoměřic celou noc, jen aby ji spatřil. Zůstal však pouze několik hodin, protože vzápětí dorazila zpráva, že u Chlumce propukly nové boje. Musel se urychleně vrátit ke svému regimentu.

Kateřina Alfredovu návštěvu před Metternichem nezatajila, ale zcela zabránit Klemensově žárlivosti se jí nepodařilo.

Také Gentz informoval svého pána o tom, kdo v sobotu 11. 9. přijel do Prahy. Metternich vyjádřil svou nespokojenost také tím, že začal Vilemíně opět vykat:

„Nepsal jsem Vám, protože G. mi oznámil W. příjezd, a mrtví nepíší dopisy. V mém životě přichází mnoho okamžiků, kdy cítím, že bych raději nebyl. Kolikrát jsem měl v těchto posledních dvou dnech pocit, že mám ‚broken heard'. V takových chvílích přímo fyzicky cítím, jak mi srdce puká, a nevnímám nic než horečku, bolest, smrt… "

Během psaní si však uvědomil, že nemůže dopis takto ukončit, a proto nasadil opět wertherovský tón a přešel k důvěrnému tykání:

„Již tři měsíce nevím, kdo vlastně jsem, vím jen, že Tě miluji více než svůj život, více, než jsem kdy miloval, a že celý můj život je zpřevracen naruby."

Následujícího rána ještě připsal:

„Moje drahá V., proč Vás musím tak milovat? Neznáte prostředek, který by mě přivedl zpět k sobě samému? Jsi moje neštěstí, mé dobro i mé zlo – a snad si i přeji, abych Tě nebyl nikdy potkal."

Metternich se ve svých francouzsky psaných dopisech projevuje jako mistr slova a slovních obratů, ale i jako zkušený dobyvatel ženských srdcí. Spaloval Kateřinu žárem svých slov, ale přesto se jí nedával celý. Byl si příliš dobře vědom pout tam dole v Rakousku, svých statků vyženěných na Moravě, i vlastních v západních Čechách. Nechtěl pošpinit své jméno kancléře, které patřilo rakouskému císařskému dvoru a které bylo největší výhrou v jeho životě. Proto svou novou známost skrýval. Jen Gentz mu byl důvěrníkem.

To bylo také to, co vyvolávalo v Kateřině pocit nejistoty, zlé předtuchy a bouři v duši.

Francouzi se přiblížili v polovině září k Teplicím. Obsadili okolní kopce a Napoleon se díval do údolí na své nepřátele. Kolem Teplic se odehrávalo učiněné peklo. Spojenci ztratili 150 000 mužů.

Metternich psal Lorel:

„Jenom mrtví, umírající a mrzáci, člověk musí na každém kroku dávat pozor, aby nestoupl na mrtvolu, připraven o všechny radosti světa – kdyby v nebezpečí nebylo cosi vzrušujícího, nevím, jak by se dalo toto všechno vydržet."

Také jeho nejmilejší dcera Marie byla v mysli stále s otcem. Když jí napsal, že mezi zajatci v Teplicích našel s amputovanou nohou mladého prodavače hraček z Paříže, u něhož kdysi kupoval jí a jejím sourozencům hračky, odepsala:

„Věděla jsem, že Vy právě tak jako já máte válku za hrozné zlo. Je smutné, že ne každý myslí tak jako my. Ale my dva jsme se museli dostat asi značně do rozporu s přirozeností, když říkáte, že je v přirozenosti lidí vést války."

Kateřina v Praze získávala informace o průběhu války ze všech stran. Její byt ve Valdštejnském paláci se změnil v shromaždiště starých a nových přátel. Všichni vyhledávali její salon. Mezi hosty byli Angličané, jimž byla Kateřina obzvláště nakloněna, jako například Frederic Lamb, syn lorda Melbourna, válečný hrdina Charles Stewart, britský vyslanec v Prusku a nevlastní bratr britského ministra zahraničí lorda Castlereagha, ale i ruský důstojník Alexandr Michajlovič Obreskoff. Většinou byli raněni a vévodkyně jim poskytovala luxusní azyl.

Gentz informoval samozřejmě svého představeného:

„… Hned popletla hlavu generálu Stewartovi, kterého viděla předevčírem poprvé, a on chce nyní zůstat v Praze o 14 dní déle. Měla s ním takové výlohy, že není čemu se divit. Dnes v poledne obědvá u něho… Jediné dobré na celé věci je to, že Obreskoff projevil včera a předevčírem značnou nespokojenost, protože věnovala Stewartovi mnohem větší péči."

Vévodkyně Zaháňská však nebyla lhostejná ani k utrpení bezvýznamných lidí. Pomáhala ze všech sil, ale hlavní překážkou byl nedostatek lazaretů. Proto napsala Metternichovi již 12. září:

„Proboha – vydejte nařízení ohledně raněných – bídně hynou; lidé musí psát na válečnou radu o každý pakatel, nikdo zde za ně nechce převzít odpovědnost; nemají ani postele, ani pryčny, ani přikrývky, ani pečovatele. Od hladu nezemřou, protože my je uživíme…"

Kateřina začala v Praze budovat lazaret pro několik set raněných a spolu s ní se angažovaly další ženy. Pomáhala i madame Trogoffová. Zřídily velkovyvařovny, dělaly cupaninu, šily košile a pletly punčochy. Vévodkyně obstarávala sama až deset raněných. Pečovala o ně bez rozdílu, ať byli z řad spřátelených či nepřátelských vojsk. Občas se obrátila s prosbou na Metternicha. Mohl-li, vždy jejímu přání vyhověl nebo zaintervenoval na příslušných místech.

Klemensovy dopisy přicházely denně. Přinášel je kurýr z Teplic a pro Kateřinu znamenaly elixír života. Dovídala se z nich, co se děje na protinapoleonské frontě, co dělá a myslí Metternich. Hřála ji jeho slova, znovu a znovu se vyznávající z lásky a přátelství k ní.

Také ona uvažovala o tom, jak Klemense potěšit a jak mu zpříjemnit těžké chvíle. Nechala pro něho v Praze vyrobit stříbrnou lampu, aby se mu večer lépe četlo a pohodlněji psaly dopisy. Vlastnoručně mu ušila sametovou čepici „à la mode" a poslala Goethovo dílo jako četbu před usnutím. Pokud šlo o Windischgrätze, vysvětlovala Klemensovi, že se bude muset smířit s rolí, kterou Alfred v jejím životě hraje. Musí jejich vztah považovat za jistý druh již dávno existujícího manželství, tak jako i ona se musí smířit s tím, že on je ženatý.

Metternich však nesouhlasil. Viděl rozdíl mezi manželstvím a mileneckým svazkem a nemohl snést pomyšlení, že by se měl o Vilemínu dělit.

Někdy si pohrával s úvahou, jaké by to bylo, kdyby se byli potkali jako mladí a stali se manželi:

„Mon amie, kdyby mi nebe bylo přisoudilo náležet Ti v nějaké šťastnější době, pak by byl náš život uběhl v onom klidném bezpečí, které je nejvyšším požehnáním tohoto světa. Ty bys b 'la splněním všech mých nejtoužebnějších přání – a já bych Ti nebyl nikdy zavdal příčinu k zármutku. Byl bych Tě učinil šťastnou, o tom nepochybuji, a toto přesvědčení naplňuje mou duši pýchou. Tvá je tak ušlechtilá, tak čistá – žádná zloba světa by nebyla mohla mít cokoliv proti našemu svazku, moje přítelkyně, byl bych býval nejšťastnějším člověkem na zemi."

Ve víru válečných událostí zatoužil Metternich znovu spatřit Vilemínu. Gentz mu najal byt v zadním traktu Fürstenberského paláce hned proti paláci Valdštejnskému, aby schůzka milenců mohla proběhnout ve vší tajnosti. Ministr přijel tentokrát inkognito. U městské brány byl ohlášen jako baron Binder, a tak se mu podařilo oklamat i městskou policii. Do Prahy dorazil v pondělí 20. září, doprovázen Pavlem Ester-házym, svým adjutantem, a komorníkem Girouxem. V pondělí strávili milenci spolu několik hodin při šťastném shledání. V úterý ráno poslal Klemens Kateřině po Girouxovi psaní: „Ještě tu jsem. Odjedu dnes po večeři u Louise. Buď tak dobrá a pozvi mě k obědu. Nabídni mi pohoštění, dovol mi, abych Tě směl dnes dopoledne asi v půl jedenácté nebo v jedenáct hodin navštívit, a nech se ode mne utiskovat a nudit. Dovol, abych Ti mohl často psát, a měj mě trochu ráda. To jsou má skromná přání pro den, který je mi drahý, protože mi přinese příslib, že Tě uvidím."

Setkání se podařilo a následovala lukulská hostina u Louise Rohana, který byl vždy pro všechno, kde proudil hovor a kde se dalo něco vyzískat pro osobní pohodlí a zajištění budoucnosti.

V jednu hodinu po půlnoci se vydal Metternich ve svém těžkém vojenském kočáře na dvanáctihodinovou cestu do Teplic.

Tak skončilo třetí poratibořické setkání vévodkyně Zaháňské s Klemensem Metternichem. Po návratu do hlavního stanu se Metternich hlásil slovy:

„Opět jsem uprostřed kanonů, uprostřed neblahého bláta, hrůz, daleko od všeho štěstí, daleko od všeho, co miluji… Zasmála ses alespoň ještě jednou tak srdečně, jak jsem Tě viděl se smát před čtyřiadvaceti hodinami? Mon Dieu, mon amie, jak mi zde zřetelně stojíš před očima, krásná, dobrá, taková, jaká jsi ve skutečnosti. Jeden jediný Tvůj pohled mě odškodní za dvacet let strádání."

Kateřina je méně spokojená a její odpověď je vážnější. Je plna obav o Alfreda Windischgrätze. Měla zlý sen a obává se smutných zpráv:

„Jsem z celého srdce pověrčivá… Nevíte, kde je Windischgrätz? Trogoff o něm nic nepíše. Ke kterému pluku patří jeho regiment? Prosím, abyste mi o tom dal přesné informace."

Metternicha rázem opustila dobrá nálada, s níž se vrátil z Prahy. Výsledkem bylo dlouhé psaní Kateřině, koncipované v podobném duchu jako předchozí dopisy.

4. října 1813 přijel Metternich ještě jednou na tři dny do Fürstenberského paláce v Praze. Tentokrát zde vedl některé tajné politické rozhovory a doprovázel vévodkyni při vizitách v nemocnici. Procházel s ní sály, hovořil s raněnými a obdivoval, co všechno dokázala.

Později jí napsal:

„… Dobrotivá, hluboce dobrotivá, plná soucitu, prokázala jsi sama sobě i ostatním ženám poctu. Kdybych někdy onemocněl, vyhledám Tvou nemocnici. Myslím, že v Tvé přítomnosti by se velký díl světa uzdravil."

Své dceři Marii sdělil:

„Není zde žádná měšťanská rodina, která by nepečovala o raněné a nemocné na vlastní náklady. Ženy z nejvybranější společnosti pracují ve špitálech, hraběnka Šliková, hraběnka Clamová a vévodkyně Zaháňská, každá z nich má celý ústav pro dvě až tři sta raněných, který samy zařídily a opatřily lůžky a kde lidem vyvařují jejich vlastní kuchaři."

Během této návštěvy se 5. 10. 1813 narodila v Praze komorné Hannchen dcera. Vévodkyně je v matrice křtů zapsána jako kmotra. Dítě dostalo jméno Vilemína Ludvika Karolína Margareta. Otcem byl Karel Merger, myslivec knížete Windischgrätze. Toho večera očekával Metternich Kateřinu marně. Poslala omluvný dopis, že asistovala jako „porodní bába".

16. a 17. října 1813 zuřila krutá bitevní vřava u Lipska, jíž historie přisoudila název „bitva národů". Účastnilo se jí asi 300 000 spojeneckých vojáků a na 190 000 vojáků Napoleonových. Zůstalo po nich moře mrtvých a raněných. Zbytky někdejší francouzské armády se daly na bezhlavý útěk.

Metternich po skončené bitvě v jedenáct hodin v noci, dosud opojen vítězstvím a vlastní slávou, napsal Kateřině velkoryse a s příchutí ješitnosti:

„Alfredovi se daří dobře, moje drahá, a my jsme vyhráli bitvu světa!"

Ještě na bitevním poli vyznamenal císař František I. Karla Schwarzenberga, jemuž bylo svěřeno velení spojeneckých vojsk, křížem armádního Řádu Marie Terezie. Klemens Metternich byl za zásluhy povýšen do knížecího stavu a obdařen novým měkce pérovaným kočárem s knížecím erbem.

Friedrich Gentz obdržel za sestavení rakouského válečného manifestu od cara Alexandra diamantový prsten a od rakouského císaře titul „dvorní rada". Navíc byl povýšen do rytířského stavu. V souvislosti s tím však vznikl problém. Gentz se už dávno předtím nechal titulovat predikátem „von" a nyní měl starost, jak povýšení utajit a zabránit otištění pro něho trapné zprávy ve Wiener Presse. Jinak prožíval právě nyní nejšťastnější období svého života. Dobu strávenou v Praze nazval „nebeské měsíce" a do deníku si poznamenal:

„Moje zdraví je vynikající, mé jméno se stalo slavným. Peněz jsem měl nadbytek; více než kdykoli předtím jsem platil za významného muže a byl jsem v Praze vysoce ctěn."

Napoleon byl poražen a vyklidil Německo. Rakouská metropole tonula v ovacích. Stáb spojenců se přesunul začátkem listopadu na šest týdnů do Frankfurtu nad Mohanem. Metternich napsal Kateřině:

„Cestou z Chomutova do Frankfurtu mi zaplňovaly mysl pouze dvě věci: Moje přítelkyně a Evropa, Evropa a moje přítelkyně."

Město připravilo vznešeným hostům skvělé přivítání. Pořádaly se plesy, divadelní představení, večeře a čaje v bohatých patricijských domech. Tančil se proslulý vídeňský valčík.

Do Frankfurtu zavítal ruský car i rakouský císař, pruský král Fridrich Vilém, král z Württemberska, král Maxmilián Josef Bavorský, řada velkovévodů a vévodů. Byly zde obě carovy sestry a sjížděly se sem i některé manželky výše jmenovaných hodnostářů a jejich úředníků.

Také Lorel by se byla ráda za manželem vypravila, ale on jí cestu rozmluvil. Raději by byl přivítal vévodkyni Zaháňskou, která se v Praze, odloučena od rušného politického dění, nudila a psala:

„Ráda bych Vám byla blíž."

Metternich upustil nakonec i od tohoto setkání. Zdálo se mu příliš riskantní a kompromitující. Radil, aby se Kateřina přemístila do Vídně, kam kurýři denně přinášeli čerstvé zprávy.

Metternichova pracovní doba trvala i zde od devíti do tří hodin odpoledne a od čtyř do deseti hodin večer. Pak s oblibou usedal pod stříbrnou lampu, kterou mu dala zhotovit Kateřina v Praze, a psal dopisy. Nejprve Kateřině, potom Lorel, jak můžeme poznat z označení doby. Metternich psal Kateřině téměř denně listy svým jemným zřetelným písmem a pečetil je červeným voskem s vyznačením „C" (Clemens). Také Kateřina si zvolila „C" za svůj znak (Catharina – Curland).

Klemens jí poslal kazetu na dopisy se zlatým zámečkem a sedmi přihrádkami a napsal:

„Počítám se sedmi roky, jak vidíš, a až uplynou, pošlu Ti novou kazetu."

Klemens psal dopisy vášnivě rád, jak se svěřil Kateřině:

„Od té doby, co vím, že mi nemáš za zlé, že píšu, jak cítím,... jsem nejšťastnějším člověkem u svého psacího stolu."

Po návratu do Paříže Napoleon vyhlásil novou mobilizaci. Chtěl postavit 500 000 mužů a zahájit další boj. Francie však toužila po míru. Také Metternich usiloval o mír.

31. října napsal Kateřině:

„Během zimy udělám mír, zachová-li mě Bůh a Napoleon nepozbude smyslů."

Metternich nebyl jen mistrem v psaní dopisů. Byl i obratný a nápaditý při výběru dárků. Lorel a dcerám kupoval hedvábí na šaty a Viktorovi různé předměty vhodné pro desetiletého chlapce. Pro Kateřinu vymýšlel vzácné maličkosti na její skvostný psací stůl. Chtěl, aby měla tyto předměty stále na očích a nemohla na něj zapomenout. Když vévodkyně vedle nože na dopisy z indického dřeva a hodin s teploměrem obdržela i nový kalamář, zareagovala:

„Obětovala jsem Vám dokonce svůj nemožný kalamář, s nímž jsem se zlobila již sedm let, kdykoliv jsem do něj namočila pero, který jsem však s tichým steskem považovala za součást kultu. Cítím to tak ke všemu starému – počínaje našimi ctěnými společenskými institucemi až po svůj vatovaný župan s prodřenými lokty, který považuji za tisíckrát pohodlnější než kterýkoli jiný a jejž svlékám pouze s ohledem na lidi, aby mě neviděli v této komické úpravě."

Metternichovy dopisy překypují láskou. Ona mu však stále vyká a nabádá ho:

„Když čtu Vaše dopisy, milý Klemensi, vždy bych Vám chtěla říci, drahý příteli, nemilujte mě až tak příliš... Milujte mě, jak je Vám libo. Vysvětlete si tato protiřečení, jak umíte, drahý Klemensi."

On odpověděl:

„Bon Dieu, máš pravdu, když říkáš, že bych Tě měl milovat o něco méně! Mon amie, ale myslíš, že dokážu všechno? Ne, umím si podmanit Napoleona, ale zmírnit svou lásku k Tobě nedokážu."

Co ho však stále trápilo, byl její poměr k Alfredovi. Windischgrätz byl za osobní účast na vítězství u Lipska vyznamenán od cara Řádem sv. Vladimíra a od rakouského císaře na návrh samotného Metternicha měl dostat v roce 1814 Řád Marie Terezie. Ve frankfurtském štábu se oba muži téměř denně potkávali.

Metternich si přál, aby Kateřina tuto známost ukončila, ale odvahu požádat ji přímo o rozchod dosud nenašel. Zatím nenaléhal, ale přesto se problému dotýkal:

„Myslíš, že by se Ti podařilo udržet dva takové vztahy, které Tobě nepřinesou štěstí, mně pouze neštěstí a Alfredovo štěstí omezují, pakliže to – čemuž nevěřím – výhradně na Tobě závisí?... Myslíš, že bys nemohla jeden vztah uvolnit, jestliže se tak špatně hodí k sobě?"

Gentz střežil Kateřinu jako oko v hlavě a s nelibostí viděl v její blízkosti jiné muže. Trnem v oku mu byli dva mladí Angličané, Lamb a Vernon, kteří se v Praze kolem vévodkyně otáčeli. James Lamb zde působil jako britský diplomat.

Kateřina těžko snášela Gentzův dozor i skutečnost, že podával zprávy Metternichovi. Uprostřed října se proto přestěhovala z Valdštejnského paláce do Fürstenberského, kde bydlel Klemens během svých pražských pobytů. Od té doby se její vztah s Gentzem zase uklidnil a Kateřina s ním nadále vedla politické rozhovory a předčítala mu z Metternichových dopisů. Klemensovi napsala:

„Od včerejška si mě Gentz cení o něco více. Mám totiž výtečného kuchaře."

V jiném dopise se příteli vyznává:

„Podmanil jste si mé srdce, jako jste si podmanil svět."

Koncem listopadu poslal Napoleon Metternichovi depeši, v níž mu oznámil, že je ochoten zúčastnit se mírového kongresu. 5. prosince vyjádřil i souhlas přistoupit na podmínky spojenců. Metternich sepsal Manifest francouzskému národu a zaslal jeden exemplář Lorel, aby měla informace pro hosty, které přijímala na čajích. Sebevědomě dodal:

„Vložil jsem do něho své srdce, hlupáci ho možná budou považovat za příliš umírněný. Ale ať kritizují, jen když se mi podaří udělat mír."

Schwarzenberg však Napoleonovi nevěřil a namítal:

„Dokud ten muž žije, nemůže být na klid ani pomyšlení."

V prosinci se přesunuli spojenci do Freiburgu. Metternich tu bydlel u příbuzných v rodném domě své matky. Také zde se konaly plesy a hostiny, ale on se jich nezúčastňoval. Blížily se Vánoce, a tak obstarával dárky pro Lorel a děti. Již sedm měsíců je neviděl:

„Byl bych velmi šťasten, kdybych mohl svátky trávit s vámi, moje milá. Ale nebe rozhodlo jinak. Bůh nás v příštím roce opět spojí a bude mou největší radostí, že vás už nebudu muset opustit."

Také z Vídně přišly dárky a dcera Marie potěšila otce slovy:

„Někdy když se vracím domů, jdu přes červený salonek a dívám se klíčovou dírkou do Vašeho pokoje. Přitom si představuji, že sedíte za svým psacím stolem, a tento příjemný sebeklam je mi útěchou." Metternich měl velkolepý novoroční plán. Chtěl v Badenu koupit vlastní dům a udělat radost své rodině. Lorel navrhovala vilu Eichelberg a Metternich byl ochoten za ni zaplatit 60 000 zlatých.

Svou ženu a rodinné zázemí potřeboval Metternich pro uchování pocitu jistoty a bezpečí. Z Vilemíny čerpal sílu a energii pro svou politickou činnost a diplomatickou kariéru. Obě ženy mu vytvářely pocit harmonické rovnováhy.

27. prosince 1813 napsal z Freiburgu Kateřině Zaháňské:

„Moje láska k Tobě se přiřadila k problémům světa, posiluje mě, povzbuzuje a povznáší. Pouze když myslím na Tebe, mám odvahu ke všemu. S Tebou se nebojím ničeho."

Byla to upřímná zpověď. Měla Kateřinu potěšit. Ve skutečnosti jí však takové ujištění nemohlo dát to, po čem její srdce prahlo. Zřetelně vyjádřila svou potřebu a touhu v dopise psaném v srpnu z Ratibořic:

„… Stav nejistoty mě ubíjí… samota mě žene k zoufalství." Pociťovala to i nyní v čase vánočním.

Nad jiné významný rok 1813 se chýlil ke konci. Metternich vzhlížel k novému roku s nadějemi. Vévodkyně Zaháňská hleděla do budoucnosti s obavami a nejistotou.

(XIII)
Návrat do Vídně

Před vánocemi 1813 se Kateřina Zaháňská vrátila do Vídně. Na Štědrý den psala Metternichovi ne právě radostný dopis. Trápila ji migréna, schovanky stonaly, jedna měla angínu, druhá spalničky. Byt v Palmovském paláci byl nevytopený, pokoje po dlouhé nepřítomnosti neuklizené, nebe zatažené temnými mraky.

Vánoce jsou příležitostí k rozjímání a Kateřina se odhodlala prozradit Metternichovi své přísně střežené tajemství – existenci dcery Vavy. Jednak tím chtěla před Klemensem objasnit zdání své naprosté neplodnosti, jednak očekávala, že právě on by jí mohl pomoci dceru navrátit.

Gustavě se blížil 13. rok života. Za dva roky jí měl být předán dopis a vyjeveno tajemství jejího narození. Kdysi prosila Kateřina Vasila Trubeckého, aby jí pomohl získat dítě zpět. Trubeckoj byl Rus a také Armfelt jako tehdejší guvernér Helsink stál ve službách ruského cara. Oba muži se znali, ale Trubeckoj neměl pro přání své ženy pochopení. Kateřina toužila čím dále tím více po svém dítěti a s napětím očekávala, jaká bude Metternichova reakce.

Brzy přišla odpověď:

„Cítím se bohatý od té chvíle, co znám Tvé tajemství. Tvé dítě je mým dítětem – miluji je jako své vlastní děti. Považuji Gustavu za dceru – po celý život mi bude předmětem nejněžnější náklonnosti, mé největší péče. Jsem blažený, že moje existence je spojena s Tvou, a to poutem, které se nikdy nepřetrhne. Když už nemám to štěstí být jejím otcem, budu pro zbytek svého života jejím učitelem a oporou. Kdybys zemřela dříve než já, budeš vědět, že je v dobré péči – a ani ona nezůstane sama."

Metternich slibuje intervenci u cara a adopci Gustavy. Kateřina je dojata jeho velkorysostí a píše mu ty nejvroucnější dopisy. Konečně přechází k důvěrnému oslovení slůvkem „ty".

„Jak ráda bych byla u Tebe, vrhla se Ti do náruče a objala Tě z hloubky svého vděčného srdce, Tebe, nejlepšího z lidí a nejlepšího z přátel. Možná, že bych mohla lépe vysvětlit, co se v mé duši děje, kdybych byla u Tebe, Tobě naslouchala a s Tebou mluvila... Před dlouhou dobou jsem vložila starost o svůj život do Tvých rukou, dnes činím více, ano, svěřuji Ti, co mi je na tomto světě nejdražší. Staneš se jejím rádcem, ochráncem a otcem – díky Tobě budu šťastně žít a v míru zemřu. Pro slzy sotva vidím, co píšu."

Metternich ve styku s Kateřinou činí dojem, že chce spojit svůj život s jejím, ale na druhé straně nepomyslil snad ani jedinkrát na to, že by opustil svou ženu. Jeho rodina je pro něho bezpečným přístavem, nezbytnou součástí jeho existence a kariéry. Kateřina je pouze doplňkem jeho spokojenosti a předpokladem plného štěstí. Ani bez ní si však svůj život už neumí představit.

Ale jak skloubit tyto dva vztahy? Jak utajit před Lorel a zvědavýma očima Vídně svůj poměr s vévodkyní Zaháňskou? Radí Kateřině, aby koupila ve Vídni vlastní dům. Obává se, že společný dům s Bagrationovou není právě bezpečné místo pro jejich lásku.

Před Kateřinou bere své manželství jako samozřejmost. Netají se tím, že chce, až jednou skončí válka, rozdělit svůj život třem láskám: „Tobě, svým dětem a Lorel."

Přeje si, aby se obě ženy staly dobrými přítelkyněmi. Ale Kateřina se brání a píše o Lorel:

„Ráda bych získala její sympatie, ale nevěřím, že se mi to někdy podaří."

Navíc se jí příčí schovávat svou lásku za přetvářku. Je příliš opravdová. Nechce, aby ji Lorel považovala za jednu z žen, které se důvěrným stykem s manželkou milence snaží zakrýt intimitu svého vztahu.

„Toho nejsem schopna, a proto by mi bylo zatěžko budit takový dojem."

Klemens však trvá na svém:

„Navykni ji na svou přítomnost. Lorel je skvělá, inteligentní a taktní, ale ve své náklonnosti tak jednostranná, že každý, kdo jí nerozumí, pro ni nic neznamená – a koneckonců má zájem pouze na svých dětech a na mně. S klidem, který u ní pozoruješ, je schopna v kteroukoli hodinu položit za nás život – a já bych totéž učinil pro ni. Člověk může svou ženu velmi milovat a svou přítelkyni zbožňovat, aniž to uvede jeden z těchto vztahů do rozporu s tím druhým."

Tak uvažoval Metternich o sobě a netajil se tím před Kateřinou. Ale jiným metrem odměřoval život jí. Nesnesl myšlenku, že by se měl s někým o ni dělit. Nejpalčivější žárlivost v něm stále vzbuzoval Alfred. Využil každé příležitosti, aby Kateřině tento poměr vymluvil: „A. je dítě, ba méně než dítě, měřeno podle Tebe. Ty, moje přítelkyně, máš co do citů jednu z nejsilnějších duší, které znám, ale jeden z nejslabších charakterů – a je-li slovo charakter moc silné, rád je nahradím slovem vůle."

Metternich si přeje, aby v Kateřininých očích stál vysoko nad Alfredem. V případě Windischgrätze naráží pouze na sexuální pohnutky a říká: „Myslím, že stojím mimo jakákoli srovnání s tím mužem, který Tě poutá pouze v tomto ohledu."

Metternich dobývá v měsících, kdy jsou od sebe daleko, Kateřinu bedlivě volenými slovními obraty:

„Ma bonne amie, když Ti nemohu psát, nemyslím na Tebe o nic méně – a buď ujištěná, že pouze tehdy na Tebe nemyslím, když spím."

V jiném dopise:

„Ma bonne amie, miluji Tě, jako se miluje zdraví, jako teplé jarní sluníčko, jako to, co je na tomto světě nejkrásnější a nejlepší. Je tolik věcí, které nelze vyjádřit. Chybějí pro to výrazy, i kdyby jazyky oplývaly sebevětším bohatstvím slov…"

Kateřinu tato láska někdy až děsí. Metternich ji zbožňuje jako nadpozemskou bytost a jeho vztah je silně romantický. Ale co bude později, až její krásu a mládí poznamená čas? Nebo až Klemens plně pozná celou její bytost?

„Mon ami, musíš mě milovat se všemi nedostatky, které na mně znáš, ale i s těmi, které neznáš. Nejsem ani tak dobrá, ani tak špatná, za jakou mě máš."

V lednu 1814 se štáb spojeneckých armád přestěhoval z Freiburgu do Basileje. Metternich se ubytoval v domě starších švýcarských manželů Bachofenových. Měli čtyři děti a osmnáct vnoučat a prožívali spolu šťastné stáří.

Metternich vylíčil Kateřině jejich poklidný a spokojený život jako vidinu štěstí:

„Monsieur v dobře načesané paruce a v nejlépe kartáčovaném obleku na světě, madame v čepečku z nejjemnějších krajek… Stačilo by mi být provždy monsieurem, kdybys byla ochotna stát se madame."

148

Kateřina byla tímto Klemensovým okouzlením spíše dotčena. Ranil ji na nejcitlivějším místě. Věděla, že taková budoucnost jí není souzena. Nemá muže a nikdy nebude obklopena vnoučaty. Je dvakrát rozvedená a neschopna porodit další dítě. Znovu a znovu si uvědomuje svůj osud. Vynořuje se pocit závisti, cit, který jí byl až dosud téměř cizí. Tentokrát Klemensovi opět vyká:

„Nemalujte tak pěkně obrázek… šťastné domácnosti. To není můj případ a nikdy nemůže být… Cesta ke štěstí je velmi úzká – když z ní člověk jen trochu sklouzne, má navždy prohráno… Na cestě, na kterou jsem vykročila, lze najít vidinu štěstí, ale nikdy ne opravdové štěstí."

Ve chvílích duševního strádání přepadají Kateřinu záchvaty migrény a stavy beznaděje. Vyhledala ve Vídni doktora Koreffa. Prováděl magnetickou léčbu a psal lyrické básně. Také na svou novou pacientku.

Koncem ledna, kdy se hlavní štáb spojeneckých vojsk přesunul do Langres v Champagni, došlo k události, která Metternicha rozrušila a vyvolala jeho hněv proti Kateřině… Při setkání rakouských a ruských důstojníků, kdy šampaňské teklo proudem a jazyky se rozvázaly, vyprávěl ruský důstojník Obreskoff o tom, jak o něho vévodkyně Zaháňská v Praze pečovala, a nechal kolovat dopis, který od ní údajně obdržel včetně dárku v podobě peněženky. Slyšel to na vlastní uši Pavel Esterházy a pověděl to Metternichovi.

V současné době mu Lorel napsala, že ve Vídni se hovoří o novém vztahu Frederika Lamba a vévodkyně Zaháňské, a nasadila mu dalšího brouka do hlavy. Metternich zmítán hněvem a žárlivostí a zasažen ve své mužské ješitnosti napsal Kateřině 30. ledna ve dvě hodiny ráno:

„Jeden z mých lidí mi přinesl zprávu, že monsieur Obreskoff, jenž s Tebou během svého pražského pobytu byl v nejužším vztahu, před dvěma nebo třemi dny obdržel od Tebe peněženku spolu s dopisem, který ukázal celému regimentu! Již dávno jsem Tě varoval, co by se mohlo stát. Nevěřím z toho jedinému slovu, protože bych raději zemřel než o Tobě pochyboval – a odsoudit Tě, neznamenalo by to zemřít?"

Metternich říká, že nyní má Obreskoff klenot, za který by sám byl dal stokrát svůj život.

„… A to od ženy, která se během měsíců našeho vztahu, jenž vyplňuje celé moje bytí – zdráhala, nevím z jakého falešného jemnocitu, mně dopřát tu radost, vyměnit slůvko ,vy' za ,ty'. A nevymlouvej se. Ty sama jsi vinna. Kdybych byl u Tebe, natloukl bych Ti. Jak se věci mají, nemohu dělat nic jiného než Tě prosit, aby ses nedostala ještě do dalších řečí s tím hrozným Lambem... Mám dostat opis Tvého dopisu (Obreskoffovi) a uvěřím jen tehdy, až mi řekneš, že napíšeš tomu ničemnému hlupákovi, který se chvástá, že opustil Prahu ve stejný den jako Ty – že jsi čekala, až bude zcela zdráv."

Mezi Kateřinu a Klemense padl stín. Kateřina rozhořčeně zareagovala :

„Tvůj dopis z 30. je pro mne pobídkou, abych Ti ihned odpověděla... možná, že jsem si měla dát čas na rozmyšlenou – bylo by to moudré, ale taková moudrost mi není dána...

Nejprve k Lambovi, o němž se chci vyjádřit stručně a jasně. Jestli mě miluje, tak já o tom nevím, a co se mě týče, já ho nemiluji – nezavdala jsem svým chováním žádnou příčinu k podobným řečem. – Nemají-li lidé nic důležitějšího než se zabývat mým vztahem k němu, mohu jim jen gratulovat. A jsou-li ještě jiní, kteří mi mou kuráž závidí, ty lituji. Když Ti toto vysvětlení nestačí, mohou Ti Tvoji vídeňští donašeči říci více. Ta druhá historka z Langres je plná impertinence, moc by mě zarmoutilo, kdybych měla na podrobnosti tak odporného obvinění reagovat. – Jediné, co bych ráda viděla, by byl nikoli opis mého dopisu, ale originál..."

Koncem února se opět udobřili. Metternich prohlásil, že spálil její dopis ze 7. února, a žádal, aby také ona zničila ten jeho. Ve skutečnosti nebyl zlikvidován žádný z nich.

Kateřina uzavřela celou nemilou událost slovy:

„Láska má všechno ve své moci, způsobila, že jsi spojil svůj osud s mým, tak jako Prozřetelnost spojila Tvé bytí s existencí vesmíru."

Politické události šly mezitím svou cestou. Napoleon, který se ještě jednou pokusil o odpor, byl poražen a uprchl z Paříže, kam se přemístili spojenci. Z Francie prchala i třiadvacetiletá císařovna Marie Luisa se svým synem. V dubnu sem přijel Metternich.

23. 4. 1814 informoval Lorel o tom, jak se loučil Napoleon ve Fontaineblau před svou deportací na ostrov Elbu:

„Zachoval důstojnost do posledního okamžiku, pak se hořce rozplakal. Doba jeho odjezdu byla určena na jedenáct hodin. Generál Bertrand šel k němu, aby ho upozornil, že je právě jedenáct hodin. Napoleon se ho příkře zeptal, odkdy má ve zvyku určovat jinou hodinu než tu, kterou určil on. Zůstal až do poledne. Pak přivolal doprovod a sestoupil po otevřeném schodišti zámku. Na velkém zámeckém nádvoří byli nastoupeni grenadýři jeho staré gardy. Když je spatřil, neudržel se a vyhrkly mu slzy. Nastoupil do vozu a vojáci zvolali naposledy ‚Vive l'Empereur!'.“

Do Paříže se vracel král. V ulicích zněla změť jazyků a napoleonské N bylo vyměněno za zlaté bourbonské lilie. Opět se rozzářila okna sálů, znovu se pořádaly plesy a recepce. Slavil se mír.

Za svými manželi přijížděly ženy, aby nezmeškaly nic z té mimořádné podívané. Také Lorel toužila přijet, chtěla opět spatřit Paříž, kde se jí před lety tolik líbilo. Chtěla se zde objevit po boku svého slavného muže, ale Klemens jí i tentokrát cestu rozmluvil:

„Mon dieu, ma bonne amie, jak bych byl rád, kdybych Tě zde měl – ale čas nestačí, protože doufám, že náš pobyt tady nepotrvá déle než do 10. nebo 13. května.“

Slibuje jí nejrůznější dárky a Lorel mu posílá soupis, co by měl nakoupit. Upozorňuje také Klemense, že by měl svého kuchaře Chandelliera poslat na praxi do některé francouzské kuchyně, aby se zdokonalil.

Také Kateřina chce přijet do Paříže, má zde matku a sestru Dorotheu. Ale Metternich váhá. V Paříži je totiž rovněž kníže Windischgrätz. Klemens se však bojí i toho, aby se s ním Kateřina nesetkala ve Vídni, kdyby se tam vrátil dříve než on. Alfred zmužněl a ve své uniformě zdobené řády okouzluje pařížskou společnost. Nedávno ho Metternich označil za dítě, ale nyní ho přestává podceňovat a cítí v něm skutečného rivala.

Lze ovšem zařídit, aby se Kateřina s Alfredem nesetkala, a tak byl Windischgrätz odvolán jako osobní zástupce císaře do Turína. Nyní je cesta pro Kateřinu volná. Metternich se však obává řečí. Píše, aby před svým odjezdem ve Vídni prohlásila, že jede za matkou a sestrou, o něž se bojí, a také do lázní na doporučení lékaře. A ještě napsal, aby ji doprovodila Paulina, čímž chtěl zahladit pravý účel její návštěvy.

29. dubna po Windischgrätzově odjezdu, kdy Metternich očekával vévodkyni Zaháňskou, našel mezi depešemi z Vídně lístek od Gentze s přiloženým dopisem vídeňské tajné policie. Obsahoval zprávu o aféře Pauliny z Hohenzollernů s baronem Turkheimem a „pletkách“ vévodkyně Zaháňské s Frederikem Lambem. To byla nová rána pro Metternicha a bez váhání napsal:

„Neříkej, že je to lež. Zaručuji se za jejich věrohodnost. Zprávy pocházejí od osob, které umějí bystře pozorovat – od osob v diplomatických službách... Mon amie, jak a čím mám začít tento dopis. Jak mám s Tebou mluvit, aniž bych Tě ranil... v rozpoložení, v jakém se dnes nacházím, bych nemohl nic předstírat – a mon amie, byl jsem vůbec kdy schopen se Ti přetvařovat? Řeknu Ti všechno – všechno. Nechť mi to třeba zlomí srdce – ale nech mě s Tebou mluvit upřímně – aby sis až do posledního okamžiku mého života uvědomovala, jaký osud by si mé srdce bylo zasloužilo!"

Nežádá vysvětlení od Kateřiny:

„Nezodpovídej nikdy tuto otázku – nechci být ujištěn, že nejsi v právu. Je možné, že mě nemiluješ – to nevím – ale neříkej mi nikdy nepravdu... Nechť Ti nebe dopřeje duševní klid, o nějž jsi můj další život oloupila. Nechť Tě tato myšlenka netrápí."

Vzápětí si Metternich uvědomuje, že těmito výčitkami by mohl hrdou Kateřinu ztratit, a proto zmírňuje tón:

„Napíšu Ti, jakmile k tomu najdu sílu... Udělám pro Tebe všechno, všechno na světě. Pro mé bytí zde na zemi není nic důležitějšího. Jednoho dne budeš ke mně spravedlivá. Je to jediná a poslední naděje, která mi zůstává. První a poslední naděje v mých bezútěšných dnech. Nejsem schopen souvislých myšlenek. Pouze trpím... přeji si jen, aby můj život skončil – toužím po tom s nevýslovnou vroucností. Vilemíno, nezasluhuji si být od Tebe tak zraňován – a Ty si nezasluhuješ ocitnout se z vlastní vůle v neprávu!"

Krátce po tomto dopisu z 30. 4. odeslal Metternich další, smířlivější. Sděloval v něm, že zakoupil vše, oč ho žádala, dvorní róby v modrém i růžovém, plesové toalety a blůzy, a končí:

„Adieu. Daří se mi velmi dobře. Právě jsem strávil tři dny mezi svou postelí a psacím stolem. A i když se mi srdce zastavuje, nesmím zanedbat svou práci. Jednou vstoupím na onen svět – bez bolesti, bez práce, bez trápení – a nebesa mne tam zajisté přijmou po tak velkém utrpení zde na zemi."

Metternich nepočítal s tím, že po těchto dopisech Kateřina přijede, ale ona odcestovala z Vídně již 7. května, tedy dříve, než jí dopisy mohly být doručeny. Těsně před odjezdem, nic zlého netušíc, napsala Metternichovi:

„Nemohu se dočkat, až tam budu, a jaké to teprve bude, až budu sedět v kočáře."

Spolu s Kateřininým dopisem došlo Klemensovi psaní od Lorel: „Princezny Kuronské se včera se mnou rozloučily. Doufají, že dojedou včas k Tvým narozeninám, je to pozornost, která by Ti mohla lichotit. Říká se, odpřisáhnout to ale nemohu, že vévodkyně Zaháňská odcestovala s panem Lambem, který ji doprovodí až do Mnichova."

Kateřina se vypravila na cestu se sestrou Paulinou a komornou Hannchen. Před odjezdem žádala pana von Gentze, aby je doprovodil, protože cestovat bez pánského doprovodu nebylo pro dámy bezpečné. Gentz by byl nesmírně rád jel do Paříže a účastnil se mírových slavností, ale odmítl. Vymluvil se, že si musí v Badenu léčit revma. Nepřiznal, že pravým důvodem je uraženost. Metternich mu už několik týdnů nenapsal. Pozvání, na které netrpělivě čekal, nepřišlo.

Kateřině nezbylo než přijmout nabídku jiného kavalíra, dvaatřicetiletého Frederika Jamese Lamba, který působil nyní spolu s lordem Aberdeenem na anglickém vyslanectví ve Vídni. Vyjeli 8. května. Když však Lamb zjistil, že vévodkyně počítala opravdu pouze s ochranou, nikoliv s milostnou avantýrou, předal jí spoustu doporučujících dopisů do Anglie, aby tam měla dveře otevřené, a sám se vrátil do Vídně. Byl totiž v Anglii vlivnou osobou. Jeho otec, vikomt Melbourne, a jeho matka, známá lady Melbournová, opakovaně portrétovaná a pro svou krásu považovaná za ozdobu londýnské společnosti, patřili k nejvyšší anglické nobilitě. Jejich dům byl nejbohatším a nejznámějším společenským střediskem. Byla naděje, že právě zde by mohla vévodkyně Zaháňská poznat slavného básníka lorda Byrona, jehož *Child Haroldova pouť* z něj právě před rokem učinila nejobdivovanějšího muže Londýna.

15. května dorazila Kateřina s Paulinou do Paříže. Všechny dřívější nesrovnalosti mezi dcerami a matkou patřily minulosti a setkání bylo srdečné. Krátce nato dorazila i Johana, a tak byla celá rodina opět pohromadě. Jen jedna věc kalila radost ze shledání. Před pěti dny zemřela na následky spalniček dvouletá Dorothea Charlotta, druhorozené dítě Dorothey. Zůstal tříletý Ludvík a půlroční Alexandr. Princezny se zájmem rozmlouvaly s Talleyrandem, o němž již tolik slyšely, ale i kníže byl dcerami vévodkyně Kuronské, jíž stále ještě patřila jeho láska, okouzlen. Na jeden z lístečků, které denně dámě svého srdce posílal, napsal:

„Blahopřeji Vám k příjezdu Vašich rozkošných dcer." Na jiný zas poznamenal: „To nejnápadnější na Vašich krásných dcerách je podoba s Vámi, ma chère."

Metternich, coby ministr zahraničí, měl v Paříži nespočet povinností, ale přesto si denně vyšetřil čas pro Kateřinu. Toulali se spolu městem, prohlíželi obchody a nakupovali. Pro Lorel vybrali plné dva kufry nejnovějšího pařížského módního zboží pro slavnostní přivítání císaře ve Vídni a pro chystané kongresové slavnosti. Lorel chtěla oslnit jako žena významného muže i jako nově jmenovaná kněžna. Pro Marii, která v lednu oslavila své sedmnácté narozeniny, koupili plesové šaty a pro menší děti sladkosti a mnoho roztomilých maličkostí. Klemens byl rád, že měl tentokrát Kateřinu vedle sebe i jako módní poradkyni. Lorel mu poslala seznam věcí, které měl nakoupit: šaty a látky, klobouky a čepečky, věci do jejich bytu a do paláce státní kanceláře. Ale něco Metternich nedomyslel nebo neměl tak jemný cit vžívat se do druhé osoby. Kateřina ráda uplatňovala svůj vkus při vybírání pěkného zboží, ráda působila druhým radost, ale teď se v ní ozývalo i trochu lítosti, když viděla, s jakou láskou vybírá Klemens věci pro Lorel.

Jinak se Kateřině v Paříži líbilo. Ve volném čase seděla modelem malíři Jeanu-Baptistovi Isabeyovi, pak ji v ateliéru vyzvedl Klemens, aby si vyšli na nábřeží k Seině. Hovořili o politice, o tom, co se událo od doby, kdy se naposledy viděli v Praze, a také o sobě. Ale o aféře s Lambem nechtěla Vilemína ani slyšet. Nic špatného neudělala, a jestli Lamb několikrát navštívil její salon, co na tom? A konečně, je přece svou vlastní paní, nemusí se nikomu zpovídat. Ona se také neptá, co on píše Lorel nebo s kým se stýkal ve Frankfurtu či ve Freiburgu. Rozhodla se pro něho a napsala mu to. Zatím neukončila svou starou známost s Windischgrätzem. Nemohla se pro tak závažný krok rozhodnout.

A co jí vlastně Metternich za to může nabídnout? Jedině dlouhou známost, ale utajovanou. Všechny výhody tohoto vztahu jsou na jeho straně. Ale u ní není tělesná a smyslná rozkoš zdaleka na prvním místě. Ona potřebuje muže, s nímž by mohla žít, veřejně se ukazovat, být uznávána jako součást jeho života. Klemense milovala, nejvíce si vážila toho, že k němu může vzhlížet, že patří mezi první muže Evropy. Ale stále častěji se vynořovala myšlenka, že jejich vztah je možno uchovat jen pod jedinou podmínkou – že se stane jeho ženou.

Nikde není písemně doloženo, zda Kateřina toto přání přímo Metternichovi vyjevila. Ale on se zmínil o tom, že dokud žije Louis Rohan, nemůže se ona znovu provdat, protože je před Bohem stále jeho ženou. Totéž se samozřejmě vztahovalo na něho. Byl katolického vyznání a manželka Eleonora, s níž vstoupil před Bohem do svazku manželského, žila.

Několik dnů po příjezdu vévodkyně Zaháňské do Paříže se vrátily Klemensovi oba jeho rozhořčené dopisy, které adresátku ve Vídni nezastihly. Metternich je nezničil, jak by se dalo očekávat a co by učinila asi většina milujících mužů. Obratem, s datem 23. 5. 1814, je poslal Kateřině a výmluvně dodal:

„Chtěl jsem dát přednost tomu, neposlat Ti je, ale činím tak proto, že chceš kompletní sbírku. Moje dopisy jsou jako já – jsou dobré i zlé, mají punc štěstí i bolesti. Možná, že právě tím mají se mnou mnoho společného, že mi připravují více trýzně než radosti, ale jednoho dne, až dojdeš na samu hranici života, až vyprchají všechny iluze a jen to pravdivé zůstane nezměněné – až se rozpomeneš na svá nejhezčí léta a budeš se probírat mými dopisy – a to všemi, těmi dobrými i těmi, které dobré nejsou, pak Ti zajisté dokážou, že jsem Tě miloval víc než svůj život, víc, než jsi byla kdy milována a než milována budeš. Potom možná vzpomeneš starého přítele, který už asi nebude mezi živými, skonav s Tvým jménem na rtech, s Tvým obrazem v srdci. Bon jour, bonne amie, spatřím Tě opět ve čtyři hodiny."

Co pociťovala Kateřina, když tyto řádky přečetla? Jak se těšila na odpolední schůzku?

Metternich myslel samozřejmě i na Lorel. Aby vyloučil jakékoliv její podezření, podal jí 22. května následující informaci:

„Princezny jsou zcela zaměstnány prohlídkami všeho a monsieur Talleyrand se jich ujal. Sám jsem je od jejich příjezdu spatřil jen třikrát, a to z prostého důvodu, že se stýkám jen s ministry a čas trávím na konferencích. Budu děkovat Bohu, až to všechno skončí."

31. května 1814 v pět hodin odpoledne se rozezvučely pařížské zvony. Zvěstovaly, že byl konečně uzavřen draze vykoupený mír. Francii zůstaly hranice z roku 1792. Rozzářily se salony a divadla, koncertní a taneční síně, hudba, hovor a smích zněly v rozkvetlých parcích a z palácových zahrad. Metternich pod dojmem pařížských slavností již viděl v duchu, jak proběhnou oslavy ve Vídni, jejichž organizací byl pověřen.

Nyní přenášel své nápady na Lorel. Denně jí přišel dopis s pokyny, co je třeba zařídit v paláci státní kanceláře i v soukromé vile na Rennwegu. Chtěl oslnit interiéry i krásou zahrad a také překvapit kulinářskými specialitami a pohostinstvím. Posílal tapety, čalouny, svítidla, nábytek, porcelán, zlaté a stříbrné výrobky, najímal v Paříži herce a tanečníky, malíře a další umělce. Měl jediné přání, aby Vídeň v průběhu oslav i později při mírovém kongresu uchvátila nádherou a originalitou.

Přes určitá rozladění se cítila Kateřina v Paříži spokojena. Klemens patřil jen jí, byla v bezpečí své rodiny a nebyla tu ani ženou neznámou. Kamkoliv přišla, doprovázena matkou, některou ze svých sester, a především Talleyrandem, všude byla vítána s otevřenou náručí.

3. června odcestoval Metternich do Londýna. Měl tu zastupovat císaře a spolu s pruským králem a ruským carem se zúčastnit mírových oslav. Také Kateřina byla připravena Klemense následovat. Už dlouho se do Anglie těšila a věřila, že ji tam čekají pěkné dny.

Od Metternicha obdržela v předposlední den před svým odjezdem zlatý náramek s vyrytým datem a k tomu lístek psaný zrcadlovým písmem. Představoval jakýsi žertovný dotazník, který měla vyplnit a ihned poslat zpět. Ale co hlavně, měla co nejrychleji a definitivně ukončit známost s Alfredem. Dotazník měl následující podobu:

Přání   *Odpovědi*
1. Dej mi v Londýně záruku svého souhlasu.
2. Nos stále můj náramek.
3. Odlož ten od Alfreda provždy.
4. Sundej ho, abys ho poslala zpět.
5. Řekni mi, kdy bude naše shoda zase
   naprosto úplná.
6. Nos ten malý medailon.

                              Co jsi mi odpověděla?
                              Mnoho dobrého!
                              Řekni ano!
                                 ano –
                                 ne –
                              Středa, 1. června 1814

Z poznámek je zřejmé, o koho Metternichovi šlo. Kateřina neodpověděla. Večer před odjezdem do Londýna však napsala Alfredovi poslední, velmi něžný dopis. Nabídla mu svobodu. Ale rozhodnutí, zda ji přijme nebo ne, nechala pouze na něm.

Na cestě do Londýna doprovázely Kateřinu sestry Paulina a Johana. Vévodkyně si představovala, že bude přítomna setkání monarchů a že Klemens bude mít pro ni více času. Toužila se také seznámit se zemí, jejíž velkou příznivkyní se stala již za doby slečny Forsterové. Ale Anglie ji hluboce zklamala. V konzervativní zemi vládly zastaralé zvyklosti, podle nichž se přísně vybírali hosté a především ženy na oficiální slavnosti. Téměř nepřekonatelnou překážkou byl rozvod, což byl případ vévodkyně Zaháňské. Aby se mohla žena účastnit oficiálních setkání, musela být nejprve představena staré královně, manželce Jiřího III.

Metternich byl v Londýně více než v Paříži zaneprázdněn konferencemi a hostinami a Kateřina se cítila opuštěna. Radil jí, aby navštívila hraběnku Merveldtovou, manželku rakouského vyslance v Londýně, která by ji mohla uvést ke dvoru. Ale hraběnka se dala zapřít. Pak navrhl kněžnu Dorotheu Lievenovou, choť ruského vyslance. Když se však s ní Kateřina poprvé setkala na večeři u Charlese Stewarta, poznala, že ani tato žena jí není příznivě nakloněna. Nezůstal jí zřejmě utajen Kateřinin vztah k Metternichovi, a to vyvolalo její nevůli, ne-li žárlivost.

Vévodkyně Zaháňská těžce nesla, že v Londýně nic neznamená. Jaký to byl rozdíl proti Francii! A když už byla přítomna některému dîner nebo soirée, udivoval ji zdejší konzervativní zvyk. Spočíval v tom, že jakmile bylo po jídle a u tabule se rozproudil zajímavý politický hovor, ženy bez vyzvání vstávaly a odcházely do vedlejších pokojů, aby muži mohli nerušeně diskutovat. Kateřina trpěla i tím, že se jí Klemens málo věnoval. Sám byl všude centrem společnosti, nikde nesměl chybět a vždy ho obklopovaly ženy. Jemu taková pozornost lichotila a s netajenou ješitností napsal Lorel:

„Anglické ženy mají vzácnou krásu, ale hrozné šaty. Žádná společnost se neobejde bez toho, aby mě tři sta nebo čtyři sta žen nechtělo poznat."

Metternich stále spěchal a s vévodkyní Zaháňskou se vídal jen letmo v některé z večerních společností. Dochovaly se lístečky, které vystihují celou mrzutou situaci. Kateřina mu píše:

„Kde budeš večer? Vynasnaž se vyšetřit chvilku času a přijď ke mně. Čekám Tě k večeři, milý C., i když tomu nevěřím, protože v průběhu dne se mohlo vyskytnout nějaké jiné ujednání." Jindy píše: „I kdybys skončil u prince až po půlnoci, očekáváme Tě u vévodkyně. Nezapomeň přijít." (Šlo o vévodkyni Somersetovou, na jejímž venkovském sídle se Kateřina a její sestry zdržely několik dnů.)

Velmi výmluvný je také Metternichův lístek, na němž jí domlouvá a zároveň ji napomíná:

„Sdílej se mnou mé štěstí, ale nepokaž je."

Kromě Charlese Stewarta, jehož vévodkyně Zaháňská dobře znala z Prahy, potkala v Londýně i Lamba, který sem mezitím přijel a seznámil Kateřinu se svou sestrou Emily a švagrovou Karolinou. V této společnosti poznala vévodkyně osobně i lorda Byrona, což byl zlatý hřeb jejího londýnského pobytu.

Kateřina si zde zřetelně uvědomovala trapnost svého postavení a začala znovu myslet na Alfreda. Již 9. června mu napsala:

„Připadám si velmi opuštěná a paže muže je tu takřka nezbytná. Bez toho se nedá nic dělat."

Zatoužila po něm a vzpomínala:

„Právě dnes před rokem, milý Alfrede, jsme pili spolu čaj v Čáslavi, kde jsem v nejškaredějším pokoji na světě byla s Tebou šťastná – v pokoji, v němž bych byla ráda strávila celý svůj život, jen kdybys byl zůstal u mne. Tehdy jsem byla smutná. Válka měla právě zase začít a já nevěděla, jestli Tě ještě někdy uvidím. Nyní bych dala nevím co za to, abych tam mohla opět být, u Tebe, zcela v bezpečí. Už nemám vůli ani sílu. Sebrala jsem všechnu svou odvahu, když jsem Ti krátce před odjezdem z Paříže napsala… Ještě čtyři týdny a opět Tě uvidím."

24. června obdržela od Alfreda dopis. Vrátil se do Vídně plný naděje, že ho zde očekává, ale když mu řekli, že odjela do Paříže za Metternichem a že ho dokonce doprovází do Anglie, a když k němu dolehly navíc pomluvy o Lambovi, napsal, že už ji nechce vidět.

Metternichův londýnský pobyt se chýlil ke konci a on si připravoval půdu pro setkání s manželkou:

„Nemohu Ti vůbec říci, jak se těším, že budu zase u Tebe. Mám před sebou ještě dlouhou cestu – po nepřítomnosti třinácti měsíců se mi bude zdát dvojnásob dlouhá. Bůh Tě ochraňuj, než se zase shledáme… Co je moc, je moc. Jediná jasná vidina je, že vás, moji milí, nebudu již muset opustit; jen tato myšlenka mě drží při životě."

Napřed poslal dárky a dvě nové anglické ekvipáže. Sám cestoval znovu přes Paříž. Musel napravit, co se mohlo v Londýně pokazit. Kateřina opustila Londýn už dříve. Těsně před odjezdem se jí ještě podařilo, že byla představena královně, ale v podstatě si to sama s obtížemi vynutila.

Když jí 20. června madame Merveldtová sdělila, že královna před odjezdem monarchů již nepřijímá, poslala tento lístek obratem Metternichovi a připsala:

„Jak mohu jít na dîner k princi, když jsem mu dosud nebyla představena a když tam nikoho neznám? Záleží na Tobě, abys všechno zařídil, jinak si budu myslet, že mě vůbec nemiluješ, a také já bych Tě pak měla mnohem méně ráda."

V poslední chvíli byla vévodkyně Zaháňská představena anglickému princi a ten jí byl okouzlen.

S Metternichem se opět setkala v Paříži. Museli si vysvětlit vše, co zkalilo jejich lásku. Rozhodujícím momentem pro postoj Kateřiny byl pravděpodobně nešetrný Alfredův dopis. Byla opět ráda, že má Klemense. Sliboval jí věrnost, a totéž žádal od ní. Požadoval, aby definitivně ukončila poměr s Windischgrätzem.

Metternich odcestoval z Paříže 7. července. Kateřina se vydala na cestu s matkou a oběma sestrami, které se chystaly navštívit Karlovy Vary. Před návratem do Vídně napsala Klemensovi:

„Blahodárně na mne působilo, že jsem Tě viděla tak spokojeného. Doufám, že Tě najdu právě tak klidného a ve stejně dobré náladě."

Metternich jí ze zastavení v Mnichově napsal milý dopis, který obdržela již na cestě v Lambachu. Byl datován 16. července ráno:

„Mnoho času uplynulo od doby, co jsem s Tebou mluvil, jsem Tebe tak plný, že nevím, zda se mi podaří to unést. Mon amie, během této cesty jsem pocítil, jakou cenu má několik hezkých hodin. Opustil jsem Tě s vědomím, že jsi šťastna, to mě učinilo také šťastným. Děkuji Ti za posledních šestatřicet hodin našeho pobytu v Paříži. Daly mi novou sílu a dokázaly mi, že několik hodin může vymazat celé epochy odloučení a smutku, abych – u mne toho nebylo třeba – zvěděl, jak moc Tě miluji! Ty, Ty to víš, jak hodně, nemusím Ti to stále opakovat… Brzy odbijí hodiny, které rozhodnou o mém příštím vztahu k Tobě a tím o celé mé budoucnosti. Očekávám ji s důvěrou. Opět jsi mi dala naději a já nezůstávám nikdy stát v polovině cesty. Nezapomeň, co jsem Ti řekl a co jsi mi slíbila. Zaleží na Tobě, abys mi řekla: mon amie, jsem Tvá. Sám už pro to nemohu nic víc udělat. Svůj osud už nemám ve svých rukou a toho, že jsem ho vložil do Tvých, nelituji."

Řekl jí, že čeká na její konečné rozhodnutí, ale zdůraznil, že musí přijít za ním **sama**, což bude znamením, že chce náležet pouze jemu.

Císař František I. se vracel z Francie 1. června 1814, přesně za rok, co z Vídně odjel do Čech.

Kníže Schwarzenberg se vrátil na zámek Orlík ke své milované ženě Nanni. Metternich se setkal s rodinou 19. července v jejich letním sídle v Badenu. Vítání bylo bouřlivé a kanuly slzy radosti. Déle než rok se neviděli. Vévodkyně Zaháňská přijela do Vídně 22.července. Dva dny ji ve Welsu zdržel migrénový záchvat provázený horečkou.

Když vstoupila do svého bytu v Palmovském paláci, padla na ni tíseň. Nikdo ji neočekával. Ani písmenko od Klemense, ani květina na uvítanou. Všude ticho a prázdno. Vídeň se v letních měsících vyprázdnila. Také kněžna Bagrationová opustila své levé palácové křídlo.

Metternich se neobjevil ani následujícího dne. Kateřiny se zmocnil hněv. Přivezla s sebou tolik věcí, které byly určeny Lorel a dětem, a on se nehlásí. Dala vše zabalit a donést do paláce státní kanceláře. Připsala:

„Zde jsou Tvé věci, milý Klemensi, které jsi mi svěřil. První tři kusy – totiž ty nahoře uložené, jsou ty, které jsi přisoudil Marii. Lořiny šaty zde nejsou, bála jsem se, že budou na celnici přísní, a neměla jsem odvahu vzít s sebou něco zcela nového. Dala jsem je k dalším věcem do balíku a byla jsem tak smělá a odeslala ho Tobě. I když, jak se zdá, mé řádky, které jsem napsala z Paříže a Welsu, zůstanou bez odpovědi, nehodlám si stěžovat, protože sama často neodpovídám okamžitě; ale nad čím si možná mohu postesknout, je to, že mě vůbec netoužíš vidět – dávala bych vinu sobě, kdybych si nebyla jista, že jsem k tomu nezavdala nejmenší příčinu – moje postavení není ani lehké, ani příjemné."

Také toto psaní z 23. července zůstalo nezodpovězeno. Kateřina pociťuje, jak velmi jí Klemens chybí. Tíží ji samota. Ani Alfred není ve Vídni. Dovídá se, že se zdržuje na svém českém sídle v Tachově.

Kateřina se rozhodla zajet do Badenu poohlédnout se po letním bytě, kde chtěla strávit měsíc srpen. Zajímalo ji, zda tam není i Klemens. V neděli dopoledne ji navštívil Gentz a nabídl jí svůj kočár. Kateřina

Giuseppe Grassi:
princezna Kateřina Vilemína Kuronská
kolem roku 1800.
(Ze soukromé sbírky.)

Vévodkyně Zaháňská
s velkým perlovým náhrdelníkem
jako princezna Rohanová kolem roku 1803.
(Autor neznámý.)

Jules Armand Louis
de Rohan-Guémenée (1768–1836).
(Originál od A. L. Valbruna
z roku 1830 na zámku Sychrov.)

Kateřina Vilemína Zaháňská
na litografii Josefa Kriehubera
(1801–1876).

Klemens Metternich
(1773–1859).
Portrét maloval sir Thomas Lawrence.
Kopie ze zámku Kynžvart.

Kníže Alfred Kandidus Windischgrätz v uniformě hulánského důstojníka (1787–1862). Portrét z roku 1810 od Johanna Baptista Lampiho. Kopie ze zámku Kozel.

Friedrich von Gentz (1764–1832), dopisovatel a sekretář vídeňského kongresu. Oceloryt C. F. Merckela podle malby Friedricha Liedera.

*Metternichovy děti
kolem roku 1808.
Zleva:
Marie, Klementina
a Viktor.*

*Eleonora
Metternichová
(1775–1825).
Portrét
od Friedricha
Liedera.*

Kněžna Dorothea Lievenová,
choť ruského vyslance v Londýně
a přítelkyně
Klemense Metternicha.

Sir Charles Stewart,
britský vyslanec
ve Vídni.

*Ruský car
Alexandr I.*

*Carevna
Kateřina II.
(1729–1796),
babička cara
Alexandra I.*

Kateřina Zaháňská v roce 1818
na portrétu vídeňského malíře Johanna Nepomuka Endera
(1793–1845).
Byly jisté pochybnosti o portrétované osobě,
ale antropometrická analýza provedená
prof. MUDr. Emanuelem Vlčkem, DrSc., prokázala,
že jde skutečně o Kateřinu Zaháňskou.

Portrét neznámé „dámy v bílých šatech
a v bílém klobouku"
od J. N. Endera
z ratibořického zámku.

Romantická
spisovatelka
Elisa
von der Recke
(1754–1833)
na malbě
A. Graffa
z roku 1795.

Emilie
von Gerschau
(1801–1891)
v období
vídeňského
kongresu.

Zaháňský zámek z východní strany.
V popředí tzv. kuronské křídlo,
v němž Petr Biron vybudoval divadlo.

Zaháňský zámek z jižní strany.
V popředí zámecký park.

Vévodkyně Zaháňská.
Bysta zhotovená v Římě roku 1818
B. Thorwaldsenem se nachází
v Římě v Museo Napoleonico.

Hrobka Kateřiny Zaháňské a Dorothey Talleyrandové v podobě novogotické kaple sv. Kříže na kraji zaháňského zámeckého parku.

Vnitřek kaple sv. Kříže. Za mřížovými dveřmi je umístěn sarkofág Dorothey Talleyrandové, naproti sarkofág Kateřiny Zaháňské. Vpravo je oltářní obraz.

Čtyři platany na rozhraní nádvoří
a zámeckého parku v Zaháni.
Podle tradice zasadil stromy Petr Biron
na počest svých čtyř dcer.

Sarkofág Kateřiny Zaháňské
a reliéf vévodkyně
umístěný na čelní straně sarkofágu.

věděla, že to byl on, kdo sdělil Metternichovi aféru s Lambem, a když ji nyní začal poučovat a domlouvat, jak se chovat k Metternichovi, kázala kočár zastavit a bez rozloučení vystoupila. Večer za prudkého deště se vrátila do Vídně, aby si připravila věci do Badenu. Klemense v lázních nenašla, a usoudila, že se může přece jen zdržovat ve Vídni. Napsala mu proto v pondělí 25. července hned brzy ráno lístek pečetěný kuronským znakem:

„Poněvadž trváš na tom, milý Klemensi, že mám přijít za Tebou, oznam mi prosím hodinu, kdy Tě mohu najít doma."

Metternich čekal na tento dopis jako na smilování. Musel sebrat všechny své síly, aby vydržel a přiměl Kateřinu splnit jeho požadavek. Na její lístek odpověděl ihned a ona se dostavila ještě dopoledne. Strávili spolu zbytek pondělí a následující noc. Konečně mu slíbila, co žádal. Vzdá se Alfreda. Když se v úterý ráno rozloučili, napsala mu na list vytržený z bloku:

„Ano, mon ami, mou devízou je oddanost a naprostá důvěra v nejlepšího ze všech mužů – a vím už nyní, že na této cestě najdu štěstí a mír v duši. Již nyní cítím velké uklidnění, protože jsem se zbavila pochybností a vidím Tvé štěstí, milý Klemensi. Moje duše byla tak často rozpolcena, když jsem Tě činila nešťastným – nyní budu usilovat o své psychické i fyzické uzdravení – pokusím se, aby má duše i tělo dosáhly klidu, a s pocitem vyrovnanosti začnu nový život. Věř mi, je to pro mne důležitější, než si myslíš. V období, které leží před námi, se zajisté najdou chvíle, kdy si řekneš, že jsem pošetilá a hluboce nešťastná, nebo lépe řečeno, že jsem byla, hrozně jsem se trápila; myslím, že bych v krátké době na to byla zemřela."

Metternich dosáhl toho, nač myslel od samého začátku. Nyní měl pocit vyhrané bitvy. Ale dá se láska natrvalo vynutit? Domyslel to rakouský kancléř Klemens Metternich?

(XIV)
Vídeňský kongres

O kongresu ve Vídni snil Metternich již v roce 1813, když připravoval mírový kongres v Praze, a o něco později, když po vítězné bitvě u Lipska navrhoval rakouskou metropoli za místo poválečného setkání monarchů. Inspiroval se oslavami ve Frankfurtu, Paříži a Londýně, ale toužil po tom, aby setkání ve Vídni předčilo nádherou a pohostinností všechno předchozí a aby se nezapomenutelně zapsalo do evropské historie.

Císař František I. přenechal svému ministru zahraničí ochotně a rád organizační i obsahovou stránku chystaných diplomatických jednání a oslav, a tak mohl Metternich dát průchod svým nápadům a fantazii.

I když oficiální zahájení kongresu bylo stanoveno až na 1. říjen 1814, byla již koncem července Vídeň připravena na přijetí korunovaných hlav a dalších vzácných hostů.

Oslavy otevřela v sobotu 30. července císařovna Marie Ludovika velkým plesem v Hofburgu a rodina Metternichova skvostným banketem v renovovaných palácových prostorách státní kanceláře. Den nato se rozzářil nad Vídní ohňostroj. Tím začal dlouhý řetězec slavností a hodokvasů, které lákaly návštěvníky ze všech stran.

Vybraná vídeňská společnost trávila dle zvyku ještě léto v nedalekém Badenu, a tak vířily prach silnic, spojujících lázně s hlavním městem, kočáry a ekvipáže, které jezdily sem a tam, aby panstvo stihlo jak radovánky v lázních, tak vzrušující události v císařské metropoli.

Kateřina Zaháňská si 4. srpna pronajala v Badenu rozsáhlé apartmá ve vile Eichenberg. Byla to právě ta vila, kterou v zimě navrhovala Lorel, když Klemens zamýšlel koupit v Badenu dům.

Vévodkyni Zaháňskou sem následovalo služebnictvo, kuchař a nepostradatelná hraběnka Trogoffová. Hned první večer uspořádala malou večeři a kromě dalších hostů pozvala i Friedricha Gentze. Ten s chutí bavil společnost a dával k lepšímu nejeden pikantní klípek ze zdejšího zákulisí. Nic netuše poukázal i na nevázanou morálku dvou nedaleko žijících sester. Přítomen byl také hrabě Coronini, v Badenu nový a dosud neznámý. Když odešel, dověděl se Gentz, že právě tento hrabě je s jednou z obou sester zasnouben. Téhož večera obdržel Gentz dopis hraběte Coroniniho a v něm vyzvání na souboj. Gentz sotva věděl, jak se drží pistole, a byl bezradný, co si má počít. Požádal proto hraběte Schulenburga, který byl večeři rovněž přítomen, aby mu pomohl a poradil, jak se zachovat. Teprve nyní se dověděl, že šlo o pouhý žert. Duel si vymyslela vévodkyně Zaháňská. Chtěla Gentze vytrestat, že ji střeží jako drak a každé její hnutí hlásí Metternichovi.

Život v Badenu se podobal životu v jiných lázních. Vstávalo se brzy a po snídani se hosté setkávali na promenádě. Pak se braly koupele, zaměřené zejména na obtíže revmatické, které tehdy patřily k nejrozšířenějším chorobám. Dámy a páni, zahaleni do dlouhých flanelových košilí, se nořili do sirné lázně a i ve vodě pokračovala zábava.

Odpoledne se vyjíždělo do přírody, konaly se vycházky na nedaleké zříceniny hradů, sedělo se v parcích při poslechu hudby, popíjel se čaj a hrály se karty. Večer pořádaly dámy ve svých domech příjemná posezení nebo taneční zábavy.

Kateřina se setkávala denně s Klemensem. Když musel na několik dnů do Vídně, přijížděla obvykle za ním. Jedenáctá dopoledne byla jejich hodinou. Přijímala milence v měkkém županu, který od něj dostala s přáním, aby ho často nosila, pili čokoládu a diskutovali o věcech státních i společenských událostech. Metternich čerpal při těchto chvílích posilu pro celodenní činnost a inspiraci pro vyřizování korespondence, řešení problémů a upřesňování názorů. Kateřina byla jeho pravou rukou i v záležitostech soukromých. Navrhovala, kam postavit novou sochu, květinu či svícen, kde zavěsit obraz. Nikdo neměl lepší vkus než ona. Vévodkyně slíbila Metternichovi, že ukončí svůj poměr s Windischgrätzem. Myslela to doopravdy, ale okolnosti tomu chtěly jinak. S blížícím se kongresem a přibývajícími hosty se její salon stával vyhledávaným místem. Její osobnost lákala mnoho návštěvníků. Stahovali se sem především mladí, jako Liechtenstein, Fontbrune, ale i Frederic Lamb a opět – Windischgrätz. Jakmile Alfred po dlouhé době odloučení znovu spatřil Vilemínu, zapomněl na nepříjemný dopis, který jí poslal do Londýna, a hnán nepřekonatelnou touhou dělal vše, jen aby jí mohl být nablízku. Kateřina vědoma si slibu, který dala Metternichovi, napsala 8. září Alfredovi dopis na rozloučenou:

„... Byla bych Tě milovala stále a nikdy bych nebyla pomyslela na to, že by pro mne mohlo existovat něco jiného než žít pro Tebe a Tebou... Ale nyní sbohem, můj Alfrede, tím přece zůstaneš stále... slzy mi brání v psaní, buď sbohem a zůstaň mi vždy nakloněn, zasloužím si to."

V té době zastihla vévodkyni zpráva, že v Petrohradě zemřel 19. srpna Gustav Moritz Armfelt. Vavě se blížil čtrnáctý rok a Metternich byl ochoten dívku adoptovat. Chtěl jednat rychle a využít příležitosti, která se nyní naskytla.

15. září ukončil Metternich svůj letní pobyt v Badenu, a jako by se bál, že mu život ve Vídni přinese nové obtíže i ve vztazích s Kateřinou, napsal jí:

„S těžkým srdcem, moje drahá, pomýšlím na možnost opustit Baden. Dvouměsíční pobyt zde rozhodl o mém osudu. Je nerozdělitelně svázán s Tvým a já se budu dělit o radost a bolest se svou přítelkyní; zraňoval jsem Tě a trápil, ale moje srdce nebylo k Tobě nikdy nespravedlivé. Prožíval jsem chvíle štěstí – přicházely mi od Tebe.

Tím, žes mě navrátila životu, dala jsi mi znovu sílu, kterou jsem ztratil. Budu ji používat nadále pouze pro klid Tvé duše a pro Tvé štěstí. Potřeboval jsem tuto novou vzpruhu v jednom z nejtěžších okamžiků svého života. Mám toho tolik v hlavě, mon amie. Jsem jako generál, který připravuje svou armádu a terén na rozhodnou bitvu. Moje přítelkyně mě v této době neopustí."

V neděli 18. září při dopoledním setkání ujistila Kateřina Klemense, že se už s Alfredem nesetká. Večer v 11 hodin jí Metternich napsal:

„Mon amie, vrátila jsi mi život. Dala jsi mi slovo, které mě utěšuje a přenáší přes všechna minulá utrpení."

23. září přijel ve své těžké berolině Talleyrand s nejmladší Kateřininou sestrou Dorotheou, která vzhledem ke svému půvabu, inteligenci a konverzačnímu talentu měla vést jeho salon v Kounickém paláci v Johannesgasse. Vídeň ji měla vytrhnout ze zármutku nad ztrátou dcerky a přinést osvěžení po letech nespokojeného manželství s Talleyrandovým synovcem Edmondem.

Dva dny nato byl neoficiálně zahájen vídeňský kongres. Hned ráno zazněly dělbuchy, zvěstující, že se do Vídně blíží car Alexandr a pruský král Fridrich Vilém III. Rakouský císař jim vyjel naproti a všichni tři panovníci pak defilovali Vídní, zdraveni bouřlivě obyvateli města. Za vyzvánění zvonů mířili do Prátru a posléze do Hofburgu, který se stal střediskem mírových slavností.

Nyní nastala pro Metternicha perná práce, náročná na čas a psychiku, neboť na jeho bedrech ležely starosti s organizací oslav a politických jednání, při nichž se měla napoleonskými válkami postižená Evropa opět uvést do mírového stavu.

Vídeň byla do posledního soukromého bytu a prázdného pokoje plná hostů. Bylo přítomno 6 korunovaných hlav, 215 šlechticů s celými rodinami a hovořilo se, že celkový počet návštěvníků, kteří se sjeli do rakouské metropole, činil 100 000 lidí.

„Byli zde zvědavci, umělci, spisovatelé, vědci, filozofové, herci, tanečníci, akrobati, prostitutky, kapesní zloději, podvodníci, reformátoři zapálení pro nějakou ideu, političtí iluzionisté s hotovými státními dohodami v kapsách – všichni proudili společně do Vídně, aby viděli nebo byli viděni, aby peníze vydali nebo se je snažili získat, aby znovu zrestaurovali staré království nebo dobyli nové.“[1]

Monarchové bydleli v Hofburgu a denně se zde prostíralo 40 dlouhých tabulí. Do Vídně bylo převeleno 20 000 grenadýrů, 60 000 vojáků, všichni v nových uniformách. Byli určeni pro udržování pořádku, pro okrasu při parádách a pro bezpečnost ulic. Vídní projížděly stovky nových kočárů s habsburským erbem a žlutě oděnými kočími, připravenými přepravit kohokoliv v kteroukoli dobu na kterékoli místo. Kromě plesových sálů, divadel a koncertních síní se hosté scházeli v pokojích bohatých soukromých domů, o nichž bylo všeobecně známo, který den v týdnu se zde přijímá.

Tehdy se i králové pohybovali volně po Vídni, oblečeni do civilních šatů. Byli samozřejmě sledováni slídivou tajnou policií, ale vedle údajů, se kterou dámou byli viděni, nepřinášely tehdejší raporty nic mimořádného. Vídeň se bavila, hodovala, tančila a milovala.

Mezi vídeňskými salony prosluly především oba v Palmovském paláci: v levém křídle salon kněžny Bagrationové, zvaný „ruský“, v pravém křídle salon vévodkyně Zaháňské, zvaný „rakouský“. Ten byl považován za nejkosmopolitnější místo z celé Vídně.

Kromě četných dalších hostů sem přicházel často i Talleyrand s Dorotheou, ale i mladí kavalíři, mezi nimi Frederic Lamb a Charles Ste-

165

wart, dva Angličané, kteří znovu probouzeli Metternichovu žárlivost. Zatím se opanoval, i když muka z představ, že by se někdo z nich mohl ucházet o Vilemínu, mu připravila nejednu bezesnou noc. Na pátek 30. září ohlásil císařský manželský pár slavnostní přijetí v Hofburgu. Kdekdo toužil být představen císaři a císařovně, a tak se velký sál naplnil do posledního místečka. Lidé stáli tak těsně namačkáni, že si nemohli ani setřít pot z čela.

Když se hosté rozcházeli, mnozí zavítali ještě do salonu Kateřiny Zaháňské. Přišel i Metternich a Gentz, Talleyrand a Dorothea a na sto dalších návštěvníků. Pozván byl i car Alexandr, ten však dal tentokrát přednost salonu v levém křídle. Nerad se setkával s Metternichem, v němž cítil rivala nejen na kolbišti politickém, ale i při dobývání ženských srdcí.

Klemens strávil u Kateřiny celou noc i následující dopoledne 1. října a vyjádřil se později o tomto dni jako o „největším štěstí svého života". V dopise Kateřině napsal:

„25. červenec a 1. říjen žijí v mém srdci dále – a zůstanou tam provždy." (25. 7. ho ujistila o své věrnosti a patrně i tentokrát dostal od ní obdobný slib.)

Pak se však náhle situace zkomplikovala. V neděli 1. října se konal první dvorní ples v podobě maškarní reduty. Na 12 000 osob se opět tísnilo v Hofburgu. Tančila se polonéza, menuet a valčík. Přítomen byl i Metternich a vévodkyně Zaháňská. Ale nesetkali se.

Následujícího dne zvali manželé Metternichovi k večeři. Dostavila se i Kateřina, Dorothea a Talleyrand. V nádherně zařízených a vyzdobených interiérech státní kanceláře se topilo v nových mramorových krbech, livrejovaní lokajové nalévali šampaňské a roznášeli zmrzlinu. Bufety hýřily delikatesy, hrála hudba, páry se k sobě vinuly v tanci. Paní domu, Eleonora Metternichová, v nové róbě, kterou pomáhala v Paříži vybírat vévodkyně Zaháňská, se spokojeně a přátelsky po boku manžela pohybovala mezi hosty. Klemens, jak bylo jeho zvykem, se objevil ve zvlněných, lehce napudrovaných vlasech, dovedně upravených, aby činily dojem přirozenosti. Sněhobílý šátek ladně uvázaný kolem krku, bílé punčochy a úzké kalhoty ke kolenům podtrhovaly eleganci pána domu. Kateřinu opanoval v tento večer smíšený pocit smutku a zklamání. Cítila se zase tak opuštěná a odstrčená jako před nedávnem v Londýně. V jejím srdci se cosi vzepřelo a ona neměla sil tomu čelit. Dokud bývala s Klemensem sama, v Ratibořicích, Praze, Lounech nebo v Paříži, situaci ovládala ona. Tady v přítomnosti Lorel jí bylo zřejmé, že role, která jí připadla, je pro ni nedůstojná a že ji nebude moci natrvalo hrát. Klemense dosud milovala, ale zároveň ji začalo něco od něho odpuzovat.

Metternicha vídala i v následujících dnech při dalších slavnostních příležitostech, ale většinou v doprovodu Lorel nebo v zajetí jiných osob. Někdy to byla zas Kateřina, kdo mu nedal příležitost být s ní o samotě. Dokonce jejich jedenáctá hodina už nebyla vyhrazena pouze jemu a mezi hosty v jejím salonu se znovu začal objevovat Alfred.

Nemínil se jen tak snadno vzdát Kateřiny Zaháňské, jedné z nejatraktivnějších a nejvyhledávanějších žen kongresové Vídně. Pro ni se zas v těchto dnech stal prostředkem zadostiučinění.

Co způsobilo, že zrušila slib a dovolila Alfredovi opět vstoupit do svého salonu? Chybělo jí dost sil a odvahy vyjádřit mu svůj nesouhlas, nebo jí jeho přítomnost měla pomoci nalézt ztracenou rovnováhu? Projevila se její vrtkavost a nestálost v lásce, nebo hrdost a vůle naznačit Metternichovi, že nechce snášet pozici, do které ji vtěsnal? Jako nejsprávnější se jeví vysvětlení, že se Kateřina ocitla v kritickém duševním rozpoložení, pramenícím z pocitu neuspokojení a beznaděje, a hledala z této nesnesitelné situace východisko.

Co jí dávala Klemensova láska, promítající se do chvilkových setkání, tajených před světem, a do téměř každodenních dopisů a lístků, požadujících její věrnost a oddanost? Byla spoutána, okrádána o svobodu a radost. Toužila vystupovat s milovaným a milujícím mužem na veřejnosti jako jiné ženy a být jím veřejně ctěna.

Toto jí nyní nabízel Alfred. Byl volný, snad ho i změnily měsíce odloučení, snad ukovaly jeho vůli a vyhranily jeho postoj k ní. S ním se nemusela skrývat. U tabule seděl vedle ní, tančil s ní, přinášel občerstvení, naléval čaj a nabízel rámě. Ve své bělostné uniformě, štíhlý a s bezvadným držením těla, byl jedním z nejobdivovanějších důstojníků Vídně. Doba prožitá uprostřed nebezpečí a hrůz války umocnila jeho mužnou krásu.

5. října odpoledne pořádal Windischgrätz malou hostinu a vyzval Kateřinu, aby převzala úlohu paní domu. Zde došlo k opětnému sblížení obou bývalých přátel. Přítomen byl i Gentz a postaral se, aby Metternich dostal zprávu z první ruky.

Vídeň se bavila. Počasí bylo toho roku příznivé a přispívalo k pohodě a spokojenosti hostů. Dvorní plesy zahajovala císařovna, nesoucí již tehdy neklamné znamení plížící se nemoci. Jejím tanečním partnerem nebýval císař František, o němž se Anna Eynardová, manželka jednoho generála, vyjádřila, že je „pouze čtvrtinou normálního muže a činí dojem, že by se dal lehce odfouknout". Spolu s císařovnou uváděl ples obvykle württemberský král Fridrich, o němž Anna Eynardová prohlásila, že je „tak strašně tlustý, že hrana jeho jídelního stolu musela být opatřena výřezem pro jeho ohromné břicho a že pro vyjížďky musel mít zvlášť upravený kočár".

Všude se třpytily diamanty a jiné drahokamy, zasazené do skvostných náhrdelníků, náramků, broží a diadémů. Sály a chodbami šustilo hedvábí, podávala se vybraná jídla, kuchaři a cukráři se předháněli v přímo uměleckých kulinářských výtvorech.

O maškarním plese, pořádaném začátkem října 1814, napsal ve svých vzpomínkách hrabě de la Garde-Chambonas:

„Neutuchající hudba, tajemné převleky, intriky a pomluvy, všeobecné inkognito, veselí bez míry a hranic, souhra svádivých příležitostí, jedním slovem magie tohoto velkého divadla mi popletla hlavu: ani starší a silnější povahy nemohly odolat tomuto kouzlu."

9. října se konal další gala ples v Hofburgu. Prostorná zimní jízdárna se změnila v ledový palác. Okna byla zakryta velkými zrcadly, která odrážela tisíce rozžatých svíček, křišťál a stříbro. Vše se lesklo a třpytilo jako ledové krystaly.

Doporučená barva pro toalety dam byla bílá, bledě modrá a růžová, u mužů se požadovala buď uniforma, nebo černý či modrý frak a bílé nebo modré kalhoty ke kolenům.

O přestávce nastoupilo za zvuků hudby čtyřiadvacet nejkrásnějších žen oděných jako čtyři živly. Dcery vzduchu měly modré závoje a safírová křídla, dcery ohně šaty z rudého hedvábí a pochodně v rukou. Dcery vody byly oblečeny do šatů modrozelené barvy a vlasy jim zdobily diadémy z korálu, perel a mušlí.

Vévodkyně Zaháňská a také její sestra Dorothea představovaly dcery země. Jejich šaty byly z hnědého sametu, posázené diamanty. Hlavu jim zdobila korunka, připomínající košíček s růžemi a ovocem. Metternichovi připadala Kateřina krásnější než kdykoliv jindy, ale vzdálená. Jímala ho obava, že ji navždy ztrácí.

V dopise z 11. října jí vyčetl, že má dva milence najednou, a označil to za největší prohřešek:

„Ze všech činů hodných opovržení je to ten jediný, který svět nepromíjí; Windischgrätz dělá všechno možné, jen aby svůj vztah k Tobě zveřejnil. Dobře ví, že takový vztah se stává společensky přijatelným, jakmile si lidé na něj zvyknou. Ty s jeho počínáním souhlasíš. Pro mne má Tvoje čest stokrát větší cenu než můj život… Ve mně najdeš přítele pro život. Přijímám úlohu zhrzeného ctitele… Mé pozornosti přestanou. Přes moje rty neprojde žádná stížnost… Budu odrážet všechny zlé úsměšky, které si někdo dovolí o Tobě říci… Ať mi to zlomí srdce, ať mě to třeba i zahubí; asi jsem nebyl povolán žít pro svou lásku, ale chci jí znovu vrátit čest a spokojeně zemřít."

V sobotu 15. října obdržel Metternich odpověď. Kateřina píše o bouři, v níž žije, o divokém víru, který ji strhává, ujišťuje ho, že se vnitřně nezměnila, ale přiznává, že ji opustil klid a rozvaha. Chce odjet do Ratibořic, jen co skončí kongres, a doufá, že toto odloučení a delší Alfredova nepřítomnost ukončí její muka a nejistotu. Prosí ho, aby se šetřil, má-li ji opravdu tak rád, jak říká, a aby trpělivě čekal, až mu řekne, že už nemá „nemocné srdce a duši". Končí slovy :

„Adieu, milý Klemensi – odpusť mi, čím jsem Ti ublížila. Bůh ví, že to nechci, a věř, že Ti nikdo není opravdověji nakloněn než já."

Metternich odpověděl:

„Být daleko od všeho – daleko od úřadu, daleko od radostí, které představují jen muka, když srdce na tom nemá podíl – pryč od všeho – to je to, co potřebuji. Toužím po takovém místě jako nemocný horečkou po osvěžujícím nápoji! Takové místo s Tebou by bylo nebe – i bez Tebe mě vábí! Vzývaná bytosti, jsem velice nemocen a Bůh je moje naděje. Jestli mi svět již nenabízí žádné štěstí, bude se moje duše, osvobozená od všeho, co ji nyní tíží, ohlížet po odměně tam nahoře! Budu Tě vždycky milovat – a toho dne, kdy mě budeš následovat, najdeš mě vyrovnaného, radostného a šťastného. Tam nahoře nás čeká jenom blaženost."

Někdy se Metternich a vévodkyně na chvíli sejdou, ale nejsou to už ty šťastné chvíle jako dříve.

Kateřina využívá setkání, aby stočila řeč na Gustavu a ujistila se, že Metternich je stále ochoten pomoci. V této době jí pomáhá i starý přítel hrabě Vratislav z Mitrovic. Okolnosti však nejsou příznivé. Když zemřel Gustav Armfelt, vyjevili Vavě pravdu o jejím narození. O celé záležitosti hovořil v srpnu car s Vavou a s její adoptivní matkou, ale dívka prohlásila, že chce zůstat u adoptivní matky, jediné matky, kterou zná. V úterý 18. října, v den výročí bitvy u Lipska, se konala v Metternichově vile na Rennwegu na náklady císaře mírová slavnost. Kočáry svážely dámy v drahocenných toaletách v barvě bílé nebo modré, jak bylo předem dohodnuto, vlasy zdobené olivovými nebo dubovými listy, a pány v gala nebo slavnostních uniformách. Všude úsměvy, úklony, tichý hovor a zvonivý smích. Jakmile se objevili vladaři, byl vypuštěn balon a nebe rozsvítil ohňostroj. Na obloze vykreslil znaky spojených mocností. Císařský pár zahájil procházku zahradou. Ukryti za keři hráli muzikanti, hudba se linula mezi stromy, ve světle bengálských ohňů tančily skupinky baletek a vyvrcholením byla alegorie obležení města, mistrovské dílo pyrotechniků.

Hosté obdivovali osvětlení zahrady a vily. Obrovský sál pro 1 800 osob, přistavěný k vile pro tuto slavnostní příležitost, byl vyzdoben tisíci svící. Metternich poučen pařížskou tragédií na rakouském vyslanectví v roce 1810, při níž uhořela Schwarzenbergova švagrová, dal odstranit všechny záclony a závěsy, aby předešel možnosti požáru.

Slavnost se vydařila. Generál Eynard se vyjádřil, že zastínila všechny slavnosti, jichž se zúčastnil v Tuileriích během nejslavnější Napoleonovy éry. Kateřina podobně jako minule se Klemensovi vyhýbala. Ten spolu s Lorel plnil vzorně roli hostitele. Vévodkyně Zaháňská se bavila, obklopena kroužkem mladých kavalírů, což neušlo pátravým očím Metternichovým.

Následujícího dne jí napsal:

„Doufal jsem, že Tě nejen spatřím, ale že během večera s Tebou promluvím i několik slov."

Přes dobrou vůli, kterou Kateřina měla, nemohla se vyprostit ze začarovaného kruhu a rozkol jejich vztahu se prohluboval. Osudová láska se ocitla v krizi.

Přesvědčivým dokladem toho jsou desítky dopisů psaných v měsíci říjnu, listopadu a prosinci, které poslové mezi Palmovským palácem a státní kanceláří přinášeli a odnášeli. Výňatky z nich jsou výmluvné samy o sobě a nepotřebují komentář.

Pátek, 21. října – Metternich:

„Vztah – sen, ten nejkrásnější mého života, zmizel. Jiný svět existuje, ale pouze dotud, než ho sama ukončíš… Nakonec je všechno jedno – nemáš už pro hoře a bídu cit."

Gentz si poznamenal do svého deníku: „Definitivní konec s vévodkyní."

Ještě téhož večera obdržela vévodkyně dopis, který obsahoval následující slova:

„Jsi to Ty, kdo mi připravil více trápení, než by byl celý vesmír schopen kdy napravit – oloupila jsi mou duši o všechna útočiště; zničila jsi mou existenci v okamžiku, kdy můj osud je spojen s otázkami, které vyřeší budoucnost celých generací.

… Říkáš, že Tě strhává vír – ale do té bouře jsi se dostala vlastní vinou… Tvá vůle se začala bortit – dokazuješ mi, že nemáš vůli.

… Podstoupím poslední děsivou námahu – drásá mi to duši… vyslovím svůj vlastní ortel: náš vztah už neexistuje!… Zůstaneš navždy bytostí mému srdci nejdražší… Budeš-li potřebovat přítele, otce – najdeš ho vždy ve mně."

Noc z 22. na 23. říjen – Kateřina:

„Za osm dnů už jsem Ti napsala celé svazky jako odpověď na Tvůj dopis, který jsi mi dal v pondělí, ale nic Ti nestačí, a tak se musím naposledy pokusit k Tobě otevřeně promluvit o naší situaci."

Připomíná, že ji přitahoval už v roce 1810, ale on tehdy její cit neopětoval.

„… Později jsi mě miloval – tehdy jsem nevěřila ani na pravdivost, ani na hloubku tohoto citu."

Pak hovoří o svém vztahu k Alfredovi: „Byla jsem vázána milostným vztahem, který pro mne velmi mnoho znamenal, ale zároveň byl pro mne trýzní. Necítila jsem, že je moje láska op.ravdově opětována. Strach, že budu nešťastná nebo že se možná navždy rozejdeme, upevnil tento svazek ještě pevněji, ale usmíření bylo vždy jen na chvíli, vzpomínky na mé trápení se zase vracely a s nimi pevné rozhodnutí vytrhnout ze svého srdce cit, který byl tak nerovně opětován."

Vzpomíná, že se chtěla s Alfredem rozejít a věřila, že bude moci Klemense milovat tak, jak si to žádal. Ale to se nepodařilo.

„… V manželství stačí zajisté přátelství posilované pocitem povinnosti. Učinila jsem všechno, co bylo v mé moci. Podařilo se mi vyhovět Ti. Viděla jsem v Tobě nejlepšího z mužů a toho, který mě nepochybně nejvíce miluje – ale přes srdečné přátelství se v mém nitru nic neozvalo.

Ale i tomu by se bylo dalo odpomoci – kdybych byla našla v Tobě místo tolika vášní více nadání k lásce. Zajisté pochopíš, že to říkám pouze s lítostí, nikoliv jako výčitku.

... Konečně jsem přes všechno neštěstí a hoře, které se nás zmocnilo, dospěla k přesvědčení, že spolu nemůžeme být šťastni, a stojím před smutnou nutností se rozloučit.

... Ty jsi byl vždycky šťastný a připadáš si dnes zklamán v té největší ze svých nadějí. Já naopak mám sklon být nešťastná – doufala jsem, že najdu útočiště – ale dnes se vidím zase od toho velice vzdálena, stojím na stejném místě, z něhož jsem vlastně nikdy nevykročila.

... Můj milý Klemensi, nechť Tě ochrání Bůh – byla bych zřejmě šťastnější, kdybych mohla zařídit, aby Tě odměnil za tolik ctností a tolik trápení. Až se uklidníš, pak dovol své nejlepší přítelkyni, aby Ti směla říci, jak velice je Ti nakloněna."

Pondělí, 24. října – Metternich:

„Nejméně sto let uběhlo za těch třikrát čtyřiadvacet hodin; už nejsem ten muž, jímž jsem byl předevčírem... Starý přítel je mrtev a Ty jsi roztrousila jeho popel po větru. Moje duše mi zůstane – už nemám srdce – a toho jediného jsi se kdysi bála."

Klemens žádá Kateřinu o setkání.

Dopis bez data – Kateřina:

„Vyhovuje-li Vám poledne, budu Vás očekávat – ne-li, určete jinou hodinu, která se Vám více hodí. Nebojím se Vás, i když říkáte, že nemáte srdce...

... Vše v nás se zcela změnilo, takže nepřekvapí, jestliže se naše myšlenky a city více nedotknou a jestliže se octneme v situaci, v níž si budeme více než cizí... Oba jsme se hnali za vidinami. Vy jste ve mně viděl ztělesnění dokonalosti, já ve Vás všechno, co má velikost a krásu ducha a stojí výše než čest. – Přirozeným následkem těchto iluzí bylo, že jste mě nyní ve svých představách svrhl do takové hloubky, jak jste mě kdysi zdvihl vysoko – já, s chladnějším srdcem, se rozhodnu teprve po naší rozmluvě, ale jsem náchylná věřit, že jste muž jako všichni ostatní. – Promiňte mi tuto upřímnost."

V úterý 25. října se setkali a ledacos si vysvětlili a Kateřina mu napsala ještě týž večer.

Úterý, 25. října – Kateřina:

„Považovala jsem náš vztah přirozeně za něco věčného. Moje sla-

172

bost a nešťastné okolnosti, které jsem nemohla ani předpokládat, ani jim zabránit, znemožnily mi uspořádat vztah ihned tak, jaký měl být, ale přesto jsem si nikdy nemyslela, že by byl proto méně pevný.

... Mé srdce se vůči Tobě nezměnilo – zatímco v Tobě se změnilo všechno... konečně, milý Klemensi, jsi dobrý – nestaneš se mi nikdy cizím – dále se budeš podílet na mém osudu – nechceš už déle být mým přítelem nebo bratrem, ale já zůstanu Tvou nejlepší přítelkyní – nikdy nebudu váhat se s důvěrou na Tebe obrátit. Bůh Ti žehnej."

Středa, 26. října – Metternich:
„Všechno neštěstí v Tvém životě má jediný původ – nikdy ses nenaučila nepodléhat pokušení vášně. Šla jsi vždy za svými prvními impulzy. Téměř od začátku jsi věděla, že kráčíš špatnou cestou – ale hledala jsi ve zlu protiúčinek. Ty, od přírody takové výjimečné stvoření, které vyšlo z rukou Stvořitele krásné, ušlechtilé a čisté – vybavené všemi dary ducha a srdce – Ty, bez silných náruživostí, ale vnímavá na okamžité dojmy, Ty jsi prožila nejlepší léta svého života tak, jako když marnotratník rozdává nesmírné jmění bez skutečné radosti, aniž by světu jen naznačil, co z takového života mohlo být.

... Vsadil jsem všechno na jedinou bytost. Nezvolil jsem tuto hlavu na základě nějakého impulzu, ale po dlouhém rozvažování.

Moji přátelé se chvěli. Nikdy jsem nesdílel jejich obavy. Všichni předvídali nevyhnutelnou katastrofu; já vkládal důvěru ve velikost Tvé duše a v sílu a čistotu své lásky. Raději bych byl dvacetkrát zemřel, než jedinkrát zpochybnil Tvou existenci... V každé hodině svého života bych byl dal za Tebe život...

... Je nemožné Ti říci, co se ve mně odehrává. Všechno se dá popsat, kromě nicoty. Myslím, že stále ještě něco cítím, ale nevím co. Jsem všechno a nic. Pátrám v minulosti svého života po nějaké poučce, nějakém vodítku – ale nenalézám je. V lidském srdci? Bylo by možno najít, co se podobá mé lásce? Potřeby? Nemám už žádné. Budoucnost? Neznám žádnou. Vzpomínky? Jsou děsivé."

Toho dne se Metternich vyjádřil i k otázce manželství:
„... Konečně jsi se uchýlila k přesvědčení, že štěstí, které marně hledáš, můžeš najít jedině v manželském svazku... Manželství je stav, který pro Tebe nebude nikdy ten pravý. Takové nezávislé duši, jako je Tvá, nemůže povinnost přinést klid. Svazky? Všechny je zpřetrháš."

173

Čtvrtek, 27. října – Kateřina:

„… Nevím, kde mám začít. V mém věku, kdy po bouřích života má přicházet uklidnění a kdy by se tento život měl usměrnit do pevných kolejí, nacházím se ve všech nejistotách patnáctileté, bez práva, které mládeži náleží, a bez času, který ona před sebou ještě má. – Vidíte, nedělám si žádné iluze o sobě, mon ami.

… Ty víš, že jsem Tě vždy ráda viděla, ale Tvůj příchod jsem očekávala s lhostejností. Protože – co je v životě jeden jediný den. Teprve nyní se mi po tom stýská, člověk ocení mládí, zdraví a všechno krásné v životě teprve tehdy, když je ztratí.

Adieu, mon ami. Řekněte mi otevřeně, zda bych učinila lépe, kdybych Vám psala méně často, a zda způsob, jak s Vámi rozmlouvám, Vám není proti mysli.“

Čtvrtek, 27. října – Metternich:

„… Co bych byl dal ve chvílích, které se v mých představách podobají snům, za to, kdybych byl obdržel alespoň řádku, jakou jsi mi napsala včera! Mé srdce se ustaralo a uschlo; pociťuji radost, že Tě jeho žalozpěvy nerozladily. Mohu zopakovat pouze ta jediná slova, která charakterizují stav mé duše: nenáležím už tomuto světu.“

Týdny, které následovaly, patřily k neradostným obdobím Metternichova života. Ztratil milovanou bytost, doma promluvil sotva slovo. Lorel znala příčinu tohoto stavu a oddaně a trpělivě čekala. Prožíval však těžkosti i v politickém životě. Nebyl to jen car Alexandr, kdo se stal jeho oponentem. Objevili se také v řadách rakouské aristokracie, žádali jeho odstoupení a navrhovali, aby se ministrem zahraničí stal znovu hrabě Stadion.

Vyčítali Metternichovi málo rozhodnosti, a především zpráva, že Rakousko je ochotno se zříci Saska ve prospěch Pruska, vzbuzovala velkou nevoli. Kritici hledali příčinu v Metternichovi. Předhazovali mu, že je více milovníkem a lvem salonů než politikem.

Angličané mu přičítali pomalý postup kongresových jednání. Rusové se vysmívali jeho milostným aférám. Prusové se rozčilovali, že nemá čas přijímat diplomaty a jednat s nimi.

V té době si posteskl Kateřině:

„Moje zdraví nestojí za optání! Celý jsem ochořel, tělo mám nahlodané a duch už je neochrání. Ještě musím být k užitku několik týdnů; ty ukončí nejbolestnější rok mého života, a jestliže uzavřou i můj život, svět přijde pouze o ubohé zbytky mé existence; zasluhuji si to.“

174

1. listopadu byla zahájena oficiální kongresová jednání. Začalo se rokovat a vyjednávat. Ovšem Vídeň se i nyní bavila a tančila ve valčíkovém rytmu. Mnoho dam dokonce bralo hodiny, aby se snáze vpravilo do rytmu tohoto nového tance.

8. listopadu se konal v Metternichově vile další maškarní ples. Dámy přicházely v národních krojích, páni v bílých nebo černých dominech. Klemens poslal Kateřině vstupenky i pro její tři schovanky a komornou Hannchen.

Po večeři, k níž zasedlo na 1 500 hostů, táhl vilou na Rennwegu dlouhý had lidí rozdováděných pohybem a vínem a držících se za ruce.

Metternich a vévodkyně Zaháňská se potkávají při různých příležitostech téměř denně, vymění pár pohledů, několik slov, stisk ruky, letmý polibek. Psaníčka putují dále, ale jejich obsah ztrácí na břitkosti. Oba se sice znovu vracejí ke svému problému, ale s chutí si již zase vyměňují názory na politické události. Jejich vztah se přesto dále uvolňuje a spěje pomalu k zániku.

23. listopadu se viděli na velké slavnosti pořádané v jízdárně Hofburgu. Od dob Marie Terezie se dodržovala tradice zvláštní rytířské hry. Čtyřiadvacet nejlepších jezdců z rakouské a maďarské šlechty, oděných do rytířských kostýmů, předvedlo druh středověkého turnaje a čtyřiadvacet nejkrásnějších žen z předních aristokratických rodin si zahrálo na paní jejich srdcí – mezi nimi i Kateřina Zaháňská a Dorothea Périgordová.

Galerie dvoupatrové zimní jízdárny byly obsazeny ženami ve skvostných toaletách a pány v honosných uniformách.

Přesně v osm hodin oznámily fanfáry, že turnaj začíná. Vstoupily dámy zahalené do závojů, a když zazněly fanfáry podruhé, závoje se odhrnuly a dámy tu stály v renesančních šatech z doby Ludvíka XIII. Róby v barvách černé, vínově červené, modré a zelené jiskřily drahokamy.

Kateřina se objevila ve smaragdově zeleném sametu, hluboký dekolt pošitý diamanty, na hlavě zelený sametový baret zdobený agrafami. Zelená barva nádherně kontrastovala s jejími světlými vlasy a bílou pletí.

O dvanáct let mladší sestra Dorothea zvolila černou tuniku s křidýlkovými rukávy, sepnutou velkými diamantovými sponami, pod ní živůtek a sukni z bílého atlasu. Obě krásné ženy přitahovaly pohledy přítomných. Dorotheu nespouštěl z očí hrabě Karel Clam-Martinic, který se do ní vášnivě zamiloval. Ona jeho city neméně vřele opětovala. Hned za dámami vjeli do jízdárny jezdci na koních, aby předvedli své jezdecké umění a rytířskou udatnost. Když v plném trysku sesekali jablka visící od stropu na dlouhých stuhách a předvedli středověký turnaj, následovalo pohoštění, připravené ve všech sálech zámku. Pak zazněly tóny harf a dámy zahájily ples čtverylkou.

Ten den slavil Metternich svátek svatého Klemense. Již v předvečer obdržel od Kateřiny svícen, který měl nahradit ten stříbrný z loňského roku, vyrobený v Praze a zaslaný spolu s Goethovým dílem a vlastnoručně zhotovenou sametovou čapkou na frontu. Kateřina byla v dávání dárků a poskytování pomoci velkorysá. Na zmíněnou slavnost půjčila jedné přítelkyni diamantový diadém, a aby přítelkyně mohla s drahokamy libovolně nakládat, „rozlomila ho v tisíce kusů".

25. listopadu byl svátek svaté Kateřiny. Vévodkyně obdržela od Metternicha koženou peněženku se zlatým monogramem. Na přiloženém lístečku bylo napsáno:

„Děkuji Ti za milé řádky. Promiň mi, když k Tobě nepřijdu. Samotnou Tě nepotkám – ve společnosti Tě nechci vidět a pro mne je lépe být dále od všeho, co mě nakonec přece jen přivede do hrobu… Hleď být dnes veselá. Dobré jitro, milá Vilemíno. Budu rád, když se Ti bude má peněženka líbit."

Nastal advent a Kateřina se dotázala Metternicha, zda v pondělí pořádá večeři s plesem. Klemens jí odpověděl, že mají pouze malou společnost:

„Celý svět sleduje mne a Tebe. Tebe nemohu mít v malém kroužku. Nemohu Tě pozvat bez Tvého milence, a jeho nemohu pozvat, aniž bych ničil sám sebe. Tak se vzdávám myšlenek na příjemné večírky. Je to ta nejmenší oběť pro muže, který denně klade v oběť svůj život."

Metternichovi se pomalu vracela ztracená rovnováha. Už byl schopen potkat Kateřinu bez zničujícího vnitřního napětí a rozechvění. Snad se ještě nevzdal docela naděje, že se k němu zase vrátí, ale pozvolna se se svým osudem smiřoval. Psaníčka se uklidnila, láska přecházela v přátelství. Kateřina byla v tomto směru osobitá. Své bývalé ctitele nezavrhovala, neponižovala, obtížné situace řešila s rozumem a taktem jí vlastním.

Vánoce roku 1814 byly za dveřmi.

23. prosince jí Klemens poslal lahvičku s anglickou citronovou solí pro zmírnění migrén a psaníčko:

„Malé dárky udržují přátelství... Mon amie, něco mi říká, že jsem Tvůj jediný přítel – a tato myšlenka má pro mne mocné kouzlo..."

28. prosince: „Mon amie, měl jsem neobyčejně těžký den! Plno práce, zařizování a politického rozčilování. Pachtil jsem se jako galejník a jsem velice unavený... Bon soir, mon amie, jdu si lehnout, potřebuji nutně spánek..."

29. prosince: „Co děláš – na co myslíš? Možná, že na nic, ale napiš mi to! Cožpak je správné držet svého přítele daleko od sebe, daleko od všeho, co potřebuje, aby mohl žít? Ozvi se slůvkem. Jsem smutný a Bůh ví, že potřebuji v tuto chvíli všechny své síly."

Kateřina odpověděla, že ho nemůže přijmout, že je velice nemocná.

30. prosince – Metternich prosí o docela krátké setkání: „Moje drahá, jsou mé nároky tak velké?"

Kateřina odpovídá: „Cher ami, nemohu Tě nyní přijmout. Je to zcela nemožné, jsem nemocná, daří se mi bídně – ale zeptej se později, zda a kdy bych Tě mohla vidět."

31. prosince – Kateřina:

„Měla bych více soucitu s Tebou, mon ami, kdybych nemusela lkát nad svým vlastním osudem... Zůstaneš provždy mým přítelem. To mi napovídá srdce, spolehni se na ně. – Jsem nemocná, mám růži v pravé noze – několik dnů nebudu moci vyjít. Tak budeme mít čas se připravit na shledání. Adieu, milý Klemensi, žehnej Ti Bůh a nechť Ti nadělí tolik štěstí, kolik Ti mé srdce přeje a jež Ti nedokázalo dát."

31. prosince – Metternich:

Text jeho dopisu je těžko čitelný, slova jsou přeškrtaná a vše nasvědčuje tomu, že se pisatel octl v duševní tísni.

„Neodpovídám na Tvůj dopis. Není určený mně. Myslíš, že píšeš milenci; tím už dávno nejsem. Není to ani dopis příteli, protože první požadavek, který dělá přátelství přátelstvím, je důvěra.

Co ukončuješ? To, co neexistuje? Moje drahá, víš, co tento dopis dokazuje? Že mě neznáš, že mě znáš tak málo, jak já Tě znám dobře...

Celým svým dalším životem Ti dokážu, že jsem ten nejlepší přítel, kterého na zemi máš – stále připravený Ti podat ruku, ruku, kterou tak velmi nutně potřebuješ, aby zabránila tomu, že se ztratíš, Ty, která jsi šla po falešné cestě dál než kterákoli jiná bytost.

177

Před třemi měsíci jsi ve mně zradila milence; dnes Ti tento přítel odpouští všechno, co Ti může odpustit... Vzpomínej na mne s největší lhostejností... Vše, čím trpím, všechna hořkost, již jsi mi způsobila, vše je odpuštěno tímto dnem, jímž končí rok, který byl nejstrašnějším v mém životě, neboť takovým ho učinila bytost, které jsem zasvětil tolik čistého a pravého citu, kolik jen mohl Stvořitel vložit do srdce jednoho muže! Dlouho jsem doufal, že mě odmění nějaký lepší svět než ten vezdejší.

Pečuj o sebe ve své nemoci; dopřej si klidu a oznam mi, zda Tě mohu zítra v poledne navštívit. Nechci nechat uplynout první den nového roku, aniž bych Tě viděl."

Večer dopravil posel do státní kanceláře balíček. Obsahoval novoroční dárek pro Kateřinu, který Metternich dle vlastního návrhu dal zhotovit v době, kdy ještě věřil v její lásku. Byl to zlatý náramek, vykládaný drahokamy. Přiložený dopis měl následující znění:

31. prosince 1814 v 11 hodin v noci:

„Právě mi přinesli nerozbalený bracelet. Co dnes, nyní – při tom tak silně pociťuji, chápeš právě tak dobře jako já – ovšem cítit to nemůžeš, protože ty necítíš nikdy jako já a nikdy tak cítit nebudeš.

Ať je jak je; dárek byl určen pro Tebe – mě pálí v ruce; zahodit ho můžeš právě tak dobře jako já; zda si ho ponecháš, závisí na Tobě – přisuzovat mu cenu není Tvoje starost – to nech na mně.

Daruji Ti tuto drahocennou upomínku jako památku na přátelství. Měla jiné určení. V tomto záměru jsem se mýlil! Dnes je to již jedno.

Kameny znamenají:

1. Diamant. Symbol lásky. Bůh Ti dopřej k tomuto citu ten první, nejšťastnější a nejhezčí prožitek – první dar nebe čistému srdci. V den, kdy budeš opravdu milovat, stane se Ti láska nejmocnějším zdrojem síly a vůle, tak jako láska, kterou zažehl osud v mé hrudi, mi dávala sílu a vůli v nejstrastiplnější době mého života. Náhradu za to, co jsem protrpěl, mi tento svět už nemůže dát a všechny moje nároky na štěstí odešly do hrobu s rokem, který opouštíme.

2. Smaragd. Měsíční kámen muže, jehož jsi nechtěla za přítele. Bylo by právě tak dobře, kdyby se tento muž nebyl nikdy narodil.

3. Ametyst. Tvůj měsíční kámen.

4. Rubín. Symbol věrnosti. Miluj a buď věrná.

Letopočet 15 měl přivolat naše štěstí! Nechť je svědkem toho Tvého.

Bůh Ti žehnej a ať daruje Tobě **samotné**, co bych byl považoval za dostačující pro **nás oba**!

Znaky na zadní straně kamenů jsou ranégotická G. Doufal jsem, že Ti dárek předám osobně, abych Ti mohl srdečně a spolu s Tebou říci: Gott gebe Gnade, Glück, Gedeihen!

(Dej Bůh milost, štěstí, zdar!)

Nyní dovol nebohému, aby se za Tebe modlil a aby z nebe vyprosil vše, co sám Ti nedokázal dát!

Rok 1815 ať je pro Tebe prvním rokem z dlouhé řady šťastných let, plným klidných, nerušených, Tebe hodných prožitků! Přijdou-li časy zlé, rozpomeň se na mne; moje duše Ti přispěchá vstříc vždy se stejnou náklonností a láskou. Nechť je Tvůj život dlouhý a šťastný. Ať se zas připojí k tomu mému, budeš-li potřebovat přítele a oporu; památka na mne nechť nezkalí žádný z Tvých příštích dnů. Všechny oběti byly přineseny.

Kdybys z nějakého důvodu nebo ohledu nemohla můj dárek nosit, nejen nosit, ale nosit stále, hned mi ho vrať. Nebudeš-li ho nosit, ale pouze si ho ponecháš, pak si řeknu, že nepřičítáš cenu ani mým přáním.

Nyní dobrou noc a spi lépe, než budu spát já."

Silvestrovský večer trávila Kateřina doma v Palmovském paláci a spolu s ní její sestry Johana a Dorothea. Přišel i nevlastní bratr Schwedhof a Talleyrand, ale byl zde také Gentz se svým přítelem Clam-Martinicem a nechyběl ani Alfred Windischgrätz.

Celou noc padal sníh a Nový rok, který připadl tentokrát na neděli, se probudil do bílého dne.

Také Kateřina poslala Klemensovi novoroční přání a on jí 3. ledna odpověděl:

„Po dva roky jsem Ti byl milencem. Nejen že jsem Tě miloval, zbožňoval jsem Tě. Ty jsi mě přestala mít ráda hned ten den, kdy jsem Tě začal milovat, přirozený to běh věcí lidských! Nezbavilo mě to odvahy. Neprosil jsem Tě o lásku, nýbrž jen o trochu jistoty – buď odmítnutí, nebo naději! Nepřestávala jsi mi dávat naději; živila jsi ve mně cit, o němž jsi věděla, jak je velký; nechala jsi ho dále vzrůstat, i když jsi viděla, že mi ubírá sil, jejichž plné uplatnění si vyžadovala moje čest…

Nebyl jsem už žádné dítě. Mé chování musela určovat pouze moje vůle. Vyvolen vést dvacet milionů lidí měl jsem vědět, jak se sám zachovat. Nic si nevyčítám, jakkoli jsi poukázala na mé chyby. Nestál bych za nic, kdybych neuměl milovat; ach ano, milovat umím."

Poslední větou se znovu dotýká její výtky z dopisu z noci 22./23. října, kdy mu napsala, že mu chybí nadání k lásce. Tato výčitka ranila jeho pýchu a uvízla mu jako ostrý střípek v srdci.

Sníh zůstal ležet po celý masopust a k řadě plesů se přidružily vyjížďky na saních. Městem zněl veselý cinkot rolniček.

Koncem ledna se konal v Metternichově vile na Rennwegu velký bál. Přes množství sněhu byl dům osvětlen jako ve dne a skvěl se v záplavě květin. Hosté vystupovali z kočárů přímo na koberec, po obou stranách lemovaný řadami livrejovaných světlonošů a vedoucí po schodech vzhůru až do tanečního sálu.

Možná že právě při této slavnostní příležitosti se Lorel svěřila manželovi, že bude opět matkou. Dítě bylo počato v některém z posledních prosincových dnů, kdy Metternich hledal a nalezl útěchu v stále otevřené náruči své ženy.

8. února slavila vévodkyně Zaháňská své 34. narozeniny. Na její počest uspořádal Windischgrätz ve svém paláci slavnostní hostinu. Metternich ji v lednu sotva viděl, leda ji zahlédl na některém banketě nebo plese. K narozeninám jí poslal dvě hezké, z lávy vyrobené vázy pro její psací stůl. V dopise jí sdělil, že věří, že jeho přání bude první, které toho dne obdrží, a i když již statečně překonával hořkost nad ztrátou její lásky, znovu jí připomněl, co všechno mohlo být, kdyby ho nebyla zradila:

„Byl bych se zřekl svého života, abych mohl žít ten Tvůj; spřádal jsem sny, z nichž se žádný neuskutečnil, byl bych Ti dal všechno, co mám – možná víc, než Ti dal kterýkoli muž přede mnou; moje schopnost milovat byla větší, mnohem větší, než jsem sám tušil. – Během dvou let trýzně, bolesti a hoře jsem prožil víc, než je souzeno prožít většině lidí za dvacet let!"

34. narozeniny byly pro Kateřinu podnětem, aby si znovu připomněla, jak čas rychle běží, a uvědomila si svá léta, svou situaci a vyhlídky do let příštích. Byla stále krásná a přitažlivá, ale cesta dál mohla vést pouze dolů. Nyní ji opět obletoval Alfred, ale dobře věděla, že tento vztah nemá budoucnost.

Před nedávnem sice řekla své přítelkyni Loře Fuchsové, že se vdávat nechce, že ji předchozí dvě manželství skoro zničila, ale přitom stále zřetelněji cítila, že manželství bude pro ni jediným východiskem.

Rozchod s Metternichem se rozkřikl po Vídni a pro mnohé muže to byl impulz ucházet se o přízeň vévodkyně Zaháňské.

7. března dorazila do Vídně zpráva o Napoleonově útěku z Elby. I když představitelé států, dosud přítomní v rakouské metropoli, zachovali klid a rozvahu, začali jednat.

Vojska byla uvedena do pohotovosti, velitelé pospíchali ke svým plukům. Do Vídně přijel vévoda Wellington, velký bojovník proti Napoleonovi a vítěz od Vitorie. Kateřina znala vévodu Wellingtona již z Londýna. Byl v jejích očích tím pravým Angličanem, jak jí ho do mysli vtiskla učitelka Forsterová: velký a důstojný, přímočarý a pevný, s římským nosem a vysokým čelem, rozvážný a klidný ve vystupování a jednání. Uměl pozorně naslouchat a na otázky odpovídal stručně a výstižně.

Při jednom obědě u Gentze, který tak dlouho naléhal na Kateřinu, až přislíbila, že přijde, se objevil vedle Talleyranda, tří princezen Kuronských a madame Trogoffové i Windischgrätz a Metternich. Po řadě měsíců seděli opět Kateřina a Klemens vedle sebe. Možná že to byl přímo Gentzův záměr, svést oba bývalé milence opět dohromady. Oni však cítili, že jejich vztah je už vyřešen. Rány se zacelily, vytratily se bolestné pocity. Přesto setkání s Kateřinou a její bezprostřední blízkost vyvolaly staré vzpomínky, a když Metternich přišel domů, napsal svůj poslední dopis, v němž se dotkl toho, co bylo:

„Můj celý život, všechny mé city, morální síly, vše patřilo Vám… Hodně jsem se soužil, hledal účast přátel, leč nenašel jsem ji."

17. března dávala vévodkyně Zaháňská na počest vévody Wellingtona velký oběd. Prvně po dlouhé době se do jejího bytu dostavil i Metternich. To ji potěšilo. Napsala mu, že je ráda, „že konečně prolomil řetězy, které mu bránily přijít do jejího domu".

29. března opouštěl Wellington Vídeň. Chystal se do Nizozemí převzít hlavní velení. V předvečer jeho odjezdu se konalo u vévodkyně Zaháňské s tímto váženým mužem rozloučení. Její devítiletá schovanka Marie mohla oči nechat na generálovi v červené uniformě zdobené zlatem. Když se k ní vévoda otočil zády, políbila knoflík jeho fraku. Wellington upozorněn na roztomilý, ale neobvyklý čin malé komtesy kázal knoflík uříznout a Marii ho daroval. Dlouho přechovávali její potomci tento knoflík, až se v průběhu druhé světové války ztratil.

Když se Wellington loučil, obrátil se na lorda Charlese Stewarta, anglického vyslance ve Vídni, a požádal ho, aby o vévodkyni Zaháňskou pečoval:

„Pomoz jí, Charlesi, když bude potřebovat pomoc. Starej se o ni mně k vůli!"

Stewart Kateřinu znal od svého pobytu v Praze. Byl tehdy britským vyslancem v Prusku a po zranění u Chlumce se léčil v její nemocnici. Gentz si tehdy Metternichovi postěžoval:

„... Ona generálu Stewartovi, kterého spatřila předevčírem poprvé, hned tak popletla hlavu, že zůstane v Praze o čtrnáct dnů déle."

Charles Stewart si jako válečný hrdina získal srdce mnoha žen, ale nyní platila všechna jeho pozornost vévodkyni Zaháňské. Také ona se zájmem hleděla na vysokého modrookého muže s rytířským vystupováním. Tolik se lišil od Metternicha svým přímočarým jednáním a jednoznačnými stanovisky. Častým pobytem na frontě trochu zdrsněl, byl spíše voják než salonní debatér, ale Kateřině i to nyní konvenovalo, stejně jako se jí kdysi líbil málomluvný a podmračený Trubeckoj ve srovnání s rozesmátým a upovídaným Rohanem.

Časté návštěvy lorda Stewarta v Palmovském paláci neušly slídivé vídeňské policii. V denních raportech se objevily zprávy jako:

„Lord Stewart mizí často kolem jedné nebo druhé hodiny ranní ze svého domu, aby se odebral k Zaháňské, odkud se nevrací dříve než mezi pátou a šestou hodinou."

Stewart naléhal na Kateřinu, aby se odstěhovala z blízkosti kněžny Bagrationové. Kdysi to požadoval i Metternich, ale nyní se vévodkyně rozhodla. Alfred Windischgrätz odešel nedávno k vojsku, a tak si najala část jeho paláce, který důvěrně znala.

O Velikonocích přijela do Vídně vévodkyně Kuronská. Utíkala před Napoleonem a jela takovou rychlostí, že cestu z Paříže, která se obvykle počítala na devět dní, urazila za pět dnů. Vévodkyně byla ráda, že je zas mezi svými a v blízkosti Maurice Talleyranda, který byl její poslední láskou. Četná dochovaná psaníčka podávají o tom neklamné svědectví.

Dorothea neměla z matčina příjezdu velkou radost. Zazlívala jí, že zanechala oba malé vnuky v Paříži na pospas vychovatelkám, ale ještě více jí vadilo, že matka by mohla bránit jejímu poměru s Clam-Martinicem. Měla ještě v příliš živé paměti, jak jí překazila známost s knížetem Adamem Czartoryským. Ten dlel nyní také ve Vídni a pověděl Dorothee, jak to tehdy bylo, když umíral Scipion Piattoli. Stará bolest byla zapomenuta a dávný stesk zastíněn velkou láskou, její první pravou láskou v životě. Ale nedůvěra k matce znovu ožila.

Ani Kateřina nebyla matkou nadšena. V dopise Windischgrätzovi nahněvaně napsala:

„Moje matka myslí jen na toho starého mrzáka, který si vzal do hlavy hrát si ve svých dvaašedesáti letech na blázna, a já přitom umírám nudou."

Kateřině rovněž vadilo, že matka zaujala nyní mezi nimi výrazně vedoucí postavení, takže se už neříkalo „vévodkyně Zaháňská a její sestry", ale „vévodkyně Kuronská a její dcery". Tuto změnu rolí bylo možno číst i na pozvánkách na společenská setkání, kde se psalo „la duchesse de Courlande et ses filles" (vévodkyně Kuronská a její dcery).

Vévodkyni Kuronské přišlo groteskní, že se ve Vídni setkává se všemi svými bývalými zeti. Byl tu kníže Hechingen, hnán snahou, aby se zapomnělo na jeho nedávné přisluhování Napoleonovi. Nebyl dosud rozveden a byl by se rád se svou ženou udobřil. Paulina však z obav před setkáním s ním odjela na své slezské panství Hohlstein. Prvního března se sice vrátila, ale věřila, že její manžel mezitím pochopil, že ztratil šanci na nové sblížení.

K vidění tu byl i Francesco Acerenza, který vstoupil do služeb ruského cara. Raději se však točil kolem židovských bankéřů, od nichž bral úvěry za propůjčování svého jména a titulu na obchodní propagaci. Ani on nebyl dosud s Johanou rozveden, ale neodvažoval se k manželce přiblížit.

Louis Rohan byl nejméně zavrhovaným a zavrženíhodným členem z bývalých rodinných příslušníků. Svým uměním bavit společnost a nepokazit žádnou legraci byl vítaným hostem v řadě vídeňských domů a občas ho bylo možno spatřit i v salonu vévodkyně Zaháňské, která ho s trochou humoru vždy přátelsky přivítala. Jméno i jmění jeho rodu po Napoleonově pádu ve Francii opět získalo na ceně a během kongresu se o jeho informace zajímal jak Talleyrand, tak Metternich.

Vídeňský kongres si nenechal ujít ani kníže Trubeckoj, druhý manžel Kateřiny Zaháňské, nyní ve funkci carova generálního pobočníka. Vidět ho však bylo málo. Pro bolesti nohy jen zřídka vycházel z bytu v prvním patře v Kärtnerstraße 1087, kde bydlel spolu s generálem Černiševem. Během svého vídeňského pobytu se dal Trubeckoj portrétovat od malíře Fricka, který právě v té době pracoval na obraze vévodkyně Zaháňské. Když malíř knížeti vyprávěl o krásném modelu, odvětil prý Trubeckoj bručivě:

„Tu znám lépe než Vy. Vévodkyně Zaháňská byla po určitou dobu mou ženou!"

Dny po návratu Napoleona byly napjaté. Nové diskusní téma způsobilo, že Metternich opět častěji vyhledával Kateřinu. Stále na něm ležela odpovědnost za všechna státní rozhodnutí. Potřeboval i nyní s Kateřinou prohovořit nejrůznější politické otázky.

Gentz, nikoliv bez špetky žárlivosti, si 9. dubna 1815 zapsal do deníku:

„V 7 hodin jdu na večeři k Metternichovi. Jako obvykle mě sotva poslouchal. Byla tu celá kuronská ženská sešlost a on neměl pro nic jiného smysl. M. zasvětil tyto ženy během osmi dnů do všech politických tajností; co ty vědí, je neuvěřitelné."

Kongres se chýlil ke konci. Politici a diplomaté měli plné ruce práce, ale Stewarta to nepřivádělo z míry. Byl nyní zaujat vévodkyní Zaháňskou. Lidé je vídali, jak jedou do Prátru, oba na nádherných koních z nejlepšího anglického chovu, nebo jak opouštějí Vídeň v novém Stewartově anglickém kočáře. Charles ve vlněném obleku poslední anglické módy, Kateřina v lehkých mušelínových šatech a s plochou pařížskou čapkou s vlajícími pery, po měsících napětí a trápení rozkvetlá do nové krásy. Mířili do Nußdorfu nebo Laxenburgu, aby se potěšili pobytem ve svěží jarní přírodě a nadýchali se čerstvého venkovského vzduchu. Při jedné vyjížďce na Semmering se Kateřině zalíbila stará hospoda v Reichenau. Zde dal Charles zařídit pokoje a sem jezdili, kdykoliv se vyšetřil čas. Dopoledne opouštěli Vídeň a vraceli se teprve druhého dne odpoledne. Pro Kateřinu byly tyto vyjížďky příležitostí k načerpání nových sil a nového životního optimismu. Možná že právě tady jí přišla myšlenka, jestli by Charles Stewart nemohl být mužem, s nímž by stálo za to znovu vstoupit do stavu manželského.

9. června byly v Hofburgu podepsány poslední kongresové dokumenty a brzy poté, po devíti měsících trvání, byl vídeňský kongres prohlášen za ukončený. Wellington zvítězil u Waterloo a Napoleon kapituloval. Do Paříže se vrátil král Ludvík XVIII. a mířili sem všichni, kteří předtím zasedali ve Vídni. Do Paříže přijel Metternich i Stewart, Talleyrand a vévodkyně Kuronská.

Vídeň ztichla a osiřela. Kateřina Zaháňská a její sestry Paulina a Johana (Dorothea odjela na své pruské statky) se přemístily na zámek Gutenbrunn u Badenu k přítelkyni Lori Fuchsové. Do Badenu se stáhla na léto celá majetná Vídeň. Jen kněžna Bagrationová musela zůstat v Palmovském paláci. Obrovské výdaje, spotřebované na přepychové vedení salonu, ji přivedly téměř na mizinu. Proslýchalo se, že její kuchař, který v posledních měsících strojil tabule na vlastní náklady, odmítá vařit, dokud mu kněžna nesplatí dluh. Bagrationová byla zadlužena na všech stranách a její dlužní částky se počítaly na mnoho desítek tisíc zlatých. Věřitelé hrozili zabavit nábytek a šperky, a tak se kněžna nemohla z paláce vzdálit a pokoje dala střežit proti násilnému vniknutí.

To bylo sousto pro vídeňské dámy, které s pocitem zadostiučinění sledovaly, kam až se lehkovážná a rozmarná kněžna svým neuváženým životem dostala.

Kateřině nyní nejvíce vadil nedostatek informací. Všichni její zpravodajci byli v Paříži, jen Gentz se dosud zdržoval ve Vídni a stal se jejím jediným útočištěm. Posílala mu psaníčka a žadonila o zprávy:

„Na brzkou shledanou, milý Gentzi! Proboha, dozvíte-li se něco, slitujte se nade mnou a napište mi to – sedíme tu jako zakleté princezny, jako bychom byly na druhém konci světa."

Gentz si postesknutí vévodkyně nenechal pro sebe a s trochou škodolibosti píše Metternichovi:

„V. pocítí ještě častěji, co to znamená ztratit takového korespondenta, kterého jí seslalo samo nebe v roce 1813."

Pak se ovšem politická situace vyjasnila a Stewart Kateřinu vyzval, aby přijela do Paříže. Odpoledne 22. července byla zavazadla naložena a vévodkyně Zaháňská pouze v doprovodu své nejstarší schovanky Emilie von Gerschau se vydala na cestu. Zvolila trasu přes Švýcarsko. Tato cesta se jí zdála hezčí a bezpečnější.

Do Paříže se mezitím vrátila i Dorothea a její poměr s Karlem Clam-Martinicem se stal veřejným skandálem. 31. července došlo dokonce k souboji mezi ním a Edmondem Périgordem. Ten si duel vyžádal a utrpěl při něm krvavý šrám přes obličej. V zápiscích policie můžeme číst: „Souboj Edmonda Périgorda s jedním rakouským důstojníkem."

Také se neutajilo, že novou známostí Dorothey trpí nejvíce Talleyrand, ne však proto, že by litoval svého synovce, ale že se sám do půvabné neteře zamiloval. Hraběnka de Boigne o tom poznamenala: „Talleyrand se vrátil zamilován jako osmnáctiletý mladík." Nyní však patřilo Dorotheino srdce a celá její mysl pouze Clam-Martinicovi. Byla rozhodnuta se rozvést a svůj život spojit s tímto mladým hrabětem. Stál na samém prahu politické dráhy a měl po otci převzít správu panství v Čechách se starobylým zámkem Smečno.

Paříž zaměřila zvědavé oči i na Kateřinu Vilemínu, kterou vídala předchozího roku s Klemensem Metternichem. Nyní ho nahradil Charles Stewart. Objevovali se spolu v divadlech a na koncertech, v pařížských obchůdcích a při vyjížďkách kočárem. Když po příjezdu vévodkyně Zaháňské dával Stewart v hotelu Montesquieu, kde bydlel, slavnostní večeři, napsala lady Granvillová:

„Lord Stewart přišel, pokryt řády, laskavost sama. Proslýchá se, že mu v ješitnosti a extravaganci není rovno."

Stewartovi nebylo možno upřít vojenskou slávu a válečné zásluhy. Také Kateřina obdržela od pruského krále takzvaný Luisin řád, vyznamenání za obětavou pomoc při ošetřování raněných. Ozdobena tímto řádem dala se portrétovat od mistra Gérarda. Malíř ji maloval v šatech ze zeleného sametu, v toaletě, kterou si oblékla ve Vídni na rytířský turnaj v Hofburgu.

Kateřinu zaskočilo, že ji v Paříži neočekával pouze Stewart, ale i Alfred Windischgrätz. Jeho zájem o ni vždy znovu vzplanul, jakmile se objevil nový rival. Dělal Kateřině scény, vyhledal i její matku, vztekal se a psal dopisy plné výčitek a obvinění. Tentokrát se však Kateřina nedala obměkčit. Napsala, že v jejich vztahu se dá očekávat pouze „snadný přechod od lásky k srdečnému přátelství". Připomněla, že kvůli němu ztroskotal její poměr s Metternichem, že se pro něj zřekla lásky, která byla spojena s celou její bytostí a která mohla trvat po celý život.

„S bolestí, ale poučena draze vykoupenou zkušeností, Ti dnes říkám, milý Alfrede, zůstaňme přáteli a nic než přáteli."

V dopise z 15. srpna píše Alfredovi, že ho kdysi milovala z celé duše, i když na základě jeho chování měla známost s ním již dávno ukončit. Znovu vyjádřila politování, že mu obětovala Metternichovu lásku, „tu nejupřímnější a nejněžnější náklonnost, jakou jí mohl kdy kdo poskytnout". Sdělila mu, že jeho nynější chování zasadilo lásce, kterou k němu tak dlouho pociťovala, smrtelný úder.

Utěšovala ho:

„Najdi si družku pro život, je tak lehké Tě milovat, takže budeš mít snadnou volbu… Buď šťasten a nezapomeň nikdy na přítelkyni, jejíž tak často neuznávaná láska Tě provázela léty Tvého mládí a jejíž věrná náklonnost Ti zůstane až do konce života."[2]

Tak skončily dvě velké, přesněji vyjádřeno, dvě největší lásky vévodkyně Zahánské.

Metternich se v Paříži objevoval v doprovodu sestřenice Flory Vrbnové a její přítelkyně Terezy Jablonovské. V noci na 1. září se ve Vídni narodilo další Metternichovo dítě. Byla to opět dcera a Lorel se obávala, co tomu Klemens řekne. Chtěla mu porodit syna Hermanna, ale přišla Hermína. Klemens nedal najevo zklamání a utěšil ženu, jako vždy chytře a obratně volenými slovy, v dopise z 18. září:

„Oddechl jsem si, že jsi tak dobře přečkala narození mého milého, roztomilého malého pokladu, který už nyní zcela nespoutaně miluji." Osmnáctiletá dcera Marie sdělila otci, že „maman vypadá tak ztrápeně, jako kdyby Hermína byla hřích, který se jí nikdy neodpustí. Hermína je anděl, nic jiného!"

Vévodkyně Zahánská odcestovala do Itálie. Spolu s ní zmizel i Stewart. Do Milána přijela zanedlouho také Dorothea, která uprchla za Karlem Clam-Martinicem. Dorotheino chování dělalo matce velké starosti, o to větší, že Dorothea čekala Clam-Martinicovo dítě. Dopis stíhal dopis, ale domluvy zatím nepomáhaly. Matka se obrátila o pomoc i k Metternichovi a Kateřině. Talleyrand sliboval Dorothee skvělé doživotní zajištění, jestliže se rozhodne pro návrat do Paříže.

Nebyla to však jen strana Dorothey, která naléhala, aby známost byla skončena. Stejně tak naléhavě vyznívají dopisy, které psal Karlovi otec. Vkládal do svého prvorozeného všechny naděje. Syn ve svých čtyřiadvaceti letech byl dosud svobodný a měl vojenskou, právnickou i společenskou kariéru ještě před sebou. Dorothea nebyla podle náhledu rodičů pro syna vhodnou partií. Navíc vyhledala matka synovi vhodnou nevěstu již během vídeňského kongresu. Byla jí černovlasá Selina Meadeová (1792–1872) z bohatého a urozeného irského domu. Ta se později stala jeho ženou.

Aféra kolem Dorothey způsobila, že se Kateřina vrátila již 15. února 1816 z Milána do Vídně. Byly zde i obě sestry, jak dokládají četné zápisy v deníku Friedricha Gentze.

Atmosféra ve Vídni byla začátkem roku napjatá a vyhrotila se koncem ledna 1816, kdy Karel Clam-Martinic následoval Karla Schwarzenberga do Milána. 21. leden 1816 byl den, kdy se milenci viděli naposled. Z matčina deníku bezpečně víme, že se Dorothea vrátila do Paříže

3. března a že přijala bohatství i lásku dvaašedesátiletého strýce. Nastěhovala se do jeho paláce a stala se paní jeho domu.

Kdy a kde se narodilo Dorotheino dítě, není nikde písemně doloženo. Z dopisu Friedricha Gentze, který napsal 23. 10. 1816 Clam-Martinicovi do Napajedel, je zřejmé, že k porodu došlo. Můžeme zde číst jedinou větu dotýkající se porodu: „O Dorothee jsem dlouhou dobu neslyšel. Stále se ještě tvrdí, že trávila šestinedělí ošetřována Talleyrandem."

Kateřina Zaháňská se po návratu do Vídně opět obklopila přáteli. V jejím salonu se objevil i Warrender z britského vyslanectví. V květnu se do Vídně vrátil Stewart. Spolu strávili rok 1816. Stewart pořádal na anglickém vyslanectví plesy a obědy, hudební večírky a jiné zábavy. Kateřina bývala přítomna v roli hostitelky.

Při vší rozmanitosti společenské zábavy postrádala vévodkyně hlubší smysl takového života. Měsíce bohaté na důležité události skončily spolu s vídeňským kongresem. Ani Stewart už nebyl v jejích očích tím přitažlivým válečným hrdinou. V době míru se stal všedním mužem, který ji nemohl natrvalo upoutat. Avšak ani on nebyl připraven požádat ji o ruku. Byl sice vdovec, ale ve svých devětatřiceti letech se začal ohlížet spíše po mladších ženách. Vévodkyně Zaháňská se svými zkušenostmi, inteligencí, vyhraněnými postoji a zvyklostmi, pevně zakořeněná ve střední Evropě, neskýtala záruku jeho spokojenosti.

Ještě se objevili spolu v létě 1817 v Karlových Varech. To byl však konec jejich známosti. Pobyt v lázních tentokrát Kateřinu neuspokojil. Bylo zřetelně znát, že nastupuje nová generace. Vévodkyně si uvědomovala, že spolu s kongresem skončila i její doba. Před nedávnem zářila jako první dáma vídeňských slavností, obdivovaná za spoluúčast na chodu evropských dějin. Nyní měla u mladé společnosti spíše punc Metternichovy exmilenky.

Sir Charles Stewart se chystal k návratu do Londýna. Vévodkyně mu nekladla překážky. Ale jedno věděla jistě, že se musí znovu provdat.

A když si Kateřina Zaháňská něco usmyslila, nebylo nikdy daleko od myšlenky k jejímu uskutečnění.

(XV)
Schovanky Kateřiny Zaháňské

Na cestách i při letních pobytech v rodinných zámcích doprovázely Kateřinu Zaháňskou schovanky. Patřily téměř neoddělitelně ke koloritu vévodské svity. O jejich rodičích se hovořilo málo a lidé ve Vídni a v Ratibořicích se domnívali, že schovanky jsou nemanželské dcery Kateřiny Zaháňské.

Pokusme se shrnout informace o schovankách, jak nám je zachovaly prameny, a najít odpověď na mnohou otázku v této souvislosti vyslovenou a diskutovanou. Jedná se zejména o následující okruhy:

1. Kdo byly schovanky Kateřiny Zaháňské?
2. Jak se utajovalo narození nemanželských děti v rodině Kuronských?
3. Kdo byla paní Jägerová, která některé z těchto dětí vychovala?
4. Mohla být Klára Bresslerová matkou Boženy Němcové?
5. Kdo byl Boženě Němcové prototypem pro komtesu Hortensii?

První schovanky se Kateřina Zaháňská ujala v roce 1806 po rozvodu s Vasilem Trubeckým, kdy jí bylo zřejmé, že další mateřství jí zůstane navždy odepřeno. Byla to Emilie von Gerschau, v dospělosti známá jako spisovatelka Emilie von Binzer. K vévodkyni Zaháňské přišla v pěti letech a první noc na své cestě do nového domova strávila v Berlíně v posteli vévodkyně z Acerenzy. Tato noc uvízla Emilii v paměti a podbarvila její vztah k princezně Johaně. Po letech se vyznává: „To jsou vazby, které nemůže zničit čas ani vzdálenost."

Pětiletá Emilie měla Kateřině doslova nahradit dceru Gustavu. Emilie se narodila 6. dubna 1801, tedy o tři měsíce později než dcera Gustava. Na ní mohla Kateřina sledovat, jak se asi vyvíjí její Vava, o níž se z dopisů s Armfeltem dovídala, že roste do krásy a vyniká rozumem a nadáním. Naposledy viděla své dítě, když dovršilo dva roky.[1]

Emilie byla vlastně neteří vévodkyně Zaháňské. Byla totiž dcerou nemanželského syna vévody Kuronského, který se narodil krátce před svatbou vévody s Dorotheou von Medem. Novorozenec obdržel po otci jméno Petr a po svobodné matce příjmení. Jeho matka, urozená slečna von Derschau, pocházela ze starého kuronského šlechtického rodu. Jméno tohoto nelegitimního syna bylo upraveno na von Gerschau, aby změna začátečního písmene alespoň zčásti zamlžila pravý původ dítěte. Petr von Gerschau se narodil 15. 10. 1779 v Behnenu v Kuronsku a byl o rok a čtyři měsíce starší než Kateřina. Vévoda vykazoval tohoto syna jako svého schovance. Hmotně ho zaopatřil, a když sám v roce 1795 navždy opouštěl Kuronsko, vzal chlapce s sebou do Berlína, kde ho zapsal na rytířskou akademii. Petr von Gerschau sloužil později jako pruský husar v Göckingově regimentu.

Emilie ve svých vzpomínkách sice píše, že se sama považuje za Kuronku, ale nikde naplno neříká, kdo ve skutečnosti její otec byl a z jaké rodiny pocházel.

Když v roce 1800 vévoda Petr Biron zemřel, byl Petrovi testamentárně přisouzen stejný poručník jako princeznám Kuronským. Byl jím básník a tajný finanční rada von Göcking, bratr generála, u něhož Petr sloužil. Vzhledem k tomu, že princezny byly sňatky záhy prohlášeny za plnoleté, rozhodl se von Göcking ze své pohodlnosti osamostatnit i Petra, čímž chlapci připadlo nemalé jmění. (Von Göcking řídil bironskou pozůstalost v Prusku, hrabě Vratislav v Čechách.)

Emilie von Gerschau o svém otci a o sobě napsala:

„Oženil se, ještě dříve než dosáhl jedenadvaceti let, s nemajetnou patnáctiletou dívkou a tyto dvě děti hospodařily spolu tak dobře, že už v roce 1806 celé jmění vzalo zasvé. Můj otec patřil ke společnosti prince Louise Ferdinanda, skvícího se dary ducha a srdce a vybaveného krásou, jehož dům však nebyl žádným vzdělávacím ústavem pro mladé lidi. Za jediný večer se tam prohrály tisíce; opakovalo se to šedesátkrát až sedmdesátkrát, a můj otec se octl na mizině.[2] Rozhodl se proto vrátit se se svou mladou ženou a dvěma dětmi narozenými po mně do Kuronska, které nyní náleželo k Rusku a kde žila jeho matka a okruh uznávaných příbuzných, aby tam začal nový život. Mne zanechal bezdětné vévodkyni Zaháňské. V Rusku vybudoval sobě a svým dětem novou úctyhodnou existenci.

Od té doby jsem byla u ní, ale dílem také v penzionátech, jak to moje výchova vyžadovala. Přestože jsem své rodiče vášnivě milovala, nikdy jsem nepostrádala mateřskou lásku. Od mého dvanáctého roku se vévodkyně málokdy ode mne a mé o čtyři roky mladší schovanecké sestry odloučila. Jednala s námi jako s dcerami a tak nás i milovala. Byly jsme původně tři, ale ta prostřední, věkem mi blízká, zemřela v roce 1818 ve Florencii, na cestě, kterou jsme podnikly do Itálie s kněžnami Vilemínou a Paulinou Kuronskými. Jmenovala se Klára a byla dcerou hraběte Bresslera, jemuž se s majetkem vedlo přibližně tak jako mému otci. Její matka byla přítelkyní vévodkyně Zaháňské z mládí a svěřila jí dceru, jíž přála lepší výchovu, než by byla mohla získat u ní na venkově." (Klára Bresslerová se narodila v roce 1801.)

Není zpráv o tom, v kterém roce se Kateřina ujala Kláry Bresslerové, své druhé schovanky. Lze však předpokládat, že se tak stalo nedlouho po přijetí Emilie a že jedním z důvodů byla snaha, aby Emilie měla schovaneckou sestru a vyrůstala společně s ní. Kromě vzdělávacího ústavu paní Brévilliersové ve Vídni navštěvovaly schovanky po určitou dobu i podobný ústav v Praze. Hraběnka Trogoffová, která byla pověřena stálou péčí o schovanky, vykonávala v Praze i ve Vídni nad dívkami dohled.

Clemens Brühl se o přítomnosti Kláry zmiňuje v souvislosti s rokem 1812, kdy Kateřina Zaháňská přivezla třetí schovanku, Marii Wilsonovou.

Traute Zacharasiewiczová, která se podrobně zabývala životem a dílem pozdější spisovatelky Emilie von Binzer, se rovněž zmiňuje o Kláře Bresslerové:

„Během celého pobytu Humboldtů ve Vídni, tedy 1810–1814, zcela určitě však v roce 1813, žila Emilie a její schovanecká sestra Klára v úzkém kontaktu s Karolinou Humboldtovou a jejími dcerami Karolinou Adelheid a Gabrielou."

Dům Humboldtů se nacházel na Minoritském náměstí, tedy nedaleko Schenkenstraße, kde bydlela v Palmovském paláci Kateřina. Paní Humboldtová dohlížela na schovanky v době, kdy vévodkyně i hraběnka Trogoffová dlely mimo Vídeň.

V blíže nedatovaném dopise z léta 1814 píše Kateřina Metternichovi, že její komorná Hannchen přivezla z Vídně Emilii, Kláru a Marii k rodinné slavnosti do Badenu, a zdůrazňuje:

„Počítám s Tvými dětmi, moje jsou už zde a já jsem jim toto setkání slíbila. Při obědě nás bude pouze osmnáct."

Kromě informací o pobytu schovanek je z těchto ukázek patrno, s jakou péčí a odpovědností bylo o schovanky pečováno a nad jejich bezpečností a bezúhonností vykonáván bedlivý dozor.

Některé další zmínky o Kláře Bresslerové najdeme ve vzpomínkách Emilie von Gerschau. Vztahují se však už na dobu po Klářině smrti. Dovídáme se z nich spíše o rodině zesnulé schovanky, především o jejích tetách, otcových sestrách.

Přijely v roce 1820 na zámek Löbichau a Emilie je vzhledem ke svému pozorovacímu talentu vykreslila velmi barvitě: „Po sobě přijely dvě sestry, Vilemína a Jeannetta hraběnky Bresslerovy, tety naší zemřelé Kláry, přítelkyně princezen Kuronských z mládí. Jejich otec skoupil polovinu Lužice a byl by své jmění, neboť byl obzvláště zdatný hospodář, kolosálně rozmnožil, kdyby nebyla přišla válka, pro majitele panství pravá pohroma; stále však zůstal pro dědice starého hraběte pěkný zbytek, až na to, že obě právě jmenované tety se zdráhaly provdat; mladší z nich, Jeannetta, se konečně vdala za hraběte Ottu Loebena (umělecké jméno Isidorius Orientalis). Kdo se na tohoto neduživého, churavého básníka, utkaného z vůně a měsíčního svitu, zadíval, nemohl se ubránit úsměvu, když pohlédl na naši milou Jeannettu: byla dojemně šeredná, s nosem ohrnutým vzhůru, měla velká ústa plná ošklivě rostlých zubů, byla drsná, někdy až hrubá, ale srdce měla z ryzího zlata a láska, s níž visela na kněžně Paulině, ji činila až poetickou; když pomyslím na lidi pevného charakteru a oddané věrnosti, vždy vidím ji a její sestru Vilemínu. Ta se provdala později za hraběte Reichenbacha, ale tehdy se jmenovala ještě Bresslerová; byla uhlazenější, vzdělanější a hezčí než její sestra, ale právě tak spravedlivá, velkorysá a dobrá."

„Obě již dávno zemřely," postesk la si Emilie von Binzer při psaní těchto vzpomínek v roce 1872 a pokračovala:

„Ještě beru z alba obrázek jejich neteře Pauliny Bresslerové, sestry mé schovanecké sestry Kláry, s níž jsem se stýkala až do svého stáří; její kulatý obličej zdravé barvy se časem změnil v tvář hezké matrony, do jejíhož života zasáhlo mnoho hořkých osudů."[3]

Dovídáme se ještě o třetí tetě Kláry Bresslerové, nejmladší sestře obou hraběnek, o hraběnce Klementině, provdané Solms zu Sonnenwald z Drážďan. I s ní se Emilie dobře znala. Narodila se asi roku 1789.

Měla vysokou štíhlou postavu, na dlouhém krku malou hlavu, nízké čelo, rovný nos a velké tmavé oči. Brada ustupovala poněkud dozadu a ústa měla stejně nehezká jako její sestry. Těžko říci, jestli se Klára v něčem svým tetám podobala.

Na Kláru si zachovala Emilie hezkou vzpomínku. Ve stáří o ní napsala: „Byla jako anděl a její krása spočívala hlavně v jejích poetických očích."

Zajímavé je, že Klářin dědeček nemyslel při předávání statků na „svého syna", Klářina otce. Buď byl syn tehdy příliš lehkovážný (Emilie říká, že se mu s majetkem vedlo jako jejímu otci), nebo zde byl jiný, nám neznámý důvod.

V roce 1812 dostaly Emilie a Klára novou schovaneckou sestru. Byla jí již vícekrát zmíněná Marie Wilsonová, nemanželská dcera kněžny Pauliny Hohenzollernové a Louise Rohana, prvního manžela Kateřiny Zaháňské. Vévodkyně Zahášská ji toho roku převezla po svém pobytu v Karlových Varech z Löbichau do Vídně. Marii bylo tehdy sedm let a to byl v rodině Kuronských čas, odkdy se dítě podrobovalo řízené výchově.

Klemens Brühl napsal, že „druhé dvě schovanky byly jasnějšího původu než Marie".

Naráží tím na její nemanželský původ, který se mimo rodinu přísně tajil a při různých příležitostech ne zcela stejně prezentoval. Za den jejího narození se uváděl 8. prosinec 1805, za místo narození Paříž.

Vzhledem k tomu, že všechno nasvědčuje tomu, že se dívka narodila v Praze, bylo pátráno po jejím křestním záznamu. Nalezen nebyl. Pouze poněkud záhadný zápis o křtu Marie Luisy Pauliny, dcery služebníků Stahlových, bydlících v Praze na Malé Straně v Kuronském paláci u Pauliny z Hohenzollernů. Oba služebníci pocházeli z kuronské Mitavy.

Pro zajímavost uveďme celé znění tohoto výpisu z matriky křtů:

Rok narození	1805
Den narození	31. 10.
Den křtu	1. 11.
Dům čp.	Malá Strana
Jméno	Maria Luise Pauline
Náboženství	prot. augsb. conf.

Otec	Christian Stahl, komorník Její Jasnosti kněžny von Hohenzollern-Hechingen
Matka	Benigna Lilia
Kmotři	1. Paulina, dědičná princezna von Hohenzollern-Hechingen
	2. princ Louis de Rohan
	3. princ de Rohan
	4. Amélie de Seignan
	5. Mathilde de Waldhorn
	6. L. D. August d'Auteuil
	7. Saunier, kapitán
Kde a kým pokřtěno	V domě rodičů pro vzdálenost od kostela ode mne pastora M. G. Seihma
Porodní bába	Anna Zettlinová čp. 99 Malá Strana
Farní okres	Panna Marie Vítězná

Zajímavé je, že matka je uvedena pod svým dívčím jménem Liliová, ač v Praze existuje doklad, že se zde 4. 11. 1804 provdala za Christiana Stahla. Pozoruhodné je i to, že dítě prostých služebníků mělo tak vznešené kmotry a že Paulina, která byla těsně před slehnutím a nevěděla, zda se také jí nenarodí děvčátko, postoupila celé své jméno *Maria Luise Pauline*, ve všech třech jeho složkách, jak je sama obdržela při křtu, tomuto novorozenci. Sama je jako kmotra uvedena na místě prvním, Louis Rohan na místě druhém. Dítě obyčejných sloužících mělo šest kmotrů z řad šlechty, sedmého kapitána.[4]

Pro kněžninu vlastní a jedinou dceru zbylo pouze jméno Marie a dosud neobjasněné příjmení Wilson.

Pro úplnost je nutno dodat, že byl nalezen záznam o úmrtí této dívenky, pokřtěné l. 11. 1805. Doklad byl vyhotoven dne 16. 6. 1806.

Vnucuje se otázka, zda dítě skutečně zemřelo, nebo jestli se tímto zápisem nevyřadilo pouze z rodiny Stahlových a nebylo předáno na vychování do Löbichau. Nelze vyloučit, že se zopakovala utajovací metoda, jak jsme ji poznali při narození Gustavy Armfeltové. I tam bylo v křestní knize změněno datum narození a dítěti přiřčeni jiní rodiče. Také Kateřina Zaháňská figurovala jen jako kmotra. Vyslovenou otázku nelze samozřejmě povýšit na hypotézu nebo jí dokonce operovat.

Marie byla vychovávána až do svého sedmého roku v Löbichau u bývalé oddané služebné a důvěrnice vévodkyně Dorothey Kuronské. Vzhledem k tomu, že tato žena sehrála v rodině Kuronských zcela mimořádnou úlohu a prokázala věrnost a mlčenlivost až za hrob, zasluhuje si v rámci úvah o schovankách malé zastavení.

Jmenovala se za svobodna Karolina Sofie Charlotta Simonová. Narodila se v roce 1770 a později vstoupila do služeb vévodkyně Kuronské na zámcích Löbichau a Tannenfeld. Její první manžel August Friedrich Kirsten byl rovněž zaměstnancem vévodkyně Kuronské. Působil jako ekonomický inspektor v Tannenfeldu, kde také 27. 3. 1808 ve věku 39 let zemřel. Tehdy byly Marii dva roky a čtyři měsíce. Na zámku u paní Kirstenové byl společně s Marií vychováván rovněž Fritz, nemanželský syn princezny Johany a Arnoldiho. V roce 1809 byl předán k další výchově do Berlína do rodiny dvorního rady Partheye. Rok poté ho adoptovala přítelkyně vévodkyně Kuronské, vdova Julie von Piattoli, rozená von Vietinghoff. Tak získal chlapec konečně řádné příjmení Piattoli. Později mu byl udělen i predikát von Piattoli. Svou závěť ze 14. 9. 1847 podepsal jako Friedrich svobodný pán von Piattoli Treuenstein. Fritz se narodil údajně 19. 9. 1800 v Praze. Je však pravděpodobné, že jeho narození se událo o nějaký měsíc dříve, jak již bylo zvažováno. Jeho křestní záznam nebyl rovněž zatím nalezen. K úmrtí Augusta Friedricha Kirstena se vztahuje dopis vévodkyně Kuronské, psaný 14. dubna 1808 osmiletému Fritzovi:

„Můj dobrý Fritzi,

udělal jsi mi svým dopisem opravdu radost. Poznávám z něho Tvé dobré srdce, když oplakáváš otce, který Tě tolik miloval, a utěšuješ svou pěstounskou matku. Zůstaň stále tak dobrý, můj milý Fritzi, následuj svou tetu Paulinu, která se nyní ujme Tvé výchovy, a uč se pilně. Pozdravuj, prosím, Jeannettu a všechny ostatní. Paulině napíšu sama. Za několik týdnů přijedu do Löbichau, abych Vás všechny opět spatřila."

G. Elbin se chybně domnívá, že Fritz oplakával smrt Scipiona Piattoliho. Ten však zemřel až začátkem roku 1809. Teprve po jeho smrti byl Fritz adoptován jeho ovdovělou ženou Julií a obdržel své nové příjmení Piattoli. V dopise zmíněná Paulina a Jeannetta jsou zřejmě dvě dcery paní Kirstenové. První se jmenovala Frederika Paulina. Ve skutečnosti šlo o nemanželskou dceru hraběte Johanna von Medem, mladšího z dvou bratrů Dorothey Kuronské. Tato dívka se narodila v Berlíně v době, kdy tam Johann sloužil jako důstojník. Pak ji adoptovali manželé Kirstenovi. 14. 7. 1812 ji teta Elisa von der Recke provdala za evangelického faráře Pleißnera z Groß-Stechau, což je obec vedle zámeckého parku v Löbichau.

Paní Kirstenová vykazovala ještě dceru Jeannettu, která se později provdala za Dr. Streita z Gery, a dceru Mariannu. Dosud není zjištěno, zda se jednalo o další adoptivní děti.

7. 8. 1809 se vdova Kirstenová provdala za Johanna Daniela Jägera, dvorního zlatníka vévodkyně Kuronské. Od té doby je označována jako paní Jägerová. Byla jeho třetí ženou.

O dcerách paní Kirstenové je zmínka i v dopise psaném vévodkyní Kuronskou 26. 3. 1803 a adresovaném neteři Paulině:

„Jsem velmi ráda, že Marianne je dobré dítě. Řekni Jeannettě, že na ni nezapomínám; posílám jí krajkový šátek a Tobě obrázek. Polib Fritze. – Dorothea von Courland."

Později bydlela paní Jägerová v nedalekém Ronneburgu, kde ji její bývalí schovanci Fritz a Marie ještě navštěvovali. Jméno Jägerová se kolem roku 1830 objevuje v Zaháni. Dosud se nepodařilo zjistit, zda jde jen o shodu jmen, nebo zda je ve hře paní Jägerová z Ronneburgu. V Zaháni se vyskytuje žena tohoto jména v 30. letech minulého století v roli kastelánky vévodkyně Zaháňské.

V archivu v Zieloné Góře se údajně přechovávají dva dopisy psané kastelánkou Jägerovou, v nichž se sděluje, že v Zaháni byla v letech 1831 a 1834 (?) Barunka Panklová. Tuto informaci předal ředitel archivu pouze ústně. Doklady předloženy nebyly.[5] V případě, že se tato zpráva zakládá na pravdě, byl by to jednak důkaz, že Božena Němcová nepřijela do Zaháně poprvé až v roce 1848, ale že zde byla již v době, kdy žila jako schovanka správců Hochových na chvalkovickém zámku. Zároveň by vyvstala otázka vztahu paní Jägerové a Barunky Panklové. Znala paní Jägerová Barunku již z dřívějších let? Jaký byl účel návštěvy Barunky v roce 1831 v Zaháni? Všechno nasvědčuje tomu, že v době chvalkovického pobytu byla snaha najít Barunce vhodného ženicha. Měl jím být pravděpodobně Leopold Weisflog, pocházející z rodiny zaháňského rychtáře a spisovatele, příbuzného správce Hocha. Ten se v Chvalkovicích o Barunku zajímal. Byl to důvod, proč přivezli Barunku s sebou do Zaháně? Tím by se dalo i vysvětlit, proč právě 10. 11. 1831 byl vyžádán (nevíme, na čí podnět) opis křestního záznamu Barbory Panklové z vídeňské matriky. Barunka se zřejmě ocitla ve věku, kdy se v šlechtických rodinách začaly dívky uvádět do společnosti. Paní Jägerová zemřela 15. 7. 1842 v Ronneburgu.

Schovanka Marie přirostla vévodkyni Zaháňské obzvláště k srdci. Byla prý andělem krásy a dobroty, mírná a snadno ovladatelná. Všude byla oblíbená. Vroucně ji milovaly i její schovanecké sestry.

Kateřina Zaháňská uplatňovala ve výchově schovanek podobné metody, jakými byla vychovávána sama. Dopřála jim však ještě lepší a soustavnější vzdělání. Vybírala pro ně výchovné ústavy dobrého jména, ale zajišťovala jim i domácí učitele a vychovatelky. Příležitostně braly hodiny a lekce u významných umělců a vědců, kteří se nacházeli v blízkosti vévodkyně.

Schovanky byly vyučovány ve zpěvu, učily se kreslit a malovat, braly hodiny tance a dramatické výchovy, byly seznamovány s literaturou a cvičily se v uměleckém přednesu. Mimořádný důraz byl od nejútlejšího dětství kladen na znalost francouzského a anglického jazyka.

Emilie napsala o Kateřině:

„Na mých hodinách zpěvu se sama horlivě podílela, zpívala se mnou druhý hlas a jednou také s mým starým tlustým učitelem Tomasellim. Ten získal vzdělání v nejlepší italské škole v Bergamu spolu se slavným sopranistou Luigi Marchesim a s otcem proslulého tenoristy Davida."

Vévodkyně Zaháňská milovala schovanky jako své vlastní děti. Brala je s sebou na cesty a dopřála jim vše, co mohlo přispět k rozvoji jejich osobnosti. Doprovázely ji i do lázní. Emilie vzpomíná, jak se koupaly v Badenu v sirné vodě, oblečené jen do dlouhých flanelových košilí. Dámy se bavily, schovanky naslouchaly a Emilie se svým pověstným smyslem pro humor poznamenala, že některou dámu odtud zná jen jako „poprsí".

Kateřina Zaháňská nazývala v důvěrném styku svou nejstarší schovanku „Em". Dívky zase vévodkyni oslovovaly „maman". Z pera Emilie se nám zachoval živý obrázek o tom, jak Kateřina o dívky pečovala:

„Když jsme odrostly výchovnému ústavu, nechávala nás vévodkyně u sebe a neželela žádné námahy ani peněz, aby nám dopřála prvotřídní výchovu; o vlastní děti by nebyla mohla pečovat starostlivěji; pohybovaly jsme se okolo ní a ona s námi prováděla roztomilé hry. Mezi ně patřil zvláštní tanec, který předvedla, když bosýma nohama seskočila na měkký koberec. Když jsme pukaly smíchy, skočila zase do postele. To byla ta vážná, majestátní žena, která připadala všem cizím jako nedostupný obraz. Ovšem uměla být velmi přísná a tvrdím, že žádné dítě nebylo peskováno více než já, a protože jsem byla nejstarší, dostala jsem svůj díl obvykle za všechny tři. Mou lásku k ní to však ani v nejmenším neovlivnilo. Dopřála nám mnoho radostí, posílala nás nebo jela s námi do divadla nebo tam, kde bylo něco k vidění. Brala nás na vyjížďky kočárem a dovolila nám zúčastnit se v pěkných šatech na 1. máje velké jízdy do Prátru ve své nové ekvipáži."

Dlouho zůstávaly schovanky zcela v pozadí, ale jakmile dosáhly patnácti let, byly uváděny do společnosti. Přitom se dbalo na jejich chování, vystupování, vštěpovala se jim zdrženlivost a přirozenost, ale o to více se hledělo, aby uměly duchaplně konverzovat. Když se schovanky začaly objevovat na veřejnosti, vždy v doprovodu guvernantky, budily velkou pozornost.

Také policejní agent, jenž střežil v Badenu každý pohyb vévodkyně Zaháňské a kněžny von Hohenzollern, hlásil svému nadřízenému v době vídeňského kongresu, že „v domě vévodkyně je velmi hezká blond dívka, která platí za adoptivní dítě, ale ve skutečnosti je vlastní dcerou vévodkyně". To byl poukaz na Emilii. Fámy o dítěti Kateřiny Zaháňské nebyly bezdůvodné. O Gustavě se sice nevědělo, ale bylo to bezesporu právě její narození, jakkoli tajené, které způsobilo, že se zprávy o nemanželských dětech vévodkyně Zaháňské ve zkreslené podobě šířily mezi lidmi.

V nedávné době se v našem tisku zase objevil nápad, že Klára Bresslerová mohla být matkou Boženy Němcové. Vyšlo se z toho, že tato schovanka zemřela v roce 1818 ve Florencii. Tento rok se směle prohlásil za jedině správný rok narození Boženy Němcové a usoudilo se, že Klára Bresslerová mohla porodit ve Vídni Barunku, pokračovat dále do Itálie a zemřít na následky porodu ve Florencii.[6]

Abychom mohly tuto spekulaci vyvrátit nebo přinejmenším prohlásit za nepodloženou, shrňme všechny věrohodné údaje, které se o roce 1818 zachovaly.

Podle Clemense Brühla trávila vévodkyně Zaháňská část zimy

1817/18 se schovankami v Zaháni. V lednu pobývala ve Vídni, ale po svých narozeninách 8. února se vrátila zpět do Zaháně.

V květnu se zde konalo velké rodinné setkání, jehož se zúčastnily vedle Elisy von der Recke a jejího přítele Tiedgeho i obě sestry Kateřiny Zaháňské, a to Paulina kněžna Hohenzollernová a Johana vévodkyně Acerenza se svou schovankou Louisou Seignoret de Villiers. 22. května 1818 sem zavítala i vévodkyně Kuronská, která se po ročním pobytu v rodném Kuronsku vracela přes Zaháň zpět do Paříže. Setkání se zúčastnila také řada mužů a žen náležejících k přátelům rodiny.

Když otevřeme deník vévodkyně Kuronské, dovídáme se, jak toto setkání probíhalo. Zápisy jsou nejen autentickým obrázkem toho, co se dělo v roce 1818 kolem schovanek, tedy i kolem Kláry Bresslerové, ale jsou i živým zobrazením prostředí, času a života na zámku zaháňském. Zaměřme však nyní pozornost hlavně na schovanku Kláru.

Dorothea Kuronská si do svého deníku zapsala (doslovný překlad z německého originálu):

„Zaháň, pátek 22. 5. 1818

Minulou noc jsem přijela v půl druhé ráno. V Crohsenu jsem našla dopisy od Vilemíny, která mi psala, že je nemožné, abych zůstala v Nannenburgu. Našla jsem zde koně ze Zaháně a jela tedy bez zastávky dál. Čekali na mne. Mé děti mě láskyplně objaly a u postele Elisy jsme pily čaj, povídaly a po 4. hodině jsem si šla lehnout.

Společnost je zde dosti velká. Mimo mé děti, jejich schovanky, Elisu a Tiedgeho, Plümtala, ředitele a tajného radu Andrého jsou zde návštěvou hraběnka Stolbergová se synem, generál Vieth, Theodor Solms s paní a děckem, kněžna von Loeben, rozená Bresslerová, Mimi Bresslerová a poručík Liebermann a Trogoffová, která již patří k domu. – Den plynul při zábavě – Elise a Vilemíně nebylo právě dobře. Večer zpívala Paulina s Emilií Gerschauovou, která má hezký hlas. – Dostala jsem upomínky od svých dětí a od Elisy a výkresy od schovanek, které jsou u Vilemíny. Z Kláry Bresslerové je pěkná dívka, Marie Wilsonová povyrostla a je velmi hezká. Obě dvě a rovněž Emilie kreslí dobře. Také Louisa je mnohem hezčí než dříve.

Sobota 23. 5.

Dnes ráno jsem rozdala všechny dárky, které jsem přivezla. – Ale dříve než budu hovořit o tom, jak probíhal den, musím poznamenat, že obyvatelé města pod vedením magistrátu vytáhli včera večer s 60 pochodněmi a hudbou a přivítali mě ranami z hmoždířů. Také starosta projevil jménem občanů radost nad mým příjezdem a pronesl řeč, kterou jsem s díky opětovala. Členové zdejšího představenstva a ti, kteří byli za mých časů v úřadě, se nechali včetně svých rodin představit, rovněž paní von Durre a paní tajná radová Andréová. Generál Dobrkatz a Valentin přijeli a rozmnožili svitu. – Prohlédla jsem si zahradu, je velice pěkná. Zdobí ji keře plné květů, Mariánský ostrov je příjemné místečko a pěkný je i most přes Bobr. – Prošla jsem celý zámek, je to vskutku krásná stavba. Vilemína mi přenechala svůj appartement. Bydlím velmi dobře. – Večer jsme měli divadelní představení. Emilie Gerschauová se objevila napřed na jevišti a deklamovala velmi hezky Tiedgeho verše." (Následuje báseň *Hvězda* – lyrická óda na vévodkyni Kuronskou. Básník Tiedge přirovnává Dorotheu k nedostižné hvězdě, po níž všichni touží a s níž mají nyní to štěstí se opět setkat.)

„Pak se hrála hra *Novomanželé*. Emilie, Paulina, Vilemína, Vieth, Solms, Liebermann a Stolberg – všichni hráli moc dobře, výborně generál Vieth. Byla půlnoc, když jsme pili čaj a pak se rozloučili.

Neděle 24. 5.

Ráno uběhlo v kruhu mých drahých – každý mě chce mít pro sebe – takže mi nezbývá ani okamžik volna. Obědvali jsme asi v 5 hodin a v 9 hodin bylo zase divadlo. Hráli dvě scény z *Marie Stuartovny* – prvotřídně. Vilemína byla překrásná a hrála Alžbětu velmi dobře. Vystihla charakter s důstojností, ale ne tak směle jako většina hereček. Paulina v roli Marie byla nezapomenutelná. – Držení těla, řeč a přednes – vše bylo dokonalé – také žádné oko nezůstalo suché a nikdy jsem neviděla tuto roli zahrát lépe. Vieth předčí každého německého herce. On dělal režiséra, cit a rozum ovlivnily jeho vystupování, mluvu… Solms hrál skvěle Shrewsburyho a Melvila. Dobrkatz se pro úlohu Burleigha nehodil. Pak hráli *Poklad* – pěkný kus – Vieth byl vynikající a dařilo se mu i ve veselohře. – Také Emilie se zhostila své úlohy dobře.

Pondělí 25. 5.

Naše polední tabule se obohatila o několik pánů z města. Dnešním divadelním představením byli *Důvěrníci*, kde se opět vyznamenal Vieth, ostatní se nenaučili svým rolím dobře. Pak hráli *Maličkosti* – pěkně hráli zejména Paulina a Vieth.

Úterý 26.5.
Čas plyne rychle, je-li člověk obklopen láskou. Část rána jsem strávila u Elisy, psala jsem dopisy a hovořila střídavě se svými dětmi. – Včera a dnes zde obědvali někteří z města. Večer hráli kousky *Zkouška, Svedení* a *Blesk.* Karel hrál v první hře. Šlo to dobře a Vieth se v těch třech různých úlohách překonával. Po čaji musely schovanky tančit. Nejlépe tančila Klára a Marie. Dospělí se k nim připojili a já musela chtě nechtě s nimi tančit několik valčíků. Je jedna hodina po půlnoci.
Psáno v Hohlsteinu
Středa 27. 5.
Před desátou hodinou jsem opustila Zaháň. Paulina sem jela už v 8 hodin s Jeanettou Loebenovou. S Elisou, která cestuje do Karlových Varů, jsem se rozloučila. Johana jela se mnou, Louisa a Marie jely s Karlem. V Antonově hospodě jsme vyměnili koně a pili dobré mléko. – Měli jsme ošklivou písčitou silnici a cesta nám trvala 9 hodin. – Vedro a prach byly nanejvýš nepříjemné, jinak uběhl čas při zábavě s Johanou rychle. Paulina nás přivítala láskyplně. Krajina zde pod Krkonošemi je krásná a zámek příjemný k bydlení a velmi vkusně zařízený pěkným nábytkem. Je tu mnoho pokojů pro hosty a všechny velice dobře vybavené. – Paulina mi postoupila své pokoje. Obědvali jsme pozdě a ještě později jsme pili čaj. Únava nás zahnala na lůžko.
Čtvrtek 28. 5.
Vykoupala jsem se, pak za mnou přišla Paulina a Johana k mé posteli, tam jsme snídaly a četly úryvky z mého deníku. Později jsme si prohlédly přízemí zámku – procházely se v parku, který má vysoké skály a údolí a vypadá moc hezky. – Navštívily jsme Paulinin roztomilý švýcarský domeček a malý domeček Johanin. – Než jsme se vrátily domů, přijeli Vilemína, Emilie, Klára, Trogoffová a Hermann Stolberg. Hned bylo všechno živější. Mládež zpívala, já je doprovázela, tančila jsem s dětmi, hrála pasiáns a později svou partii whistu.
Pátek 29. 5.
Počasí se pokazilo, prší – nelze jít z domu, o to víc jsme všichni pohromadě, bavíme se, zpíváme, hrajeme na klavír – vykládáme pasiáns a ke konci dne si dáme partii whistu. – Mé děti, jejich schovanecké děti a někteří jejich kamarádi jedou do Švýcarska a do Itálie – přejí si, abych je v Lausanne navštívila a nejméně 14 dní prožila s nimi;

jsou to krásné sny, které se možná splní – zatím to jsou hezké plány a s tím spojené radovánky v zemi svobody a nádherné přírody. Dny v kruhu dětí a dobrých lidí také dospěly ke svému konci. Zítra ráno odjíždím. Až do Löbichau nebude cesta moc příjemná, silnice jsou špatné a jejich stav se častými dešti stále zhoršuje. Avšak už toužím po klidu a po větším řádu v každodenním životě."

O dalším toku událostí roku 1818 se dovídáme opět od rodinného historika Clemense Brühla.

Kateřina se chystala ukázat schovankám Itálii a její antické kulturní památky. Nejprve se zastavily v Ratibořicích, kam přijel i hrabě Schulenburg a řada dalších přátel. Před odjezdem do Itálie chtěla Kateřina se schovankami strávit ještě nějaký čas v Karlových Varech. Bylo zde mnoho známých: kromě obou sester, Pauliny a Johany, byl přítomen otec Kláry Bresslerové, jeho sestra hraběnka Jeannetta von Loeben, která byla před nedávnem v Zaháni, a její manžel píšící básně pod pseudonymem Isidorius Orientalis. Byl zde rovněž Metternich a Gentz, kníže Windischgrätz, hrabě Karel Clam-Martinic, bratranec Biron ze Slezska, manželé Schwarzenbergovi, ale i Goethe se zpěvačkou Angelikou Catalani.

Stewart v tomto roce už přítomen nebyl. Proslýchalo se, že hodlá v Anglii vstoupit do stavu manželského, a to s mladou bohatou lady Fanny Vaneovou.

Pořádaly se slavnostní obědy a večeře, plesy a vyjížďky kočáry do Lokte a Dubí, vedly se dlouhé politické rozhovory. Náhle však onemocněla schovanka Klára nervovou horečkou. Protože byla křehká a slabého vzrůstu, obávali se nejhoršího. Vévodkyně odložila cestu a rozhodovala se, zda ji nemá zrušit. Zdržela se v Karlových Varech celkem pět týdnů.

Paulina s Emilií a Marií jely už napřed do Lausanne, kde chtěly na ostatní počkat. Pak se zdravotní stav Kláry zlepšil a vévodkyně Zaháňská usoudila, že teplé jižní slunce pomůže schovance se zotavit.

Clemens Brühl napsal:

„Tak opustila Vilemína 10. srpna Karlovy Vary se svou stálou průvodkyní, tabák šňupající Trogoffovou, a s malou bledou schovankou Klárou, kvůli které by se byla nejraději cesty vzdala. Přes Františkovy Lázně a Cheb jely do Švýcarska, kde se setkaly s Paulinou a oběma dalšími schovankami, kde byl také Paulinin syn Konstantin a Fritz Piattoli a kam dorazila z Karlových Varů i Johana."

Do Itálie doprovázela Kateřinu a její tři schovanky pouze sestra Paulina. Tam se k nim připojil princ Reuß a Pavel Esterházy, nově jmenovaný vyslancem v Londýně. K údivu všech se nezúčastnil s Metternichem kongresu v Cáchách.

V teple Itálie, obklopena přáteli, krásnou přírodou a poklady umění, vévodkyně opět pookřála. Odpoutala se od politických problémů a vychutnávala klid cesty a lásku dětí.

Pak přišla Florencie. U Kláry Bresslerové, která se ještě zcela nezotavila po své karlovarské nemoci a i cestou postonávala, propukla nemoc znovu naplno. Brzy bylo zřejmé, že pro ni není záchrany.

Klára zesnula v listopadu 1818 ve svých sedmnácti letech. Kateřina tuto ztrátu nesla těžce.

V deníku vévodkyně Kuronské nalézáme malou opožděnou zprávu:

„Paříž v pondělí 7. 12. 1818

Talleyrand, Lavalová, Tyszkiewiczová, Karel Warrender a Jamboni mě navštívili dnes ráno. Warrender mi sdělil některé podrobnosti o smrti Kláry Bresslerové ve Florencii. – Tento nečekaný skon šestnáctiletého děvčete mi způsobil starosti o Vilemínu, která pociťuje tuto ztrátu zajisté bolestivě."

Josef von Brassier, přítel schovanek od dětských let, syn správce majetku kněžny Pauliny, napsal na tragickou událost, která jejich veselý kroužek zasáhla tak zblízka šípem smrti, báseň, v níž lká nad tím, proč si krásná Itálie vzala tak krutou daň.

Co dodat? Předně ze všech zpráv vyplývá, že výchově schovanek a jejich bezúhonnosti byla věnována mimořádná pozornost. Snad o to větší, že Kateřina nesla za ně odpovědnost i před jejich rodiči. Dívky byly pod stálým dohledem vychovatelek a učitelů a pod dohledem vzájemným. Klára se koncem května v Zaháni a v Hohlsteinu předváděla tancem a vysloužila si pochvalu nejlépe tančící schovanky. Nebyla před nikým schovávána, zúčastnila se dokonce i pobytu v Karlových Varech, kde se scházela v létě bohatá společnost, nezaměstnaná ničím jiným než zábavou a společenskými událostmi. Zajisté by nebylo ušlo pozornosti, kdyby tak mladé děvče z tak známé a významné rodiny bylo gravidní. Navíc nelze připustit, že by Kateřina Zaháňská brala Kláru v takovém stavu s sebou do lázní nebo dokonce na cestu do Itálie.

Jak mapa ukazuje, trasa vedla naše cestující z Karlových Varů na západ, obloukem velmi vzdáleným Vídni. Není třeba tuto situaci rozebírat dále. Lidé umírali – staří i mladí – a tehdy o to více, že lékařská praxe byla přiměřeně vývoji vědy nevyspělá. Diagnóza „nervová horečka" se vyskytuje v minulém století často. Onemocněla jí Elisa von der Recke i básník Tiedge a Dorothea a vždy šlo o velmi vážný stav, kterému slabý organismus těžce odolával. Nervovou horečkou bylo označeno onemocnění projevující se vysokými horečkami, jejichž příčinu nedokázali lékaři tehdy přesněji stanovit a neznali ani lék, jímž by horečkám zabránili.

Zpráva o Kláře Bresslerové jakožto matce B. N. byla otištěna i v pedagogickém tisku (časopis Komenský č. 1 1994), a proto si tato otázka zasloužila hlubšího rozboru.

Stejně neodpovědně byla publikována v letošním roce úvaha, že Klára mohla mít „své dítě" s jedenašedesátiletým malířem Giuseppem Grassim (1757–1838), o němž Ottův Slovník naučný přináší zprávu, že žil od roku 1816 do roku 1821 jako ředitel malířských stipendistů v Římě.

Podíváme-li se blíže na pohyb Kateřiny Zaháňské v těchto letech (schovanky ji většinou doprovázely), jak ho na základě korespondence popsal Clemens Brühl, vyplývá z toho následující přehled:

22. 7. 1815 – září 1815 Paříž (zde se píše, že vévodkyni doprovázela pouze Emilie), říjen 1815 – únor 1816 Itálie (bez bližších informací), únor 1816 – duben 1816 Vídeň, květen 1816 – červen 1816 Ratibořice, červenec 1816 – srpen 1816 Baden, srpen 1816 – květen 1817 Vídeň, červen 1817 – Karlovy Vary, červenec 1817 – Ratibořice, podzim 1817 – leden 1818 Zaháň, leden 1818 – zač. února 1818 Vídeň, únor 1818 – květen 1818 Zaháň, červen 1818 – Ratibořice, červenec 1818 – 10. srpen 1818 Karlovy Vary, srpen 1818 – Lausanne, září 1818 – leden 1819 Itálie.

Po Klářině úmrtí zůstaly Kateřině Zaháňské schovanky dvě, sedmnáctiletá Emilie a třináctiletá Marie. V jejich blízkosti se pohybovala Louisa Seignoret de Villiers, schovanka vévodkyně z Acerenzy.

Uváděli ji jako dceru francouzského šlechtice, jehož opuštěné ženy se ujali dobří lidé a vychovali jejich děti. Louisina matka byla údajně Angličanka a dala své nejstarší dceři v Anglii hojně se vyskytující jméno Esther. V Praze v penzionátě jí spolužačky říkaly, že Ester je židovské jméno, a přejmenovaly ji na Louisu.

Měla ohnivě rudé vlasy, které v hustých loknách visely kolem jejího drobného bílého obličeje. Emilie poznamenala: „Když klidně seděla nebo stála, byla její postava bezvadná, ale chyběla jí grácie. Dnes by lidé barvu jejích vlasů obdivovali, tehdy jí ji většinou promíjeli, jiní však ji proto označovali za škaredou, a to tím více, že měla řasy a obočí bílé."

O Emilii zas napsal Gustav Parthey, přítel schovanek z mládí: „Slečna Emilie, společenská dáma vévodkyně Zaháňské, byla bezesporu nejduchaplnější osoba našeho mladého kroužku. Aniž byla hezká, poutala výmluvnýma modrýma očima, vznešenou bledostí a světlými vlasy se zlatavým třpytem."

Tento svůj popis Emilie upřesnila: „Já doplňuji, že jsem měla tmavé řasy a obočí, že jsem byla mimořádně štíhlá, ba hubená, a že jsem na plese a zejména na jevišti vypadala asi velmi dobře, protože jsem slyšela, jak si to říkali nebo šeptali."

Emilie platila od dětských let za dívku velice inteligentní. Vydržela dlouhé hodiny se zájmem naslouchat i složitým rozhovorům, a proto se vévodkyně snažila její vlohy všestranně rozvíjet. V roce 1820 pozvala do Záháně svou nezapomenutelnou učitelku Antonii Forsterovou. Chtěla, aby také Em poznala tuto mimořádnou ženu a měla možnost se pod jejím vedením učit a převzít něco z jejích osobitých názorů. Forsterová procvičovala Emilii v angličtině a seznamovala ji s anglickou literaturou. Dívka musela předčítat anglickou prózu a poezii, někdy četla sama učitelka. Emilie k ní docházela denně na několik hodin. Jednou své učitelce řekla, že Schulenburg „vyhnal" jednoho sloužícího. Forsterová se na ni podívala přísnýma očima a řekla:

„Takový výraz vyslovujete bez přemýšlení, i když ten propuštěný není žádný zloděj nebo lump. Je to člověk jako každý druhý, a slovo, které se hodí pro psa, nelze uplatnit na lidi."

Emilie si zapamatovala také její oblíbený výrok, který už znala Kateřina ze svých dětských let, že „lidská bázeň by neměla odradit člověka dělat to, co je správné".

O Marii Emilie napsala: „Moje schovanecká sestra byla ještě napůl dítě, ovšem anděl dobra a mlčenlivosti, vroucně a sestersky se mnou svázaná tehdy a ještě dnes."

Clemens Brühl o Marii říká: „Malá Wilsonová, dítě nadobyčej tiché, byla opravdový anděl co do krásy a dobroty. Měla překrásné zlaté vlasy, do nichž se mohla celá zahalit."

Ve starém deníku čteme, že v červenci 1820 přijel za Marií do Löbichau Louis Rohan, a že ona „se mu také podobá více než matce".

Básník Tiedge přirovnal tyto tři schovanky podle barvy jejich vlasů ke květinám:

„Silberlilie und Feuerlilie mischen
Ihren Farbenschein und dazwischen
Blüht ein zartes Amaranth."

(Stříbrná lilie a ohnivá lilie
smísily své barvy a mezi nimi
vykvetl něžný laskavec.)

Když v roce 1819 požádala vévodkyně Zaháňská konzistorního radu Marheinecka, aby jí doporučil kandidáta, který by připravil Marii ke konfirmaci, poslal jí mladíka s mizivými vědomostmi. Také její vychovatelka slečna Bomhardová neměla schopnost předávat své svěřenkyni hlubší myšlenky. Emilie o těchto dvou vychovatelích, jejich výchovných metodách a účinnosti výchovného působení napsala: „Žákyně tohoto kandidáta stojícího na nejnižším stupni vzdělanosti a té sice dobré, ale nanejvýš omezené, stále pro nějakou romantickou lásku hořící vychovatelky, bez taktu a bez názorů, se vyvinula v jednu z nejušlechtilejších a nejlaskavějších žen, o kterých nelze hovořit dvojím jazykem. Tak co je výchova? Z každého bude prostě to, k čemu je stvořen; ovšem nelze to brát zcela doslovně."

Milou vzpomínku na Marii zachytil ve svém stáří roku 1872 Gustav Parthey. Vzpomínal na konfirmaci v Groß-Stechau, jíž se zúčastnil na podzim 1820: „Významná nábožná slavnost nám byla připravena ve vesnickém kostele při konfirmaci rozkošné slečny Marie… na hudebních večírcích zpívala zvučným altem, který, i když hovořila, rozněcoval všechny struny srdce do radostného chvění. Když u oltáře říkala své prosté vyznání víry melodickým hlasem, bylo přítomným zatěžko skrýt pohnutí… Ještě vidím před sebou ten kostel ozdobený koberci, Marii klečící před oltářem a obyvatele zámku, sesedlé do kruhu. A ti všichni jsou, až na několik, mrtvi. Vévodkyně Acerenza, hrabě Petr Medem, po smrti staršího bratra pán na Elley v Kuronsku, hrabě Brassier, Marie a já dosud žijeme: všichni staří! staří! Ó časy mládí!"

Často se objevuje otázka, která ze schovanek Kateřiny Zaháňské byla Boženě Němcové předlohou pro komtesu Hortensii.

Hugo Rokyta, který na toto téma napsal samostatnou studii, je přesvědčen, že prototypem byla Němcové Emilie von Gerschau. Zdůvodňuje svůj názor tím, že Emilie vyrostla ve spisovatelku, a domnívá se, že „její literární osud nemohl zůstat lhostejný pro budoucí autorku Babičky".[7]

Rovněž v brožuře „Ratibořice" Hugo Rokyta o Emilii říká:

„Z bledých schovanek paní kněžny se podobá komtese Hortensii z Babičky nejvíce. Když ji poznala Barunka v zámeckém parku v Ratibořicích, byla již provdána jako baronka Binzerová a literárně činná."

Toto stanovisko přejímají i další autoři, např. V. Černý, L. Mühlstein, Vl. Kovářík.

Jiný názor je však prezentován například při vydání Babičky v roce 1953, kde ve vysvětlivkách čteme:

„Hortensie, schovanka to kněžnina, jak se povídalo – je to patrně třetí schovanka Kateřiny Zaháňské a její miláček, Marie Steinach (Wilson), nar. 1805, dcera její sestry Pavlíny Hohenzollernské a Ludvíka Rohana, prvního manžela Kateřinina. Ve Florencii se nenarodila, za malíře se neprovdala, ale jediná ze schovanek se shoduje s Hortensií v Babičce věkem i vzhledem." Ke stejnému názoru se přiklání i Miloslav Novotný.

Karel Pleskač se zase domnívá, že komtesa Hortensie byla totožná s Louisou Seignoretovou. Způsobila to asi Kristla Celbová z Ratibořic, z Babičky nám známá Kristla ze mlýna, která se na schovanky dobře pamatovala a vyprávěla Aloisu Jiráskovi, že to byla Louisa, kdo maloval.

Protože se názory rozcházejí a uvádějí čtenáře do nejistoty, zaslouží si toto téma malé poohlédnutí.

Komtesa Hortensie vystupuje v Babičce jako půvabná, jemná dívka, pohybující se stále v blízkosti kněžny, je jí vroucně milována, spolu s ní střídá pobyty v Itálii s návštěvami ratibořického zámku, projíždí se na svém bělouši zámeckým parkem a okolím, laskavě rozmlouvá s lidmi, ráda beseduje s babičkou a s jejími vnoučaty, je mírné, laskavé povahy, miluje umění, sama maluje a nakonec po šťastné svatbě s malířem a narození chlapečka umírá ve vzdálené Itálii.

Přestože děj Babičky nelze brát doslova a už vůbec ne přikládat mu dokumentární význam, osoby vystupující v Babičce žily, Barunka je znala a staly se jí později námětem a vodítkem při literárním zpracování. Když B. Němcová s odstupem času psala Babičku, defilovali tito lidé v představách před jejíma očima, samozřejmě ve spektru spisovatelčina uměleckého vidění a potřeby literárního díla.

Otázka, kterou si položila řada literárních badatelů i čtenářů a kterou vyslovil také Hugo Rokyta, zní: Kdo byl prototypem komtesy Hortensie?

Barunka nikdy nespatřila Kláru Bresslerovou, neboť Klára zemřela dva roky před příchodem Panklovy rodiny do Ratibořic. Věděla o ní samozřejmě z vyprávění, které se dlouho udrželo mezi ratibořickými starousedlíky a znovu vzrušovalo posluchače tragičností schovančina skonu.

Emilii mohla Barunka spatřit jen jednou, a to v roce 1826, kdy se nikoliv v roli schovanky, ale jako vdaná pětadvacetiletá žena a matka tří dětí zúčastnila rodinného setkání, které svolávala vévodkyně po návratu z Itálie. Emilie přivezla s sebou svou dvouletou dcerku a navíc v té době očekávala narození čtvrtého dítěte.

Nebude to tedy ani Klára, ani Emilie, kdo vyvstává po letech před očima Boženy Němcové a je jí předlohou pro vykreslení postavy komtesy Hortensie.

Ani Traute Zachariewiczová se neztotožňuje s názorem Huga Rokyty a namítá: „V tomto článku předložená teze o Binzerové jako prototypu komtesy Hortensie v Němcové románové Babičce nemůže být platná již z časových důvodů."

Božena Němcová ve svém dětství potkávala a znala dvě schovanky: Marii a Louisu, přičemž Marie byla schovankou vévodkyně Zaháňské, Louisa schovankou Johany z Acerenzy. Jedině ony ji mohly inspirovat a motivovat pro vykreslení literární postavy: Louisa, jejíž rudé vlasy visely v hustých loknách kolem bledého obličeje s bílými řasami a obočím, a Marie, „anděl krásy a dobra", která se do svých zlatistých vlasů mohla celá zahalit.

V Babičce čteme:

„Vtom rozhrnula bílá ručka těžkou záclonu u dveří a mezi nimi se objevila rozkošná tvář mladého děvčete, ovinutá světlokaštanovými pletenci."

Není to Louisina barva vlasů, kterou má na mysli Němcová. Světle

Čtyři princezny Kuronské
jako čtyři Grácie.
Zleva Kateřina, Dorothea, Johana a Paulina.
Dva obrazy od G. Grassiho
z roku 1800.

Nejspíše Paulina,
kněžna Hohenzollernová.
Někteří potomci přičítají portrét
Kateřině Zaháňské.

Část antropometrické studie
prof. MUDr. Emanuela Vlčka, DrSc.,
při zjišťování totožnosti Kateřiny Zaháňské
na Enderově obraze z roku 1818.
Vlevo nahoře rysy tváře Kateřiny Zaháňské podle Kriehubera,
vpravo rysy její tváře podle Endera,
dole tvář otce vévody Kuronského.
Dcera vykazuje převážně rysy svého otce.

Metternichova vila na Rennwegu.
Litografie Eduarda Gurka.

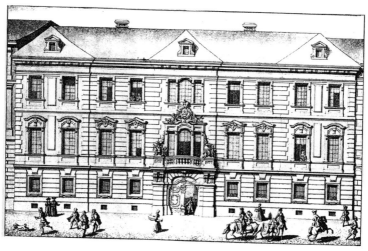

Palmovský palác na barokní rytině podle Salomona Kleinera.
V té době náležel palác ještě hraběti Althanovi.
Palác byl později zbořen.
Nacházel se v přední části Schenkenstraße, dnes Bankgasse.

Marie Luisa, arcivévodkyně rakouská,
císařovna francouzská.
Portrét namaloval François Pascal Gérard.

Psací stůl Kateřiny Zaháňské.
Mistrovské dílo francouzského
nábytkářského umění 18. století.
Psací stůl vlastnil původně
vévoda de Choiseul,
vévodkyně Zaháňská
ho zdědila po svém otci.

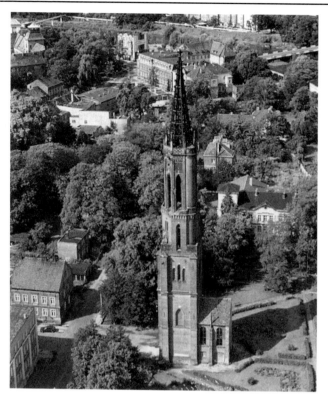

Hrobka Petra Birona v Zaháni.
Z původního kostela zbyla
po druhé světové válce pouze část.

Příkaz vévodkyně Zaháňské
sekretáři Viktoru Růžičkovi ze dne 31. 5. 1839:
„Ukládám Vám tímto odcestovat do Zaháně a zařídit Vám uložené úkoly."
(Rukopis vévodkyně z posledního roku života.)

kaštanové vlasy měla Marie. Ta rovněž jako Hortensie pobývala dlouho v Itálii, onemocněla tam zápalem plic a lékaři jí doporučili jako účinný léčebný prostředek jízdu na koni. Od té doby jízdu na koni milovala a také v Ratibořicích ji mohli lidé na koni potkávat. Rovněž narážky na Mariin nemanželský původ mohly být příčinou zmínky v Babičce: „Já slyšel," ptal se myslivec, „že je komtesa dcera – " vtom zaťukal někdo na okno... „Lidé mají zlé huby," odpověděla babička na myslivcovu otázku, „a kdo na slunci chodí, stíny ho následují, to jinak není, co na tom, ať je, čí je."

Přes konstatování, že Marie von Steinach byla předlohou pro komtesu Hortensii, nelze přehlédnout, že Němcová mohla převzít některé prvky od dalších schovanek a vetkat je do své románové postavy.

Zajisté ji inspiroval dojemný osud Kláry, která zemřela ve vzdálené Itálii. Uplatnila zřejmě i to, že Klářina matka byla označována za Kateřininu přítelkyni z mládí. Všechny schovanky dobře malovaly a měly svého učitele kreslení, Ernsta Welkera. B. Němcová se obdivovala výtvarnému umění, a když viděla, že schovanky také malovaly, přisoudila tuto dovednost i své Hortensii.

Kristla Celbová řekla ve stáří Jiráskovi, že to byla Louisa Seignoretová, která malovala. Také Hedvika Pabstová, dcera Gustava Pankla, bratra Boženy Němcové, se pamatovala na obrázek babičky Magdaleny Novotné s dvěma hošíky. Řekla Zdeňku Záhořovi, manželu vnučky Boženy Němcové, že podle rodinné tradice tento obrázek malovala komtesa, že obě dětské hlavičky byly roztomilé, stařenka měla bílý čepeček ovinutý hnědým šátkem, ale že se obrázek ztratil.

Pokud Louisa skutečně malovala více než Marie, převzala Němcová tento prvek patrně od ní.

Závěrem možno říci, že i když na komtesu Hortensii nutno pohlížet jako na zidealizovanou literární postavu, upředenou více z fiktivních představ než ze zobrazení skutečnosti, můžeme v této postavě tušit především Marii von Steinach. Ta byla pro spisovatelku bezděčným východiskem, protože ji osobně znala a zřejmě se jí také líbila.

Schovanky k vévodkyni Zaháňské neoddělitelně patřily. Těšila se jejich radostmi a prožívala jejich dívčí trápení. Když vyrostly, staly se jí přítelkyněmi. Těžce se s nimi loučila a s odchodem poslední z nich, milované Marie, odešly vévodkyni poslední zbytky štěstí, kterého pocítila v životě jen málo.

(XVI)
Löbichau – Dvůr múz

V roce 1796, kdy vévodkyně Kuronská po svém sblížení s polským hrabětem Alexandrem Batowským a po narození dcery Dorothey žila již čtvrtý rok téměř odloučena od manžela Petra Birona, koupila v tehdejším vévodství Sasko-Altenburg zámek Löbichau. Zámecký park sousedil s vesničkou stejného jména, která měla tehdy asi 300 obyvatel, a s vesničkou Groß-Stechau, kde stál evangelický kostel a fara.

Zámek ležel v úrodné rovině nedaleko Gery, asi dvě míle od městečka Altenburg. Silnice a cesty vinoucí se krajem byly osázeny ovocnými stromy, vesnická stavení porostlá popínavými růžemi, což dodávalo krajině milý a přívětivý vzhled. Když zjara rozkvetly jabloně, hrušně, třešně a švestky, proměnilo se okolí zámku v kvetoucí zahradu. Lesů tu nebylo, jen háje a skupiny stromů, a v létě, kam oko dohlédlo, vlnily se obilné lány, obtěžkané žitnými a pšeničnými klasy. Na podzim voněl kraj sladkou vůní ovoce.

Zámek neměl výhodnou polohu. Ležel v dolíku a ze všech stran se k němu sjíždělo z kopce. Z jeho oken se neotvíral pohled do širokého okolí a ani zámek nebylo zdaleka vidět. Přesto se stal nejoblíbenějším letním sídlem Dorothey Kuronské.

Spolu se zámkem převzala vévodkyně i na dvacet procesů, které vedl dřívější majitel pan Kutschenberg proti svým poddaným. Nová zámecká paní vyřešila velkoryse celý problém tím, že upustila od požadavků bývalé vrchnosti a stanovila nové, pro selský lid výhodnější povinnosti a práva. Tento čin jí vynesl jméno „kuronská dobrodějka". Kdosi prohlásil, že vévodkyně vyměnila privilegia za srdce, ale někteří panští sousedé reptali, že kazí staré mravy a zvyklosti, a označovali ji za zakuklenou jakobínku. Vévodkyně se však bránila slovy:

„Nechte mě, vím, co tím získám."

Získala si lásku svých poddaných a to jí bylo největší odměnou. Přízeň, kterou jí sedláci projevovali, vracela stejnou měrou. Podle slov

Emilie von Gerschau byla právě tak připravena vyjít na balkon, když ji chtěli pozdravit sedláci, jako když ve svém domě přijímala korunované hlavy. V obou případech se chovala stejně. S radostí kráčela čestnými špalíry a přijímala potištěné stuhy od bíle oděných dívek, neboť tím potěšila pořadatele slavnosti.

Dorothea pronášela k sedlákům, kteří ji přišli pozdravit, většinou krátkou řeč. Ale nemluvila k nim jako k podřízeným, nýbrž jako k sobě rovným. Proto na ni vesničané skládali verše a psali je na atlasové stuhy. Proto můžeme dodnes v kostelíku v Groß-Stechau číst o ní dvojverší, a to na místě, kde po roce 1821 bylo za mřížkou umístěno její srdce.

„Wohlwollen schlug in diesem Herzen
und Mitgefühl für fremde Schmerzen."

(Dobro tlouklo v tomto srdci a soucit pro cizí žal.)

Již při koupi zámku byla vévodkyně rozhodnuta vedle rekonstrukce staré budovy dát přistavět zámek nový, který by vyhovoval jejím nárokům na kulturu bydlení a představám o společenském vyžití.

Nový zámek, budovaný v italském klasicistním stylu a zdobený vysokými iónskými sloupy, byl přistavěn k původní budově v pravém úhlu, takže mezi oběma stavbami a protilehlou zdí, která oddělovala hospodářská stavení, vzniklo nádvoří s kašnou. Šplouchavý zvuk vody zaléhal do oken pokojů. Čtvrtou stranu nádvoří uzavíralo stavení s klenutým vjezdem, kde bylo několik hostinských pokojů, byt správce a stáje pro soukromé vévodské koně.

Emilie von Gerschau nepovažovala projekt nového zámku za nejšťastnější. Napsala, že hlavní slovo při jeho přípravě měl mladší bratr vévodkyně Kuronské, Johann von Medem. Na jeho slovo a vkus sestra mimořádně dala. Emilie označuje stavbu sice za zajímavou a hezkou, ale nepraktickou a nebezpečně řešenou pro případ ohně. Příliš dlouhou a úzkou, a zejména velice drahou.

Čelo zámku hledělo do zahrady a vstupní dveře byly umístěny přímo v jeho středu pod balkonem se sloupy. Asi po třech schůdcích se vešlo do prostorné haly s kamennou dlažbou, při dešti vlhkou, a dále se vstoupilo do světlé chodby. Odtud vedlo široké, koberci kryté schodiště do prvního patra. Zde se nacházela opět hala, dále velký sál, jídelna, bohatě vybavená bibliotéka a apartmá vévodkyně.

Do něho se vstupovalo z předpokoje vedoucího na balkon. Pak následovaly dvě komnaty, ložnice a nevelký kabinet s okny do dvora. V kabinetě stál klavír a velká pohovka, kde vévodkyně odpočívala. Trávila tu své nejintimnější chvilky, většinou sama se svým deníkem či při vyřizování korespondence. Ještě sem přiléhala malá knihovna a oblékárna, jejíž dveře vedly opět na chodbu. Byla tu také koupelna, do níž se vstupovalo z ložnice po schůdcích, a několik pokojů v přízemí pro komorné.

Na stěnách sálu visely rodinné portréty, mezi nimi také dva již zmíněné obrazy Grassiho, znázorňující čtyři dcery vévodkyně jako čtyři Grácie. Visel tu i obraz Petra Birona z chlapeckých let. Při jedné stěně stál klavír, který se odtahoval při zpěvu do středu sálu. Nábytek byl empírový, dovezený z Francie.

Největší ozdobou zámku byl prostorný balkon s řadou sloupů, tepanými mřížemi a spoustou květin. Stály zde stoly a židle a stojany na vyšívání. Odpoledne se tu scházely dámy, rozprávěly a vyšívaly.

Jeden z hostů, mladý Anselm Feuerbach, si poznamenal roku 1820 do svého deníku následující romantický zápis:

„Kouzelný obraz zkrášlil včera ten milý, tichý večer. Tři mladší vévodkyně seděly s mladými dívkami na balkoně, všechny zaměstnané ženskými pracemi. Bohatě kvetoucí květiny obepínaly železné zábradlí balkonu a mezi vysokými sloupy se otevřel pohled do svěží zeleně nádherné louky, vroubené skupinami pěkných stromů. Špičky nejvyšších stromů zářily v červáncích a přede mnou se rozprostřel obraz homérovské doby, kdy krásná Penelopa seděla se svými dívkami u tkalcovského stavu."

Celé druhé patro, stará budova a část protilehlého stavení byly připraveny na přijetí hostů, pro které bylo v Löbichau nachystáno celkem sto lůžek. Svobodomyslnost vévodkyně Kuronské přitahovala mnoho hostů. Přijížděli sem její přátelé a známí, s nimiž se poznala v Drážďanech, v Berlíně a v českých lázních. Ti přiváděli zase své přátele, a tak se zámek v letních měsících zaplňoval.

Nároky na pohodlí nebo dokonce komfort nestály tehdy na předním místě a byly mnohem menší než v době dnešní. Kateřina Zaháňská však ráda vzpomínala na slova svého otce Petra Birona, který považoval pokoj za zcela zařízený, když v něm stál stůl a dvanáct židlí. Vévodkyně Kuronská a její dcery přidávaly do pokojů ještě několik malých kanapíček, divan, skříňku na hezké drobnosti a stolek, kde se mohl hrát whist.

V návaznosti na zámek Löbichau se stavěl nedaleko odtud zámeček Tannenfeld. Byl budován na přání hraběte Alexandra Batowského, který zde chtěl mít své soukromí, kde by se mohl věnovat četbě knih, zálibě nad jiné oblíbené. Sem docházely poštou knihy z celé Evropy. Jeho vášnivou lásku k četbě zdědila po něm Dorothea Périgordová, která ji navíc uplatnila při vlastní literární tvorbě.

Zámeček Tannenfeld vyrostl na malé zalesněné vyvýšenině asi půl hodiny cesty od zámku Löbichau, stavěný rovněž podle italských vzorů. Byl jednopatrový s otevřeným schodištěm, obklopen trávníky a stromy. V prvním patře – zcela podle představ bibliofila Batowského – byla umístěna knihovna. Každá skříň měla dveře opatřené portrétem jiného spisovatele, mezi nimiž dominoval Voltaire a Rousseau.

Co všechno tyto dva zámky zažily!

Nejprve líbánky, smích a pláč malé Dorothey, pak scény, když pozici Batowského zaujal švédský generál Gustav Moritz Armfelt.

V roce 1808 zavítal do Löbichau car Alexandr a francouzský ministr Charles Maurice Talleyrand, princ z Beneventa, když se ucházel o patnáctiletou Dorotheu pro synovce Edmonda Périgorda. Dávná touha vévodkyně Kuronské, která dceru do Francie doprovodila, se vyplnila.

Zámek Löbichau ustoupil do pozadí. Jeho majitelka vychutnávala život v Paříži: koncerty, divadla, honosné plesy, procházky a vyjížďky podél Seiny, návštěvy a hostiny. Vévodkyně Kuronská poznávala nové přátele, ale prožívala i velkou lásku, své poslední milostné vzplanutí. Platilo tentokrát knížeti Talleyrandovi a ten je opětoval.

Po vídeňském kongresu však nastal nečekaný obrat. Její dcera Dorothea, nešťastná v manželství s Edmondem a zrazená hrabětem Karlem Clam-Martinicem, se vrhla sama do náruče strýce Talleyranda. Byl o třicet devět let starší než ona, ale sliboval jí život plný jistoty a společenské úspěšnosti. Již v roce 1815, kdy mu ve Vídni vedla dům, věděla, že ji miluje. Byla tehdy bezhlavě zamilována do Karla Clam-Martinice, ale po návratu do Paříže se jí stala strýcova láska přijatelným východiskem a vítanou satisfakcí.

Pro její matku však to byla osudová rána, s níž se jen těžko vyrovnávala. V úterý 5. března 1816, dva dny po návratu dcery Dorothey, si zapsala do deníku:

„Má mysl je stísněna a život mi v tomto mém rozpoložení připadá bez významu a bez východiska. Člověk potřebuje nějakou povinnost, starost, při níž je srdce zaměstnáno, člověk nutně potřebuje žít a cítit pro druhé. Od té doby, co se toto zpřetrhalo, cítím, že z mého života zbyl pouhý střep. Ale ještě horší je má hluboká palčivá bolest."

Dorothea Kuronská spěchala do staré vlasti a byl to právě zámek Löbichau, který jí pomohl najít ztracenou rovnováhu a objevit staré přátele včetně tří starších dcer. Snad teprve v této době pochopila význam mateřské lásky a poznala, jak chutná láska dětí. Důvody dřívějších rozporů pominuly a Löbichau se stalo balzámem na její zraněnou duši. Žili zde lidé, kteří se radovali z jejího návratu. Zámek začal po vídeňském kongresu prožívat svou nejvýznamnější a nejslavnější éru, pro kterou se mu později dostalo přízviska „Dvůr múz", „Malý Výmar" nebo „Venkovský Parnas".

Život na zámku rozkvetl nejvíce v letech 1819–1821. Letní měsíce spolu s matkou a sestrami Paulinou a Johanou tu trávila i Kateřina Zaháňská se svými schovankami. Také ona stanula na rozcestí života a hledala sama sebe.

Zámek v létě ožíval a stával se křižovatkou duchovní elity. Setkávali se zde básníci a spisovatelé, filozofové, hudebníci a vědci. Vedly se tu učené rozhovory, tříbily myšlenky a názory, ale co sem hosty nejvíce lákalo, byl zvláštní způsob života, respektující svobodu osobnosti. Tady se mohl každý chovat, jak v dané chvíli chtěl. Každý směl svobodně nakládat se svým časem a oddávat se práci a zábavě bez ohledu na okolí.

Ustavičné cestování přineslo vévodkyni Kuronské a vévodkyni Zaháňské osobitý pohled na svět. Poznaly nejen evropské poměry politické, ale i evropskou kulturu. Seznámily se s rakouskými, pruskými, ruskými, polskými, francouzskými a anglickými politiky, navykly si přijímat a tolerovat jejich rozmanité názory a nyní mohly tyto cenné zkušenosti zúročit. Löbichau bylo malým samostatným knížectvím, takřka nezávislým na velkém světě a jeho vlivech. Zde se uskutečňovaly ideály volnosti a tolerance.

Vévodkyně Kuronská nerozlišovala, zda jsou její hosté příslušníky vyšší či nižší šlechty nebo měšťanského původu. Jejím jediným kritériem byl jejich vztah k životu, umění a vědě.

Dnes nám již málo řeknou jména těch, kteří se zde scházeli. Byl to svět, který obklopoval nejen vévodkyni Kuronskou, ale i Kateřinu Zaháňskou a který, byť nepřímo, nám dokresluje další okolnosti jejího života.

Kromě Kateřininých sester a schovanek tu byla především nerozlučná dvojice Elisa von der Recke a August Christoph Tiedge (1752–1841). Ona, romantická spisovatelka, on, o dva roky starší romantický básník. Tiedge na přání Kateřiny vyučoval Emilii literatuře. Denně k němu chodila na hodiny předčítání a uměleckého přednesu i stylistiky. S oblibou psal oslavné básně na vévodkyni a její malý dvůr.

Dalším hostem, který přijížděl na zámek, byl básník Johann Friedrich Schink, starý přítel Augusta Tiedgeho. Také Schink básněmi a písněmi opěvoval ženy přítomné v Löbichau a psal verše na vše kolem sebe. Neprošel snad jediný den, aby se nebyl objevil s nějakou hádankou, písničkou nebo říkankou. Löbichau se pro tohoto osamělého, ale předobrého muže stalo doslova pohádkovým světem. Všichni ho tu ctili a vévodkyně Zaháňská ve své velkorysosti mu zajistila doživotní zaopatření. Jako záminka jí posloužila zaháňská knihovna, která utrpěla velké škody okupací francouzských vojsk v době napoleonských válek. Skříně byly poloprázdné a knihy, které zůstaly, poškozené. Kateřina pověřila starého Schinka, aby se pokusil dát knihovnu zase do pořádku. K tomu účelu obdržel v zaháňském zámku pěkný pokoj, dostatek dřeva na otop a roční rentu, která mu zajistila bezstarostný zbytek života. Kateřina Zaháňská podobným způsobem pomohla více lidem, aniž si přičítala jakékoli zásluhy.

Třetím básníkem, který navštěvoval Löbichau, byl Jean Paul. Platil, právě tak jako Tiedge, za významného básníka. Vévodkyně Kuronská si 1. května 1819 napsala do deníku:

„Mělo by mu být dopřáno sto jazyků, aby mohl všechny myšlenky, které na něho doléhají, vyjádřit… Cenné je to, že své názory podpírá důkazy, takže mu člověk dobře a snadno porozumí."

Když přijel do zámku, přivezl s sebou svého pudla a bylo mu dovoleno brát ho večer i do salonu. Pudl se brzy spřátelil s polštářovým psíkem vévodkyně Zaháňské, Kingem Charlesem.

Od Jeana Paula se dochovalo mnoho zajímavých postřehů a hodnotících výroků o Löbichau, jako například:

„Neznám větší svobodu než tu, která bydlí pod touto italskou střechou."

215

„Čas v Löbichau je měřen přesýpacími hodinami, jejichž písek je tak jemný a průhledný, že není ani vidět, ani slyšet, jak protéká."
„Člověk přichází a odchází a všechno je bez konvenčních předsudků, počínaje řečí a oblečením konče. Šťasten velebím kněžnu, která nemusí nosit těžkou královskou korunu, ale pouze lehký knížecí klobouk; snadněji může sklonit hlavu k luční květině radosti nebo ji pozvednout k vysoké hvězdě zbožnosti a nemusí při pořádání skutečné slavnosti napřed čekat, až uplynou nezbytné slavnostní náležitosti... Ale k čemu by byla absence všech vnějších konvencí, kdyby zde nevládla svoboda slova!"

Do „Příruční knihy pro ženy" napsal:

„Krásné čtenářky, kdo seděl u tabule v Löbichau nebo poté na kanapíčku, mohl vyjádřit jakékoli mínění proti magnetizérům nebo pro ně, proti Židům nebo pro Židy, proti utrakvistům nebo pro utrakvisty, pro liberály nebo proti; – ano, zde jste mohly zejména v posledním politickém případě udělat to, co jako dámy občas děláte, dát zaznít svému hlasu co nejhlasitěji: nikdo nic nenamítl, leda své důvody..."

„Nejvznešenějším, nebo správněji řečeno, jediným zákonem, který vládl v této malé republice nejradostnějšího přátelského sdružení, byla volnost. Neočekával se zde ani nejmenší ústupek od svéráznosti jednotlivce."

Dalším návštěvníkem zámku byl pětačtyřicetiletý kriminalista a spisovatel Johann Anselm von Feuerbach (1775–1833), přítel Dorothey Kuronské a její sestry Elisy. Byl zakladatelem nového učení o trestním právu. Jeho syny byli filolog a archeolog Anselm Feuerbach a více známý filozof Ludwig Feuerbach. Do Löbichau přijížděl s otcem pouze syn Anselm. Otec Feuerbach psal detektivky a v době, kdy dlel na zámku, se zahleděl do Pauliny z Hohenzollernů. Poutala ho její bystrá a vtipná mysl, krásná, souměrná postava a okouzloval ho její zpěv a hra na klavír. Ona brala Feuerbachovo dvoření shovívavě a s úsměvem.

Častými hosty byli i někteří místní obyvatelé: doktor Sulzer z nedalekého Ronneburgu, jinak osobní lékař vévodkyně Kuronské, farář Pleißner se svou ženou Paulinou, adoptivní dcerou paní Jägerové z Ronneburgu. Na zámek zavítaly i hraběnky Vilemína a Jeanetta Bresslerovy, tety nedávno zesnulé Kláry.

Malé pozastavení si zasluhuje host nadmíru milý a ctěný, dvorní rada Friedrich Parthey (1745–1822). Kdysi býval domácím učitelem

Dorothey Medemové a jejích sourozenců na zámku Alt-Autz. Později působil jako člen kuronského vévodského dvorního orchestru a nakonec mu byla Dorothea zavázána i proto, že se ujal Fritze. V Berlíně ho vychovával spolu se svým synem Gustavem. Nyní chlapci studovali v Heidelberku a v Löbichau trávili prázdniny. Přítomna byla i Gustavova sestra Lili. Zapomenout nelze ani na pětatřicetiletého malíře krajináře Ernsta Welkera. Vyučoval schovanky v kresbě a malbě a příležitostně zachycoval různé důležité okamžiky, které by se dnes staly námětem fotoaparátů a kamer. Tento muž nepatrného vzrůstu, skoro bezzubý a s pouhým zbytkem světlých vlasů, nicméně dobrý malíř a poutavý vypravěč, usiloval o přízeň schovanek nejen jako učitel. Nejvíce se mu líbila rudovlasá Louisa Seignoretová. Ta se však Emilii a Marii svěřila, že když jí políbí ruku, má pocit, jako by na ni rozmáčkl shnilý meloun. (Ernst Welker je autorem známé kresby Ratibořic.)

V období, kdy pobýval spolu se schovankami v Löbichau, nakreslil celkem 47 zdejších hostů. Jejich tvář zachytil podle skutečnosti, ale tělu dal zvířecí podobu. Dvojverší pod každým obrázkem vystihuje některou z výrazných vlastností postavy. Jednotlivé listy byly složeny v album.

Formou akvarelní malby zvěčnil i jednu z malých večerních slavností, při níž vévodkyně Kuronská korunovala jménem přítomných žen básníka Schinka na velezasloužilého minnesängra. Ženy mu vzdávaly dík za všechny verše, které na ně a pro ně skládal. Tiedge k tomu napsal oslavnou báseň. Feuerbach ji s citem přednesl a oslavenec, přestože celý akt byl chápán spíše jako žert, vzal své vyznamenání s plnou vážností a dojetím. Na Welkerově kresbě vidíme jednotlivé postavy večera věrně zobrazené.

Atmosféru této malé zámecké slavnosti zachytila po letech i Emilie: „Vzpomínám si na květy, které stály na stupních, kam byl přiveden Schink; na skupiny, které jsme vytvořili; na černou hedvábnou zástěru, kterou měl Feuerbach kolem ramen jako plášť; na křesla, na nichž seděla Titania, její sestra, její dcera, Jean Paul, Marheinecke, Pleißnerovi a Medemovi; na zlobu obou jmenovaných mužů, na radost Tiedgeho, že se jeho příteli dostalo takové pocty, na slzy, které Schinkovi tekly po tvářích a které změnily frašku v dojemnou, působivou hru.“

Titanií je míněna Dorothea Kuronská a oběma rozzlobenými muži

Jean Paul a univerzitní profesor Marheinecke. První žárlil, že se nedostalo takového ocenění také jemu, druhý zase na to, že ač sám platil na zámku za předčitatele, tentokrát přednášel Feuerbach. Šlo samozřejmě jen o malé rozladění, které vnímavá, tehdy devatenáctiletá Emilie vzala možná příliš vážně.

Přítomna byla také hraběnka Trogoffová, spisovatel a archeolog Carl August Böttiger, obchodník s knihami Eberhard z Halle, varhaník Bartel z Altenburgu, manželé Körnerovi z Drážďan a malířka Dorchen Stocková, sestra paní Körnerové.

Samostatnou skupinu tvořila mládež: schovanky Emilie, Marie a Louisa, Fritz Piattoli a Gustav Parthey, jeho sestra Lili, dále bratři Petr a Pavel Medemovi a jejich bratranec Karel Medem z Kuronska, synovci vévodkyně Kuronské. Prázdniny tu trávil i Josef Brassier, jehož Emilie znala už z dětských let z Hohlsteinu. Byl zde baron Otto Ender z Drážďan, stále střežený svou starostlivou maminkou, a baron Sasse, studující medicínu, kterého teta Elisa vyhlídla za ženicha pro Emilii, aniž se dívky zeptala, zda má o mladíka zájem.

Kateřina Zaháňská bydlela v roce 1819 se svou komornou a Emilií v přízemí zámečku Tannenfeld. V prvním patře přebývaly Paulina a Johana s komornou a schovankou Louisou. Ve vedlejším stavení měli své pokoje schovanka Marie a její vychovatelka Bomhardová, hraběnka Trogoffová a synovci vévodkyně Kuronské. Teta Elisa a Tiedge se toho roku usadili dole ve starém zámku.

Mladí lidé tu prožívali šťastné a bezstarostné prázdniny, jak dokládá řada zápisů v jejich denících nebo vzpomínkách z pozdějších let.

Den v Löbichau popsala Emilie takto:

„Ve dvanáct hodin byla snídaně na vidličku s teplými pokrmy, jíž se zúčastnil každý, kdo chtěl, v pět hodin se podávalo hlavní jídlo; zvon na dvoře dal povel se ustrojit a další zvonění bylo znamením se shromáždit. Velký stůl obvykle nestačil a v tom oddělení jídelny, jehož okna hleděla do dvora, stál takzvaný kočičí stůl pro mládež. Štěstí pro každého, kdo se sem dostal, protože tam se veselost vystupňovala někdy až k rozpustilosti; ne obsahem hovoru, ale příliš hlasitým smíchem, neboť dva sloupy, které nás oddělovaly od zbytku společnosti, daly snadno zapomenout, že sedíme ve stejné místnosti; nejednou musela moje pěstounka zakročit. Ona byla jediná, kdo přitáhl nezbednosti mládeže otěže; její matka a obě mladší sestry by nás byly nechaly skákat přes stůl a židle. Každý chtěl proto sedět u našeho stolu; zejména Welker byl bez sebe, že mu to bylo jen někdy umožněno; Marie seděla obvykle se slečnou Bomhardovou u velké tabule a byl to svátek, když se nám ji podařilo v posledním okamžiku dostat k nám. Oběd představoval vydatnou a bohatou hostinu přesahující zdaleka potřebu, bylo proto přirozené, že večer se podávalo k čaji pouze lehké pečivo a někdy studená kuronská ovocná polévka, která servírována v šálcích výtečně chutnala; ale večer se protáhl obvykle až do půlnoci, kdy se hlavně tančilo. Když jsme se pak loučili, dostavil se zase hlad, aniž bylo cokoli, čím bychom ho utišili. V měšťanských domácnostech se rychle něco opatří, špižírna je nablízku a snadno přístupná; jinak je tomu na zámcích nebo i v městských palácích; zde kuchař odejde, jakmile je hotov, zamkne, a kdyby závisel život člověka byť na jediném soustu, nedal by se zachránit. Ve špižírně se také málokdy co najde, i kdyby byla otevřená, protože zbytky se neuchovávají, a když moje pěstounská matka, která jedla ráda studenou pečeni, chtěla k čaji pár kousků od toho, co bylo k obědu, musela prosit, aby jí trochu schovali. To se pak také dodrželo."

Emilie vzpomíná, jak si s „půlnočním" hladem poradily. Svěřily se přátelům, Josefu Brassierovi a Petru Medemovi, k nimž měly obzvláštní důvěru. Ti bydleli v hospodářském stavení za dvorem a už dávno vyřešili problém tak, že si udělali zásobu šunky, másla, chleba a ovoce. Na pokojích měli i několik lahví vína, ale nebylo jednoduché se s dívkami rozdělit. Hned jak skončila večerní zábava, uzamkly se totiž dveře zámku zevnitř a nikomu už se nepodařilo vstoupit do budovy. Chlapci čekali, až všechno kolem ztichlo, pak někdo z nich pod oknem, kde bydlely schovanky, zakašlal, shora se spustil na ,rovázku zavěšený košíček a pak se vytáhl opět nahoru. Navrch ležely květiny a pod nimi byl ukryt chléb s máslem a šunkou, několik jablek a hrušek.

Emilie říká, že to byla božská pochoutka, okořeněná tajemstvím. Ale protože měla návyk neskrývat nic před vévodkyní Zaháňskou, pověděla jí příštího rána, co se večer událo. Kateřina se nezlobila, ale zakázala to opakovat a upozornila Emilii, jaké řeči by z tak nevinného žertu mohly vzniknout. Od toho dne našly dívky vždy, když šly spát, ve svém pokoji něco k snědku.

Mládeži bylo dopřáno se posilnit i v průběhu dopoledne. Emilie vzpomíná na zvláštní kuronské jídlo, takzvaný „panč", na kterém si obvykle pochutnávali dopoledne na otevřeném schodišti zámečku Tannenfeld. Toto jídlo si vlastně musel každý připravit sám a o to více přišlo k chuti. Do teplých brambor se dalo máslo, trochu francouzské hořčice, na talíři se vše rozmačkalo a nakonec se přimíchalo naměkko vařené vejce. Nic jim po celý den tak nechutnalo jako toto vlastnoručně připravené a pod širým nebem podávané jídlo. Někdy snídali jinou specialitu, jejíž recept pocházel rovněž z Kuronska: špekové, smetanové nebo kmínové koláče.

Zajímavý postřeh o životě v zámku zaznamenal ještě Jean Paul:

„Každý se tu se zámkem tak sžije, že nelze uvést příklad, že by někdo byl odjel po dvou nebo třech dnech. Marheinecke sem přišel na jeden den a teď už tu sedí čtyři týdny. Včera bylo 36 lidí u oběda, den nato 40. Po večeři se v půl deváté pije káva, v deset hodin čaj."

Jean Paul chodíval po ránu do Tannenfeldu a zde předčítal z předsíně otevřenými dveřmi něco ze své tvorby posluchačům, kteří seděli na schodišti pod letním nebem.

Mladý Feuerbach si postěžoval svému deníku:

„Bydlím v pokoji hned vedle Jeana Paula. Je ke mně laskavý a já nebohý melancholik mu dávám náměty k tisícerým vtipům. Píše aforismy a ráno je předčítá kněžnám."

Mládež se bavila dobře. Podnikali vycházky a vyjížďky, pikniky v trávě, hráli divadlo, tančili tehdy oblíbenou a módní mazurku a psali deníky, které leckterému z nich po letech posloužili při sepisování vzpomínek.

Milým společníkem byl Fritz Piattoli. Přitahoval živostí, vtipem a nejrůznějšími čertovinami. Uměl se pitvořit, že připomínal zvířata, a napodoboval lidi, ale i blesky s hromem. Nezapřel v sobě otce herce a muzikanta. To mohli posoudit jen ti starší a zasvěcenější. Z dívek si Fritz nejvíce oblíbil Louisu. Když ho kamarádi škádlili, stála na jeho straně a on její sympatie opětoval.

Jednou uspořádali vpravdě romantický večer v přírodě. Zúčastnila se ho i Kateřina Zaháňská a básník Tiedge. Na vyvýšeném místě rozprostřeli koberec, který sem dopravili károu spolu se dřevem, vodou a potravinami. Opodál hořel pravý cikánský oheň a v závanech dýmu čistily dívky houby, které nasbíraly cestou. Kateřina Zaháňská krájela cibuli a muži opékali maso. Pak se vraceli k vozům čekajícím na okraji háje a cestou domů pod zšeřelou oblohou prožívali ještě další šťastné chvíle.

Jednoho večera v září roku 1819, když skončila divadelní hra, v níž Emilie účinkovala, zavolala ji a Marii Paulina Hohenzollernová a požádala je, aby přespaly u ní, že s nimi chce ještě hovořit. Když se dívky ustrojené do nočního oblečení odebraly do prvního patra, řekla jim kněžna: „Musím vám sdělit zprávu, která se vás bezprostředně dotýká. Vaše maman se bude vdávat." Dívky zůstaly jako zasažené bleskem. Nevěděly, že se něco takového chystá, a neměly tušení, kdo je ten vyvolený. Hůře bylo, když se dověděly, že je jím hrabě Schulenburg. Znaly ho z Vídně, loňského roku navštívil Zaháň i Ratibořice a nyní byl přítomen v Löbichau. Ovšem schovanky nepostřehly, že mezi ním a vévodkyní je jiný vztah než přátelský. Přestože byl hrabě hezký muž, neuměly si představit, že se stane manželem Kateřiny Zaháňské, která ho ve všech směrech výrazně převyšovala. Nakonec je Paulina přesvědčila, že jejich pěstounka potřebuje muže, o kterého by se mohla opřít a kdo by převzal její starosti ekonomické. Emilie tu noc proplakala, ale ráno šly obě dívky snoubencům blahopřát. Jen bledost dávala tušit, co se v jejich nitrech odehrává.

Svatba následovala po několika dnech. Vlastní obřad se konal ve velkém sále zámku Löbichau. Vévodkyně Zaháňská byla oblečena do šedých hedvábných cestovních šatů a měla na hlavě bílý hedvábný klobouk. Nový pár, doprovázený schovankou Emilií von Gerschau, odjížděl hned po svatebním obřadu na svatební cestu do Čech. Hrabě von der Schulenburg mířil se svou krásnou paní na zámek Orlík, kde chtěl navštívit knížete Karla Schwarzenberga, svého bývalého představeného.

Léto roku 1820 probíhalo podobně jako léto předchozí. Jen někteří hosté se vyměnili. Za zmínku stojí host, jenž byl na zámku očekáván se smíšenými pocity: August Emil vévoda ze Saska-Gothy-Altenburgu, zemský pán, pod nějž spadal také zámek Löbichau. Byl daleko široko znám svým výstředním chováním a obestřen různými pověstmi. Doma chodil v ženských šatech, a když navštívil Karlovy Vary, objevoval se ráno u vřídla v hedvábných dámských županech, ruce plné prstenů a s náramky na pažích.

Toho dne, kdy byl vévoda ohlášen, byli mladí muži odesláni na výlety do Gery a Altenburgu. Dívky směly zůstat. O ně nebylo třeba mít starost.

Pán z Gothy přijel v jedenáct hodin dopoledne, v žluté paruce plné loken, v krajkové košili a modrém fraku, tváře a rty nalíčené. Nebyl to člověk bez ducha, měl dokonce vtip a smysl pro humor, ale podle Emilie „se mu v mozku uvolnil šroubek".

Vévodkyně i její dcery očekávaly hosta v slavnostním oblečení, aby nepoškodily jméno zámku, který měl pověst malého dvora, i když jím ve skutečnosti nebyl. Vévodkyně Kuronská si dokonce nasadila na hlavu černou sametovou čapku, kterou nosila při nejvýznamnějších slavnostních příležitostech. Měla ji zdobenou dvěma černými pštrosími pery. Vévodkyně Zaháňská se objevila v klobouku zdobeném bílým volavčím perem upevněným skvostnou sponou. Byla oblečena do zářivě červených šatů se žlutou podšívkou, krásný bílý krk zdobený perlami, které obdržela při své první svatbě od vévody z Bouillonu.

Vévodu doprovázela jeho nerozlučná stará přítelkyně, moudrá a úctyhodná, ale zároveň nevídaně ošklivá slečna Sidonie von Diesgau, příbuzná hraběte Schulenburga. Měla na sobě šedé šaty a šedý klobouk, což dalo vyniknout barvám jejího přítele. Hosté si prohlédli oba zámky, přijali pozvání k slavnostně prostřené tabuli, ale vévodu nejvíce zajímaly skříňky se šperky.

Welker zvěčnil tento nevšední pár do svého alba. Vévodu znázornil jako páva, slečně Sidonii vtiskl podobu netopýra. Pod její obrázek napsal:

„Erschreckt nicht von diesem Graus,
Es ist nur eine Fledermaus."

(Neleknĕte se této hrůzy, je to pouze netopýr.)

Kateřina Zaháňská byla už rok vdaná. Stále krásná a půvabná okouzlovala především mladé. Ti se k ní utíkali o radu, když se učili divadelním úlohám, musela být přítomna, když se strojili do divadelních kostýmů. Uměla pochválit, utěšit, pomoci. Byla také jediná, kdo mládež zaměstnával prací. Nesnášela zahálku a kdysi řekla Emilii: „Slovo dlouhá chvíle bys měla zcela vymýtit ze svého slovníku; něco takového nesmí pro tebe existovat." Nyní připravila pro mládež práci v knihovně. Svazky byly přeházené a potřebovaly utřídit. Každé dopoledne navrhla, který oddíl by měli kompletovat. Když se pak objevila s chlebem a podmáslím, připadala všem „neskonale rozkošná a milá".

Schovanky rády naslouchaly, když jim vévodkyně vyprávěla o slavných dnech v Ratibořicích, o vídeňském kongresu a životě na císařském dvoře, o Paříži a Londýně. Snad ještě více než schovankám učarovala Kateřina Lili Partheyové. Její deník překypoval superlativy na adresu krásné vévodkyně:

„Nádherná", „nejkrásnější na světě", „jedinečná žena", „jenom se na ni dívat je pro mne požitek", „nadobyčej krásná a ještě více laskavá".

Když došlo k loučení, zapsala si Lili:

„A nyní docela moje vévodkyně: jak byla dobrá a srdečná a jak obtížné mi bude loučení; nikdy nezapomenu."

Snad u Lili působilo i to, že jí zemřela matka. Otec si přivedl druhou ženu, údajně hodnou, ale mladé vnímavé děvče zřejmě postrádalo více hřejivé lásky.

V každém případě se dá z těchto zápisků vyvodit závěr pro posouzení vlastností Kateřiny Zaháňské. Jaká škoda, že nemohla vychovávat své vlastní dítě!

Léto v Löbichau v roce 1821 bylo poznamenáno nemocí vévodkyně Kuronské. Hostů bylo pozváno méně a život na zámku byl klidnější a tišší. Kněžna Paulina odjela za synem Konstantinem do Lausanne, vévodkyně Acerenza ji jako obvykle doprovázela. Vévodkyně Zaháňská zůstala s matkou. Chvilkami se nemocná cítila lépe a stále se těšila nadějí, že koncem léta navštíví Švýcarsko. Vycházela však málo ze svých pokojů, a ačkoli měla celoživotní návyk časně vstávat, zůstávala nyní dlouho ležet.

Jediná událost, která toho léta trochu rozčeřila hladinu ticha, byla návštěva Dr. Augusta Binzera. Byl to mladý muž, zaměstnaný jako redaktor v Altenburgu. Na zámek ho pozval varhaník Bartel s přáním, aby svým krásným hlasem doplnil pěvecký sbor, který tvořily ženy ze zámku. Dříve než se poprvé objevil, věděly schovanky, že neznámý host je přezdíván „krásný Binzer", že hraje na loutnu a na klavír, že krásně zpívá a píše texty k písním.

Binzer schovanky nezklamal. Podivovaly se sice jeho mohutnému plnovousu, ale on sám se jim líbil a připadal jim zajímavý. Nejvíce si svými názory a poutavým vyprávěním získal Emilii. Ona, která dosud všemi nápadníky pohrdala, se do Binzera zamilovala.

Kateřina Zaháňská nebrala tuto skutečnost na lehkou váhu. Binzer, ač vzdělaný a řádný mladý muž, nebyl majetný a vzhledem ke svým téměř revolučním názorům neměl zajištěnu budoucí existenci. Také vévodkyně Kuronská se o Binzera zajímala, ale nakonec společně usoudily, že důležité je, jakou má povahu a zda se oba mladí lidé mají rádi.

Pak se vévodkyni matce opět přitížilo. V jejím deníku čteme: „Čtvrtek 9. srpna – Dnes je mi dovoleno zapsat těchto několik slov. Byla jsem příliš unavená a nemohla jsem psát. Od 23. 7. do dnešního dne jsem byla odkázána na pomoc. Před 18 dny jsem ulehla. Dosud nemám žádnou sílu, ale lepší se to. S láskou mě ošetřují – Vilemína s těmi svými je zde, také Elisa se zřekla cesty do Karlových Varů."

Poslední zápis je ze středy 15. srpna.

„Daří se mi lépe. Ale cítím se tak slabá, že polovinu dne strávím v posteli a druhou polovinu na pohovce. Partheyovi nás dnes opustili."

Když u ní 18. srpna seděla hraběnka Trogoffová a chystala se vykládat karty, zajisté s úmyslem, aby dodala nemocné víru v brzké uzdravení, vzpažila vévodkyně prudce ruce, jako by chtěla od sebe odrazit něco zlého, a s hlasitým výkřikem klesla do polštářů. Více se již neprobrala. Zemřela 21. srpna 1821 ve věku šedesáti let. Podle vzpomínek Emilie von Gerschau, která byla očitým svědkem posledních dnů vévodkyně Kuronské, napsal Clemens Brühl:

„Ještě jednou, ve smrti, je Dorothea vládnoucí vévodkyní, jíž se stala v osmnácti letech. V černě potaženém sále v Löbichau odpočívá na katafalku, oděná do černých šatů, jejichž dlouhá vlečka spadá jako koberec po stupních dolů, za sebou erb a vévodský klobouk. Poslední vévodkyně Kuronská už není mezi živými."

V slavnostním průvodu ji nesli parkem kolem vysokých dubů a buků na místo, které sama určila. Nacházelo se nedaleko kostela v Groß--Stechau, který zvelebila a zařídila a kam docházela na mše. Její srdce uložili do kostela. Autorem již zmíněného dvojverší byl básník Tiedge, častý návštěvník zámku a oddaný a vděčný přítel vévodkyně. Reliéfní portrét Dorothey, umístěný v kostele, zhotovil roku 1876 sochař W. Troschel.

Ani v Kuronsku nezapomněli uctít památku Dorothey. Tři roky po její smrti umístili v zámeckém parku v Mitavě její mramorovou bystu s latinským nápisem. V překladu zní:

„Anně Charlottě Dorothee, vévodkyni Kuronské, Kuronska vděčné rytířstvo."

224

Vzpomínka na ni zde dlouho nevybledla. Dorothea von Medem byla jednou z nich. Toho si kuronští páni nejvíce cenili. Vkládali do ní kdysi všechny naděje. A milovali ji.

S odchodem vévodkyně Kuronské se poměry v Löbichau změnily. I když nestačila sepsat závěť, svěřila se v době nemoci se svými představami o dědictví své dceři Kateřině. Ta se ujala dědického řízení. Jednala spravedlivě, jak bylo přáním její matky.

Zámek Löbichau připadl Johaně, kdysi otcem za mladistvý poklesek vyděděné. Malý Výmar však přestal existovat. Matka ho udržovala za peníze, které jí zajistil u ruského carského dvora její manžel Petr Biron. Byla to roční renta v celkové výši 176 000 pruských tolarů. Tato renta po smrti vévodkyně zanikla.

Co všechno se změnilo s odchodem jednoho člověka! Jako když se zastaví čas. Brána Dvora múz se navždy uzavřela. Zámek v Löbichau ztichl. Lidé však ještě dlouho vzpomínali na kuronskou dobroději.

(XVII)
Schulenburg

Koncem léta 1818, když vévodkyně Zaháňská odcestovala se sestrou Paulinou a schovankami Emilií, Klárou a Marií do Itálie, zasedal v Cáchách poválečný kongres. Zde se Metternich sblížil s kněžnou Dorotheou Lievenovou, svou další láskou. Poznal ji před čtyřmi roky v Londýně, kde její manžel působil jako ruský vyslanec. Nyní začala nová epocha jejich přátelství. Při jedné vyjížďce do lázní Spa s ní strávil tříhodinovou zpáteční cestu v kočáře, což byl začátek intimního vztahu. Na čas se jejich cesty opět rozdělily. Metternich se vrátil do Vídně, kněžna do Londýna. Mezi oběma se však vyvinula čilá korespondence, která je výmluvná ještě dnes a ledacos prozrazuje o Metternichově povaze.

Po návratu z Cách nabádal Metternich novou milenku:
„Buď laskavá a něžná ke svému choti."

Brzy poté mu kněžna oznámila, že čeká dítě. Dorothea Lievenová neměla půvaby vévodkyně Zaháňské a chyběla jí i její všestrannost. Kateřina rozuměla umění, měla vybraný vkus, zajímala se o knihy, o zahradnictví, uměla citlivě vybírat dárky. To všechno Lievenová postrádala a Metternich si toho byl vědom. Ale v něčem se přece jen podobala své předchůdkyni. Zajímala se o politiku, byla jako Kateřina kosmopolitní a měla talent vést vzrušující rozhovory. Navíc vlastnila smysl pro intriky.

Toto lze vyčíst z jejich korespondence. Kromě důvěrných sdělení a debat o evropských událostech obsahují jejich dopisy jedno specifické téma: vévodkyně Zaháňská.

Kněžna Lievenová žárlila na Metternichovu dřívější známost a Metternich ji ujišťoval, že Kateřinu nikdy nemiloval. Avšak přesto o ní znovu a znovu píše, z čehož i kněžna usoudila, že ztrátu bývalé přítelkyně dosud nepřekonal.

Metternich při psaní zmíněných dopisů ovšem netušil, že jednou bude možno provést jejich srovnání s těmi, které psával Kateřině, a že on a jeho charakter nevyjdou z této konfrontace bez poskvrny a se ctí. Dorothee Lievenové napsal: „Jak jsi mohla být zneklidněna tím, co jsem Ti řekl o paní Zaháňské? Proč jsi nepřišla na to, postavit sebe – jako léčebný prostředek – proti ní – jakožto zlu? Pakliže jsi četla můj poslední dopis ve stejné náladě jako ten první, pak jsi považovala za lásku to, co u mne je pouze soucit a odpor. Byla to převážně nechuť, takže můj cit se nemohl změnit v nenávist... Paní Zaháňská není pro mne živá bytost, natož bytost rozumná – především pro svou nezměrnou pošetilost... Neznamená pro mne víc než předmět nevole a nebude znamenat nikdy nic jiného... Jak si můžeš myslet, moje přítelkyně, že bys nemohla zaujmout mé srdce celé Ty jediná a každou jinou z něho vypudit...“

„Více mých přátel nikdy nepochopilo, jak jsem mohl být do vévodkyně zamilovaný. Však jsem také nikdy nebyl. Bavily mě debaty s ní a vydržel jsem to, i když se to zdálo nemožné.“

„Paní Zaháňská má ducha, silné sebevědomí, mimořádně zdravý úsudek a téměř nenarušitelný duševní klid. Ale nedělá nic než hlouposti. Hřeší sedmkrát denně, třeští a miluje tak, jako se obědvá... Paní Zaháňská je velmi podivná žena. Více než to, je ztřeštěná, a třeští tak, jak jsem to kromě u ní nikdy nepoznal. Chce vždy to, co nedělá, a dělá to, co nechce.“

„Rozešel jsem se s ní, abych se k ní více nevrátil. To ráno se chtěla paní Zaháňská zabít. Nedbal jsem na to – a ona se nezabila.“

„Moje přítelkyně, ze všech bytostí na světě je mi nyní paní Zaháňská tou nejvíce cizí a takovou mi zůstane pro zbytek života.“

„Dnes mi není její přítomnost ani příjemná, ani nepříjemná; neznamená pro mne vůbec nic.“

Po nešťastné události s Klárou Bresslerovou se Kateřina vrátila 3. ledna 1819 z Itálie do Vídně. Již po dvou dnech ji navštívil Klemens Metternich a vyčinil jí, že popletla hlavu Pavlu Esterházymu a že ho vylákala do Itálie. Vytýkal jí, že svedla tak mladého a ženatého muže, kterého by byl potřeboval na kongresu v Cáchách. Kateřina byla těmito výtkami raněna a považovala je za nespravedlivý a neoprávněný útok proti sobě.

Metternich ihned informoval kněžnu Lievenovou: „Nechal jsem ji prolít hořké slzy nad jejím chováním. Plakala z přesvědčení, tak jako vždy, když jí řeknu pravdu – a zítra bude dělat nové hlouposti."

Kateřina nevěděla o Metternichově korespondenci s kněžnou Lievenovou a asi by ji bylo velmi překvapilo, že ten, kdo jí nesčetněkrát vyznával lásku a sliboval věčné přátelství, dnes všechno popírá a takto hovoří o ní a o jejich vztahu.

Po návratu z Itálie se v salonu vévodkyně Zaháňské stále častěji objevoval hrabě Karel Rudolf von der Schulenburg. Kníže Schwarzenberg, jeho bývalý představený, ho chválil pro pořádkumilovnost, odpovědnost a smysl pro praktické stránky života. Kateřina mu postupně svěřila veškeré ekonomické starosti o svá panství. Byla ráda, že našla někoho, na koho se může spolehnout a kdo finančním záležitostem rozumí a rád se jim věnuje.

S pomocí hraběte Schulenburga byla spokojena, ale nanejvýš ji překvapilo, když ji jednoho dne požádal o ruku. Byla sice rozhodnuta se znovu provdat, avšak jeho nabídka ji zaskočila. Zůstala mu dlužna odpověď, ale naději mu nevzala. Zajisté se nyní vážně zamýšlela nad svou budoucností i sama nad sebou a znovu se vynořovaly vzpomínky na minulost. Na začátku řady zájemců o ni stál pruský korunní princ Louis Ferdinand, pak to byl francouzský princ Louis Rohan, po něm zámožný ruský kníže Trubeckoj – a nyní se o ni uchází pouhý rakouský major, který sloužil jako adjutant u knížete Schwarzenberga. Byla by přijala nabídku Klemense Metternicha i lorda Stewarta, oba pocházeli z urozených rodin a sami něco znamenali. Ale kdo byl Schulenburg? Mladý světlovlasý hrabě z bezvýznamné saské rodiny, o sedm let mladší než ona. Avšak byl upřímný a poctivý. Věděla, že si jí váží, že ji ctí a že by jí mohl být věrným a oddaným druhem.

Když uvažovala o sobě, musila si přiznat, že už nemá velkou šanci dostat muže, jakého si vysnila. Dovršila třicátý osmý rok, byla dvakrát rozvedená, neschopná dát muži dědice, poznamenaná aférou s Windischgrätzem a Metternichem. Nesměla vzít Schulenburgovu nabídku na lehkou váhu. Byla v situaci, kdy ji přestal těšit velký svět. Chtěla se stáhnout do rodinného soukromí, věnovat se dětem, které dospívaly, častěji se setkávat s matkou, jež začínala stárnout. Statky, které zdědila po otci, utrpěly válkou a potřebovaly zvelebit. Po výstupu s Metternichem byla rozhodnuta opustit Vídeň. Nic už ji tu nedrželo. V březnu, krátce před tím, než se v Anglii oženil lord Stewart, opustila rakouskou metropoli, kterou považovala téměř deset let za svůj domov, a odebrala se do Ratibořic. Plných sedm let se nyní Vídni vyhýbala. V Ratibořicích uzrálo její rozhodnutí přijmout nabídku Karla Schulenburga. Znala hraběte již delší dobu. Poprvé ho spatřila v roce 1813 v Praze. Byl majorem a adjutantem generála von Langenau a spolu s ním přestoupil tehdy ze saského do rakouského vojska.

Podruhé se s ním Kateřina setkala roku 1814 v Badenu ve vile Eichenberg. O rok později byl Schulenburg také v Paříži a od roku 1816 se stále častěji objevoval mezi hosty jejího salonu.

V létě 1819 se Kateřina na cestě do Löbichau zastavila v Karlových Varech, kam pozvala také Schulenburga. Zde mu dala slovo.

Hrabě Schulenburg se narodil 2. ledna 1788. Byl vysoké postavy, měl modré kulaté oči a hladce holenou tvář. Mnozí ho považovali za hezkého, ale Emilii se zdálo, že má příliš jemné a pravidelné rysy, poněkud silnější boky, vadila jí jeho rakouská vojenská němčina se silným saským přízvukem, ale nejvíce to, že inteligencí a všeobecným rozhledem stál hluboko pod vévodkyní Zaháňskou.

V uplynulém roce si prohlédl zámek v Ratibořicích a Zaháni, prostudoval si hospodářské knihy a Kateřina poznala, že by nemohla najít vhodnějšího a starostlivějšího hospodáře.

Když se rozšířila zpráva, že vévodkyně Zaháňská se bude znovu vdávat a že jejím vyvoleným je hrabě Schulenburg, byli všichni překvapeni a považovali spojení vévodkyně s mužem nižšího původu za újmu na její prestiži.

Metternich prohlásil, že „ze všech možných hloupostí je tato ta největší a nejpošetilejší".

„Ze všech mužů, které znám, je on ten nejméně vhodný, aby mohl být jeden jediný rok manželem vévodkyně. Je to měkký, dobrosrdečný chlapík, trpělivý a oddaný, ale aby mohl být mužem této ženy, měl by mít především železnou ruku, ráznost, ba i dávku bezohlednosti."

Kněžně Lievenové sdělil:

„Schulenburga je mi líto, jestli si ji bere z lásky. Jestliže to činí pouze z prospěchu, pohrdám jím."

Ihned po svatbě odjeli novomanželé v doprovodu Emilie na zámek Orlík navštívit knížete Karla Schwarzenberga, který se zotavoval po prodělané mrtvici.

Emilie se zde seznámila s jeho třemi syny, Fritzem, Karlem

a Edmundem.[1] Zaujala ji i Schwarzenbergova manželka Nanni, o níž bylo známo, že je svému muži věrnou a oddanou ženou: „Dobrotou a ušlechtilou myslí rovnocenná, ale ještě duchaplnější než on, stála mu po boku jeho manželka. Drobná žena s hezkými antickými rysy, liberální v nejlepším slova smyslu, ale také v moderním; příslušníci jejího stavu ohrnovali nad ní nos a říkali, že je napůl blázen. Později jsem se dověděla, že ve vysoké aristokracii je zájem pouze o ty, jimž se přisuzuje jistá potřeštěnost. Kněžna Nanni byla neobyčejně rozumná, originální, nakloněná živým diskusím, někdy trochu hašteřivá; nikdy nepropásla příležitost k výměně názorů; přitom byla přímočará a nenáviděla okolky."

Jednoho dne si kněžna vyšla se synem Fritzem a Emilií na procházku do zámeckého parku. Obuta do pevných bot a kamaší vzala s sebou malou pilku a cestou prořezávala stromy a keře, aniž se dala odradit svahy nebo bažinatými terény.

Z Orlíku se novomanželé vraceli do Zaháně, kde čekala na Schulenburga nelehká práce.

Pak nastal rok 1820, který nás zajímá zejména v souvislosti s Boženou Němcovou, neboť toho roku přišel z Vídně do Ratibořic Jan Pankl, Terezie Novotná a malá Barunka.

Nevíme, zda Jan Pankl, Schulenburgův kočí, následoval svého pána z Vídně do Ratibořic zjara nebo v létě 1820, zda jel sám s Terezií a Barunkou, anebo spolu s panstvem. 7. srpna 1820 však byl zde, což dokládá jeho sňatek s Terezií Novotnou v kostele Nanebevzetí Panny Marie v České Skalici.

Důležitější je otázka, z jakého důvodu se Pankl do Ratibořic stěhoval. Nic základního se rokem 1820 na zdejším zámku nezměnilo. Schulenburg v letech 1820–1822 střídal převážně Vídeň se Zahání, v letech 1822–1825 dlel s manželkou v Itálii. Velmi spoře se v Ratibořicích zdržoval také Jan Pankl, který byl kočím a doprovázel panstvo na cestách. Později se stal štolbou, podkoním, jemuž připadla starost o panskou konírnu. Správná odpověď na otázku, proč přišel v roce 1820 Pankl do Ratibořic, bude nejspíš jednoduchá: bylo třeba umístit Barunku a zajistit jí rodinnou výchovu. V Ratibořicích bylo dítě zdánlivě v ústraní, ale bylo možno sledovat jeho výchovu a vývoj. Škoda, že se nikde nezachovala poznámka o tom, jak dítě při příjezdu vypadalo. Nesetkali bychom se se vzpomínkou na nemluvně, ale na děvčátko,

230

které v té době chodilo a mluvilo. Jednoznačně to dokládají pozdější školní záznamy i výpověď samotné Boženy Němcové v takzvaném dopise Jurenkovi. Kateřina Zaháňská projevovala o Barunku zájem. Do domku na kraji zámeckého parku, kam se Panklovi nastěhovali, byl postaven klavír, aby krásné černovlasé děvčátko nezameškalo nic z toho, co musely znát panské děti. I zámecký zahradník Binder se jako první ujal Barunčiny výuky. Pak dostala domácího učitele a nakonec se stala schovankou na chvalkovickém zámku. Lidé z Ratibořic říkali, že je nemanželskou dcerou paní kněžny. Viděli mezi ní a vévodkyní nápadnou podobu ve vzezření i v chování, ale nemohli se dopátrat pravdy.

Při pečlivém studiu dostupných pramenů o pohybu Kateřiny Zaháňské nutno souhlasit s Clemensem Brühlem, že vévodkyně byla naposledy ve Vídni v březnu 1819 a pak zase až zjara 1826. Sedm let se tomuto městu vyhýbala.

Začátkem května 1820 se Kateřina při své cestě ze Zaháně do Löbichau zastavila se schovankami na tři týdny v Lipsku. Léčil se zde v přítomnosti své rodiny kníže Schwarzenberg u tehdy věhlasného lékaře – homeopata Hahnemanna. Vévodkyně se zajímala o nové léčebné metody a kvůli častým migrénám vyhledávala proslulé lékaře. Také hraběnka Trogoffová sledovala, co je v lékařské vědě nového a co by mohla uplatnit v domácí lékárničce. Znala mnoho domácích léčiv na nejrůznější nemoci. Na jejím stole ležela vedle lebky stále otevřená lékařská kniha.[2] Hahnemann ordinoval svým pacientům dle vlastního receptáře velmi skromnou stravu a dostatek čerstvého vzduchu. Knížeti Schwarzenbergovi však jeho léčení nepomohlo. Zemřel v témže roce ve věku čtyřiceti devíti let.

Tři léta po sobě prožila Kateřina v Löbichau a tři zimy v Zaháni. Šlo o roky 1819, 1820 a 1821. Brzy bylo možno poznat výsledky dobrého hospodaření. Kateřině však začal tento stereotypní život vadit a zatoužila cestovat. V roce 1821 překazila její zamýšlenou cestu do Itálie matčina smrt a následné dědické řízení. Pak bylo zas nutno připravit svatbu Emilie s Augustem Binzerem.

Binzer se vévodkyni jako člověk líbil, ale vadila jí jeho nezajištěná budoucnost a také to, že byl členem turnerského spolku.

Dopis, který napsala 4. října 1821 z Löbichau svému nevlastnímu bratrovi Petru von Gerschau, vypovídá mnoho pochvalného o Kateřinině povaze a založení. Obsah dopisu prozrazuje starostlivost, citlivost a moudrý nadhled:

„Píšu Vám dnes, milý Petře, o předmětu, který mi neleží méně na srdci než Vám, protože dítě, které má člověk již 15 let stále kolem sebe a které nyní vyrostlo v přítelkyni, k tomu ho poutá bezpočet svazků, že ani rodičovská láska nemůže být silnější. Co Vám naše dobrá Emmy mohla psát, abyste měl o Binzerovi představu jako o mladém zaníceném muži, nevím, ale její srdce i hlava jsou tak zaměstnány tím novým, neznámým citem, že sotva mohla napsat o své známosti něco soudného, a proto tak musím učinit sama. Binzerovi je 28 let, je vzdělaný, nadaný a zároveň nanejvýš příjemný. Co se týče jeho charakteru, tak bych se, nehledě na to, že jsme žili dva a půl měsíce pod jednou střechou, nebyla odvážila vyjádřit rozhodnou zprávu, kdyby nebyly všechny informace, které se mi podařilo získat, veskrze uspokojivé. Jen dvě věci mluví proti němu – jeho kroj a jeho majetkové poměry. To první slíbil, že odloží, protože i když tisíce mají s ním společné ustrojení – o člověku to ve skutečnosti nic nevypovídá – přece jen musí mít jako rozumný člověk ohled na mínění, které proti tomu vládne. S jměním to samozřejmě není tak snadné, ale on se stal díky své dobré hlavě nezávislým a bude tomu tak i do budoucna, protože jen málo lidí je vskutku tak výjimečných jako on. Moje teta, Tiedge, my všichni, co jsme zde, milujeme a ctíme Binzera z celého srdce. Mimo to může Em počítat s věnem 20 000 tolarů bez ohledu na to, co pro ni mohu učinit navíc. Vilemína.“

30. března 1822, kdy byl nejvyšší čas uvést schovanku Marii do společnosti, obdržela šlechtický predikát a přijala místo krycího jména Wilson(ová) příjmení „von Steinach“. Od tohoto dne byla vykazována jako „schovanka Její Jasnosti vévodkyně Zaháňské, manželská dcera pana Karla Steinacha, majitele rytířského sídla v království saském v Baumensrode, a matky Marie ze Steinachu, rozené hraběnky ze Schulenburgu“. Přesně tak to můžeme číst na svatebním záznamu z roku 1829. O nobilitaci Marie se zasloužil hrabě Schulenburg. V roce 1813 poslal kníže Schwarzenberg Schulenburga do Lipska, aby ochránil saského kurfiřta během obležení města napoleonskými vojsky. Nyní měl starý král příležitost svému ochránci dluh splatit.

Pak žila Zaháň přípravami na Emiliinu svatbu. Konala se 22. června 1822.

Hned poté se vévodkyně začala chystat na cestu. Uplynulé tři roky znamenaly upevnění celkové hospodářské situace na jejích statcích, ale pro Kateřinu byl tento poklid v příliš velkém kontrastu s životem, na který byla zvyklá. Navíc po matčině smrti zanikly nenávratně letní pobyty v Löbichau, které přinášely změnu a rozptýlení. Byla rozhodnuta odjet do Itálie a cestou navštívit sestru Dorotheu v Paříži.

15. července, necelý měsíc po svatbě, stály na nádvoří zámku dva kočáry připravené na dalekou cestu. Kateřina vyzvala spolucestující, aby se ještě naposledy potěšili pohledem na park. To bylo rozloučení se Zahání na dobu tří let..

Pak nastoupili do kočárů. Do prvního usedla vévodkyně s manželem, na kozlík vedle kočího komorník. V druhém kočáře jela schovanka Marie s vychovatelkou a madame Trogoffovou a ještě její přítelkyně ze sousedního zámku Mallmitz (Malomice), komtesa Amálie Dohnová. Amálii pozvala vévodkyně s sebou na cestu, aby měla Marie společnici.

Jelo se přes Drážďany a Heidelberk do Paříže, kde hosty přivítala 3. srpna sestra Dorothea. Madam Trogoffová se zde s Kateřinou rozloučila a zůstala ve Francii. Její muž se již dříve vrátil do staré vlasti. Po deseti dnech strávených v hlavním městě se společnost přemístila dále na jih do rozlehlého nádherného Talleyrandova zámku Valençay.

Začátkem září pokračovala cesta přes Pyreneje, Lurdy, Nizzu, Janov, Florencii a Řím na jih. Kateřina se cítila šťastná a vyrovnaná. Podzim byl teplý, nad hlavou italské nebe a kolem širé moře, milí lidé a jejich zvučná řeč.

V Římě se k nim připojil malíř Ernst Welker a pokračovalo se až do Neapole, kde Schulenburg již předem pronajal palác nedaleko královského sídla. Zde byla Kateřina před třiceti osmi roky se svými rodiči. Připadala si tu jako doma. Setkávala se tu na rakouském a francouzském vyslanectví s mnoha známými diplomaty. Navštěvovala divadlo a operu a vedla salon. Pak ovšem zkalila radostnou atmosféru Marie, která onemocněla těžkým zápalem plic. Vévodkyně se strachovala, aby ji nepotkal stejný osud jako před pěti lety Kláru Bresslerovou. Povolala k Marii mnoho vyhlášených lékařů. Léčba byla dlouhá, ale nakonec začaly horečky ustupovat.

Jaro následujícího roku vrátilo Marii zdraví. Dívka dosáhla devatenácti let, rostla do krásy, jemný obličej jí lemovaly husté vlasy upravené do loken. Kateřině a Marii se v novém domově líbilo a na návrat do Zaháně neměly ani pomyšlení. Jen Schulenburg sem na čas přijel, aby nepustil hospodaření na panstvích zcela ze zřetele. Ale jakmile vyřídil své záležitosti, spěchal za manželkou zpět do Itálie.

Když uplynuly dva roky, zavítali do Neapole milí hosté, bratranec Petr Medem a Gustav Parthey. Vraceli se z cesty do Egypta, Jeruzaléma a Konstantinopole. O rok později se tu objevil Gustav Parthey znovu. Tentokrát s novomanželkou, sestrou Lili a jejím mužem. Lili byla nadšena přátelským přijetím a Kateřina zas obdivovala, jak je Lili štíhlá.

Kateřina trpěla tím, že jí šedivějí vlasy, že stárne a ztrácí štíhlou postavu. Přibývání na váze přisuzovala pohodlnému a bezstarostnému životu v Itálii. Chyběl jí pohyb a vzruch, a proto pojala rozhodnutí vydat se na větší a dobrodružnou cestu. Tentokrát se chtěla podívat na Sicílii. Všichni ji zrazovali, namítali, že to není cesta vhodná pro ženy, ale vévodkyně si své rozhodnutí nedala rozmluvit.

Byla tak zaujata svým nápadem, že si dokonce usmyslila vést po dobu tohoto putování cestovní deník. Díky tomu máme dnes živou a velmi konkrétní představu, jak se v první polovině minulého století cestovalo, ale zejména obrázek, jaká byla Kateřina Zaháňská.

Deník byl v polovině našeho století ve vlastnictví Clemense Brühla a možno jen politovat, že vévodkyně nepsala deníky častěji. Z tohoto itineráře, který zachycuje celý měsíc trvání cesty Sicílií, je patrno, jak uměla jeho pisatelka citlivě a s humorem vnímat, výstižně reprodukovat a obratně se vyjadřovat.

Výpravu na Sicílii tvořili: vévodkyně Zaháňská, hrabě Schulenburg, Marie von Steinach, třicetiletý hrabě Vilém Lichnovský, pan de Belleval, kterému se líbila Marie, a pan de Panassy, oba z francouzského zastupitelství v Itálii. S sebou jel lékař Schmit, pečující o zdraví cestujících, Bellevalův kurýr a ku pomoci Kateřině a Marii věrná Hannchen.

V deníku se píše:

„Naše cesta na Sicílii měla mnoho překážek. Vlastně pouze já jsem chtěla jet. Ti, co měli jet, i ti, co zůstávali doma, neustále vznášeli námitky.

Moje přání, poznat tuto zemi, tvořilo více částí: radost z cestování, prohlídky pozoruhodných míst, pocit studu nad tím, být tak dlouho v Neapoli a nespatřit Sicílii, trochu ješitnosti podniknout něco, co se jen máloleteré ženě podařilo – a jakési tušení, že prospěje změna podnebí a více pohybu po tak dlouhém pohodlném nicnedělání; ale více než to všechno – přání vlastnit pro budoucnost vzácný poklad vzpomínek na zajímavé věci."

Tak začíná deník a také cesta parníkem, zahájená dopoledne 10. května 1825. Starostlivý Schulenburg, který nebyl s to manželce dobrodružnou výpravu rozmluvit, se alespoň postaral, aby se výpravy zúčastnilo dostatečné množství mužů.

„Před námi v celé své nádheře leželo neapolské moře se svými ostrovy. Podél pobřeží Sorrenta jsme proplouvali mezi Punta Campanella a Capri. Ve větší vzdálenosti jsme zahlédli Salerno a Amalfi. Pak nastal soumrak a my jsme viděli už jenom nebe a vodu. Poprvé a zpovzdálí se mi zjevil velebný obraz nekonečna…"

V půl čtvrté ráno se Kateřina a Marie dívaly na východ slunce a na výbuch sopky Stromboli, která se v dálce vynořila z moře. Odpoledne přistáli v Messině, kde byly dosud patrné stopy po zemětřesení z roku 1783.

Brzy po přistání se naši cestující setkali s prvními obtížemi. V Messině nemohli najít vhodný byt, v ulicích bylo plno prachu, nebyl k sehnání kočár. Nakonec najali maltského kuchaře a několik vodičů s mezky a 14. května vyrazila karavana podél východního pobřeží směrem k Etně.

Vozy je vezly tak daleko, kam až šla cesta, ale vozových cest nebylo tehdy na Sicílii mnoho. Před nimi jel kuchař Giovanni Felicitas, o němž Kateřina napsala:

„Nanejvýš vynikající, geniální člověk, který je zároveň vodičem mezků, komorníkem a poradcem, zašívá boty, vaří makarony, modeluje bysty, maluje portréty, kreslí arabesky a uklízí."

Kuchař vyrážel už v noci, aby zajistil příští nocleh a připravil oběd. Dámy jely na mezcích, pánové na koních, dva osli nesli zavazadla.

Vyvrcholením cesty měl být výstup na Etnu. K tomu účelu najali průvodce, kteří vystoupili předem na úpatí vrcholu sopky s potravinami, vodou, zavazadly a pochodněmi. Zde měla společnost přespat po západu slunce a ráno pozorovat rozednění. Po vydatné snídani, která se skládala jako obvykle ze šunky, studené drůbeže, salámu, natvrdo vařených vajec a pomerančů, se vydali 17. května na cestu. Etna však byla zahalena do mraků a to nebylo dobré znamení. Přes veškerou námahu se jim nepodařilo dosáhnout vrcholu. Sopka jim ukázala svou nejnevlídnější tvář a připravila cestovatelům překážky, které nebylo možno překonat. Kateřina si zapsala:

„Mlha byla stále hustší a tmavší, sílila sněhová vánice, burácela bouře. Zdálo se, že se neudržíme na mezcích. Všechno kolem nás bylo pusté a strnulé. Tempa del Barile ležela za námi – dosáhli jsme výšky asi 8 300 stop. Všechna naděje spatřit západ slunce zmizela, a sužováni největší zimou, jakou jsem kdy zažila, jsme se konečně rozhodli pro návrat… Když jsme přijeli dolů, počasí se uklidnilo. Před námi ležela celá katánská nížina v jasném slunci, za námi zuřil vítr. Před osmou hodinou večer jsme byli opět v Nicolosi živi a zdrávi, ale poněkud zahanbeni…"

Kuchař, který na výstup s sebou nešel a své úkoly svěřil jiným průvodcům, nepočítal s tím, že se výprava vrátí, a odjel do Catanie. Všichni promrzlí, promočení od deště a sněhu a unavení usedli kolem rozdělaného ohně a vévodkyně spolu s Bellevalem se pustili do vaření.

„Chovali jsme se jako kuchař a kuchařka. Česneková polévka, suché fazole a slepice, připravené na vepřovém sádle, nám po vyčerpávající osmihodinové jízdě chutnaly znamenitě. Oheň, kolem kterého jsme se všichni sesedli, prohřál naše zkřehlé údy. Vůbec jsem nepociťovala únavu. Noc by bývala byla dobrá, nebýt pronikavé zimy, která nám nedala spát, a kdybych nebyla mrzutá, že jsme se museli vrcholu Etny vzdát."

Měsíc dlouhé putování po Sicílii vedlo podél pobřeží z Messiny přes Taorminu do Nicolosi k Etně, dále přes Syrakusy, Licatu, Castelvetrano do Palerma.

Vévodkyně Zaháňská popsala cestu se všemi zajímavostmi, nástrahami, veselými i mrzutými událostmi, vyčerpávajícími jízdami i drobnými nehodami. Vyjmenovává flóru, popisuje tvář krajiny a její krásy, zajímavá setkání, všímá si prostých lidí, jejich práce a řeči, popisuje s humorem různé události, všímá si staré kultury, vykopávek, klášterů a chrámů.

Kateřina byla unesena nevídanými přírodními scenériemi. Hned na začátku cesty si zapsala:

„… Dosáhli jsme při západu slunce divadla v Taormině. Muselo být obrovské a skýtá nejkrásnější výhled, jaký jsem kdy viděla: vlevo moře, ohraničené břehy Kalábrie, před námi Etna, vpravo strmé, ale úrodné kopce s vesnicemi a starými zámky a mezitím údolí, skvící se vší plodností jihu a půvaby jara. K tomu modré sicilské nebe, vlahý vzduch a jasný sluneční třpyt. Nikdy jsem neviděla nic úchvatnějšího a sotva kdy něco podobného spatřím."

Když 9. června 1825 expedice končila a členové výpravy nasedli v Palermu na loď, aby se přeplavili zpět do Neapole, zapsala vévodkyně mezi posledními větami do svého deníku: „Adieu Palermo, adieu krásná Sicílie, která jsi nám poskytla tak nádherný měsíc.

Loučím se s hlubokou lítostí s nejkrásnější zemí světa…

Strávila jsem zde jeden z nejlepších měsíců svého života, poznávala stále něco nového a zajímavého, těšila se dobrému zdraví a setkávala se s dobrosrdečností a pohostinstvím. Co mi učinilo loučení ještě těžším, byla myšlenka, jak brzy se naše malá společnost roztrousí, aby se asi už nikdy takto nespojila."

Když Kateřina psala poslední slova svého malého cestopisu a nazvala čtyři týdny strávené na Sicílii jedním z nejšťastnějších měsíců svého života, jako by tušila, že sicilské jaro bylo vskutku jejím posledním šťastným údobím.

Byla zde obklopena vším, co milovala: krásnou přírodou, blahodárným teplem jižního slunce, aktivitou a činorodostí, pocitem zdraví a spokojenosti, přítomností milých lidí.

Léto 1825 prožili jako loňského roku na nedalekém ostrově Ischia. Pak bylo rozhodnuto podívat se na čas do Slezska a strávit tam podzim. Po premíře středozemního horka je lákalo chladnější klima a pohled do podzimních barev zámeckých parků. Ale sněhu a mrazů se vévodkyně bála, a proto se chtěli na zimu vrátit zase zpět.

V Záhání se zdrželi jen krátce. Nestálo za to se tu zabydlovat. Deset dnů trvala jejich návštěva v Hohlsteinu. Sestry je vítaly srdečně a přemlouvaly Kateřinu, aby se příští jaro zastavila ve Vídni, kde se od roku 1819, kdy tam byla naposledy, mnohé změnilo.

V roce 1820 zemřely Metternichovy dcery Klementina a Marie. V březnu roku 1825 rovněž zemřela na tuberkulózu jeho žena Lorel. Klemens byl tedy již několik měsíců vdovcem. Nebyl právě to impulz k tomu, že Kateřina souhlasila s návštěvou Vídně? Nezapomněla dosud na svou bývalou lásku? Nejvíce ji vzrušovalo, že Metternichův věhlas neochabl, že jeho význam naopak ještě vzrostl. Byl po císaři Františku I. stále nejdůležitějším mužem rakouského císařství a evropské politické scény. To nenechalo vévodkyni klidnou. Cítila v sobě stejný vzruch a napětí jako dříve.

Koncem října 1825 byla společnost zpět v Neapoli. Krátce nato (12. listopadu) se v obci Pikis ve vzdáleném Finsku vdávala její dcera Vava. Brala si svého bratrance Magnuse Reinholda Armfelta z panského sídla Viurila v obci Halikko. Zjara 1826 se vévodkyně Zaháňská objevila po sedmi letech opět poprvé ve Vídni. Po letech odloučení se stala vzácnou, všude ji vítali, každý ji chtěl vidět a promluvit s ní.

Jako první ji pozval Friedrich von Gentz do své nové vily ve Weinhausu. Chtěl se pochlubit množstvím vzácných květin, které tu pěstoval. V předvečer svých 53. narozenin uspořádal na její počest velký banket ve své zahradě na Rennwegu Metternich. Pozval i Schulenburga, Marii, obě princezny Kuronské a další hosty.

Metternichova patnáctiletá dcera Leontina si zapsala do deníku: „Hodně lidí bylo na snídani podávané pro vévodkyni Zaháňskou. Je stále velmi hezká a mně se zdá, že se mnoho nezměnila."

Na léto téhož roku svolala Kateřina velké rodinné setkání do Ratibořic. Pozvala příbuzné a přátele, jak to kdysi dělala její matka v Löbichau.

Dostavily se sestry Johana z Acerenzy a kněžna Paulina z Hohenzollernů, byla tu schovanka Marie von Steinach, které se blížil jedenadvacátý rok, a pětadvacetiletá Louisa Seignoretová. Přijela Emilie von Binzer se svou tříletou dcerkou Klárou (dvouletého Karla a roční Marii nechala doma a očekávala čtvrté dítě). Byl tu její přítel z dětských let Josef von Brassier, zavítaly hraběnky Bresslerovy a nechyběl ani mladý kníže Schwarzenberg z Orlíku. Přijel také generál Vieth a hrabě Vilém Lichnovský. Po dlouhé době ožily zas na několik týdnů Ratibořice, ale když začal z Orlických hor foukat chladný vítr, byla to pobídka pro vévodkyni, aby se vrátila s mužem a Marií do slunné Itálie.

V polovině října 1826 projížděla vévodkyně se svou družinou opět Vídní. V Benátkách se zdrželi deset dnů. Pak cestovali přes Padovu do Verony. Zde vyhledala Kateřina desku upevněnou na palácové stěně a s netajenou nostalgií četla, že tu 13. ledna 1885 bydleli její rodiče. Byla tenkrát s nimi a byly jí čtyři roky. Od té doby uběhlo více než jedenačtyřicet let. Tehdy nikdo netušil, jak si právě s 13. lednem pohraje Kateřinin osud. 13. ledna 1800 zemřel její milovaný otec a 13. ledna 1801 se narodilo její jediné dítě, 13. ledna 1836 zemřel také Louis Rohan, její první manžel.

Dále se pokračovalo přes Rimini, Loretto, Assisi a v polovině prosince dorazili do Říma. Papežské město se připravovalo na Vánoce. Byl advent a v nádheře chrámů zapůsobily nadcházející svátky hluboce na city a rozteskněnou mysl vévodkyně.

V Neapoli prožila Kateřina své šestačtyřicáté narozeniny. To je doba, kdy se mnoho žen utíká k náboženství a církvi, aby ve spojení s Bohem hledalo útočiště před strázněmi života. Podobně tomu bylo u vévodkyně Zaháňské. Nevracela se však k církvi svých rodičů. Už před několika roky prohlásila slečna Antonie Forsterová o Zaháni, že je tam cítit kadidlo. Kateřinu přitahovala církev římskokatolická, s níž byla v úzkém kontaktu již v předchozích letech. Svou úlohu sehrála i Vídeň a Itálie, Metternich a další přátelé.

Své předsevzetí přestoupit ke katolické církvi uskutečnila vévodkyně o Velikonocích roku 1827. Zatím to před Schulenburgem se souhlasem papežského nuncia tajila. Přijetím katolické víry totiž přestala být před Bohem jeho manželkou a platnost nabýval její sňatek s Louisem Rohanem. Kněz jí sdělil, že tělesný poměr s jiným mužem je hřích, ale dal jí šestiletou lhůtu, aby svůj vztah vyřešila.

Údaje o tom, kdy Kateřina vyjevila Schulenburgovi pravdu, se rozcházejí. Skutečností je, že nadále vystupovali na veřejnosti jako manželé.

V Římě se dala Kateřina malovat od Filippa Agricoly. Obraz v životní velikosti představuje vévodkyni sedící v křesle v červených sametových šatech se žlutou podšívkou, na hlavě široký klobouk s bílým volavčím perem. Kateřinina tvář s vysokým čelem a moudrýma očima má vážný výraz, snad jen v koutcích úst pohrává sotva znatelný úsměv připomínající záhadný úsměv Mony Lisy. Pravá ruka opřená o stůl ukazuje na díla Dantova a Ariostova.

Z Říma se Schulenburgovi a Marie vrátili do Vídně v polovině května 1827. Zde probíhalo vše jako v minulém roce. Nejprve návštěva u Gentze, pak oběd u Metternicha, kde byla i sestra Paulina a Louis Rohan. Jedinou změnou bylo, že se Klemens Metternich rozhodl podruhé vstoupit do stavu manželského. Vídeňany šokovalo, že si vybral ve svých čtyřiapadesáti letech jedenadvacetiletou Antoinettu von Leykam, dceru úředníka a neapolské zpěvačky. Dívka však dvakrát staršího Klemense přímo zbožňovala. Svatba se konala 5. listopadu 1827. Manželství bohužel netrvalo ani dva roky. Antoinetta zemřela 17. ledna 1829, deset dnů po narození syna Richarda.

Ještě třikrát se vévodkyně Zaháňská v následujících letech odebrala s Marií do Itálie. Ale vždy jen na několik zimních měsíců. Zbytek roku trávila ve Vídni a léto v Ratibořicích. Začala pociťovat první příznaky dny, a proto v Itálii vyhledávala rašelinné lázně. Mezitím našel Schulenburg pro Marii ženicha. Byl jím hrabě Fabián Dohna, s jehož otcem se Schulenburg poznal v Zaháni. Jeho sestra Amálie doprovázela před několika roky Marii na cestě do Paříže. Fabián se Marii líbil. V květnu 1828 mu dala v Hohlsteinu slovo a rok nato se konala svatba. Nebyla to svatba obyčejná. Byla to dvojsvatba, vystrojená vévodkyní také pro Fritze Piattoliho a Louisu Seignoretovou. Svatby se konaly 25. července 1829 v nejužším rodinném kruhu. Přítomen byl kromě tří sester Kuronských a hraběte Schulenburga pouze starý rodinný přítel generál Vieth. Svatební obřad probíhal v kostele v České Skalici a snoubence oddával evangelický farář Martin Malát z Černilova. Pro obyvatele Ratibořic a Skalice to byla velkolepá podívaná.

Prohlížíme-li oddací listy z 25. 7. 1829, zjišťujeme, že oběma schovankám byly při svatbě ubrány tři roky. Marie má místo stáří 24 let uvedeno 21 let, Louisa místo 28 let pouhých 25 let. Stalo se tak bezesporu s ohledem na věk ženichů, což v té době nebylo nic neobvyklého. Fabiánovi bylo totiž 23 roků, Fritzovi 29 let.[3]

Když bylo po svatbě, uprosila vévodkyně Marii, aby u ní ještě zůstala. Čtyři týdny se zdržel v Ratibořicích též hrabě Dohna, ale pak spěchal, podobně jako hrabě Schulenburg, za svými povinnostmi do Slezska. Sestry odcestovaly do lázní Ischl a Kateřina se jen těžce smiřovala se skutečností, že zůstane sama. Ničeho se tolik nebála jako samoty. Přemlouvala Marii, aby s ní strávila ještě zimu ve Vídni. Slibovala různé radovánky, které je tam čekají, ale když se Marie odvážila namítnout, že musí následovat manžela, vévodkyně se zlobila. Marie zůstala u své schovanecké matky přes Nový rok a ještě celý leden 1830.

Pak nastala smutná chvíle loučení. Marie o tom napsala:

„I když se vévodkyně po určitou dobu hněvala, v hodině loučení se její láska opět projevila naplno."

K svatbě koupila Kateřina Marii zámeček Cunzendorf (Chichy) nedaleko Zaháně a zařídila ho krásným nábytkem a pěknými obrazy. Mezi nimi byl i Kateřinin portrét, malovaný v Římě roku 1827 Filippem Agricolou. Dokládá to starý obrázek interiéru tohoto domu. Agricolova

olejomalba visela v salonu nad fotelem a připomínala Marii její scho-
vaneckou matku a léta s ní prožitá v Itálii.[4]

Rok 1830 byl pro vévodkyni Zaháňskou dalším životním mezníkem.
Jako předěl mezi barevným podzimem a studenou zimou.

Kolem Kateřiny se rozevřelo prázdno. S milovanou schovankou,
kterou měla přes sedmnáct let kolem sebe, odešel smích, zpěv, rozho-
vory i drobné dívčí starosti, které zaměstnávaly mysl vévodkyně.
S Marií odešlo mládí… Kateřina si připadala stará a opuštěná.

(XVIII)
Kruh se uzavírá

Když v lednu 1830 Kateřina Zaháňská osaměla, zbývalo jí necelých deset let života. Většinu roku trávila ve Vídni, kde si najala svůj poslední byt ve Wollzeile nedaleko chrámu sv. Štěpána a blízko Annagasse, kde bydlely její sestry. Nazývala je anděly strážnými pro jejich starostlivost a ochotu přispěchat jí kdykoliv na pomoc. V těchto letech navštívila ještě dvakrát Itálii, jedenkrát Paříž, v létě přijížděla do Ratibořic, někdy do Hohlsteinu a Zaháně, a tak ji kočár vozil dále po známých trasách, které ve svém životě tolikrát projela.

Milostné románky i účast na politickém rozhodování patřily minulosti. Děti vyletěly z hnízda a život vévodkyně se stal jednotvárnějším a tišším. O to více se přimkla k církvi, jak to vystihl i Alois Jirásek v kronice *U nás*. Ve Vídni to byl kněz František z kapucínského kláštera, v Ratibořicích páter Havlovický. Stále častěji s nimi rozmlouvala a očekávala od nich moudrou radu a slova útěchy.

Lidé v Ratibořicích vzhlíželi s úctou a respektem k vážné a důstojné vévodkyni Zaháňské. Nazývali ji paní kněžnou nebo hercočkou a ještě v době Karla Pleskače žili pamětníci, kteří vzpomínali, jak krásná kněžna jezdila na koni buď v průvodu skvělé šlechtické družiny, nebo sama s podkoním. Mívala na sobě dlouhý plášť nebo krátký kabátek s dlouhou sukní spuštěnou přes třmeny a na hlavě černý cylindr, z něhož vlál závoj. Ti, kteří ji osobně znali, řadili ji mezi nejkrásnější a nejelegantnější aristokratky svého věku.

Lidé z Náchodska a Českoskalicka si vyprávěli i o jejích výstředních kouscích, jak je slýchali od služebnictva.

Tak například Kristla Celbová, provdaná Omastová, nám z Babičky známá jako Kristla z hospody, se na paní hercočku dobře pamatovala a vzpomínala, že kněžna „ráda jezdila koňmo a moc hausírovala po světě. Cestovala ve svém povozu a volila často cesty až krkolomné. Když bylo nejhůře a kočí dále jeti nechtěli a sluhové stranou kleli, dala se do zpěvu a nepolevila, kdyby i život stálo."(Z *Rozmanité prosy* od A. Jiráska.)

Karel Pleskač v *Ratibořické idyle* zas poznamenal, že Kateřina byla velkou milovnicí psů. Aby se její miláčci nezatoulali, dala zámecký park oplotit. Skalický kovář a zvěrolékař Josef Steidler, majitel domu, kde se dnes nachází Muzeum Boženy Němcové, vyléčil dva její bělosrsté pinčlíky. Za to si ho vévodkyně oblíbila a zahrnovala ho přízní. Její nejznámější psi se jmenovali Špring a Mississipi a vozila je s sebou na cestách v kočáře. Když Mississipi pošel, dala ho pohřbít na louce za původním „starým bělidlem", v němž bydleli Panklovi. Na jeho rov dala postavit tesaný kámen se jménem Mississipi. Když se asi kolem roku 1850 rozšiřovala zámecká kuchyně, vybourali zedníci ze zdi tesaný kámen s tímto nápisem. „Kočí Lekeš, jenž s Panklem jezdil s vévodkyní po světě, upamatoval se, že kámen ten stál v louce na rově psa téhož jména. Kámen byl potom zazděn opět do nové zdi kuchyňské."

V roce 1830, po výbuchu červencové revoluce ve Francii, při níž opět asistoval Talleyrand, byl Metternich znovu denním hostem u Kateřiny. Diskutoval s ní o politických událostech, chtěl slyšet její názor, případně získat prostřednictvím sestry Dorothey čerstvé informace přímo z Paříže.

Z této doby pochází i výrok Antona Prokesche von Osten, známého rakouského diplomata a cestovatele, o vévodkyni Zaháňské:

„Mám tuto ženu velice rád a docela dobře chápu, že k ní někdo může zahořet nejžhavější vášní. Má rozum v hlavě a v srdci a v nich křídla, která ji nesou vysoko nad mraveništěm naší neblahé doby."

V lednu 1831 se Metternich oženil potřetí. Bylo mu osmapadesát let, když si bral šestadvacetiletou Melanii hraběnku Zichyovou, dceru svých dobrých přátel. S vévodkyní Zaháňskou však kontakty nepřerušil. Žárlivost své mladé ženy utišil tvrzením, že jeho spojenectví s vévodkyní tkví pouze ve společných politických zájmech.

Jednoho dne obdržela Melanie překrásný náhrdelník. Na přiloženém lístečku bylo Metternichovou rukou napsáno:

„Je od vévodkyně Zaháňské a ode mne.

Miluj pouze mne a buď srdečná k vévodkyni."

Léta zahladila jejich vášně, ale cosi z osudové lásky přetrvalo až do jejich stáří.

Kateřina před lety tento vztah sama ukončila. Pro ni z něj nebylo východiska. Chtěla jeho stopy zahladit novými vztahy, ale nepodařilo se jí vymýtit vzpomínky ze svého srdce. Když Klemense nenávratně ztratila, opět se jí potvrdilo, co si mnohokrát uvědomila, že cenu člověka poznáme plně až tehdy, když o něj přijdeme.

Rok nebo dva po svatbě Metternicha s Melanií mu poslala Kateřina litografii svého portrétu, pořízenou podle malby z Paříže nejspíše z roku 1814 nebo 1815. K tomu na lístek napsala:

„Adieu, milý příteli – až příliš jsem Vás milovala, abych tak nečinila nadále. Řekněte, že jste mi zachoval alespoň trochu onoho zájmu, po němž mé srdce stále prahne."

Metternich lísteček uschoval.

Po roce 1830, kdy přestalo být tajemstvím, že Kateřina přestoupila v Římě ke katolické církvi, si našel Schulenburg ve Vídni samostatný byt. Želel rozchodu s vévodkyní, ale nadále zůstal správcem jejího jmění a jí a jejím sestrám přítelem až do smrti.

Plynoucí čas přinášel málo radostí, ale naopak řadu smutných zpráv a smutečních oznámení. Přátelé a známí odcházeli.

17. 2. 1830 zemřel Josef hrabě Vratislav z Mitrovic, věrný přítel a poradce Kateřiny Zaháňské od doby, kdy převzala vévodský titul a stala se majitelkou náchodského panství.

V roce 1832 zemřel Friedrich von Gentz, který přes různá nedorozumění patřil k trvalým přátelům vévodkyně. Krátce před svou smrtí řekl Antonu Prokeschovi:

„Kdybych měl napsat dějiny posledních patnácti let, bylo by to dlouhé obvinění Klemense Metternicha."

Rok nato odešla teta Elisa von der Recke. V roce 1835 zemřel starý rodinný přítel a přímo dvorní básník Schink, kterému poskytla vévodkyně Zaháňská tak velkoryse azyl v zaháňském zámku. Toho roku zesnul i císař František I., deset let po caru Alexandru I. Mužové vídeňského kongresu pomalu opouštěli dějiště světa.

V lednu 1836 přišla zpráva z Paříže, že Louis Rohan už není mezi živými. Teprve nyní byla podle katolické církve Kateřina volná. Ale bylo příliš pozdě. Kruh se pomalu uzavíral.

Roku 1836 svolala vévodkyně ještě jedno rodinné setkání do Ratibořic. Dostavili se Marie a hrabě Dohna se svým druhým synkem, přijel Fritz von Piattoli-Treuenstein s ženou Louisou a malou dcerkou Marií a zavítaly tři sestry dávno zesnulé Kláry Bresslerové. Vévodkyně se těšila z dětí svých dětí. I ona už byla skutečnou babičkou. Její dcera Gustava měla čtyři děti. Tři syny a dceru. Kateřina však svá vnoučata nikdy nespatřila. S dcerou se před lety sešla ve Vídni. Bylo to těžké setkání. Podle výpovědi Vaviných potomků čekala dívka ve Vídni řadu dní, než Kateřině polevila migréna a mohla Gustavu přijmout.[1]

Zatímco Kateřina strádala samotou a trápila se nastávajícím stářím, stál Metternich takřka na začátku nového života. Melanie, o osm let mladší než jeho zemřelá dcera Marie, mu rodila děti. V roce 1832 přišla na svět dcera Melanie, o rok později syn Klemens, další rok Pavel, pak Marie Emilie a v roce 1837 poslední syn Lothar.

Po letech řekl Metternich vnučce Paulině: „Mé vlastní povolání bylo povolání chůvy."

Z prvního manželství přežily pouze dvě dcery, Leontina a Hermína, jimž v roce 1837 bylo šestadvacet a dvaadvacet let. Syn Viktor, nadějný diplomat, působící na rakouském zastupitelství v Paříži, zemřel v roce 1829. Z druhého manželství zůstal osmiletý Richard, který se po smrti otce stal jeho nástupcem.

Na podzim 1837 se Kateřina chystala vyhovět naléhavému pozvání sestry Dorothey a navštívit Francii.

V Ratibořicích se 12. září konala svatba Barunky Panklové. Kněžna jí darovala dvoudílné zlaté náušnice a zapůjčila čtyři kočáry s premovanými kočími. Za svědky šli manželé Wisgrillovi, správcovi z Ratibořic, a manželé Hochovi, správcovi z Chvalkovic. Terezie Panklová prý očekávala od vévodkyně věno a povznesení Josefa Němce do panského stavu.

Pak odcestovala Kateřina do Vídně, aby se připravila na cestu. Byla rozhodnuta v Paříži přečkat zimu. Průvodce jí dělal synovec Alexandr, který se právě zdržoval ve Vídni a nabídl se, že tetu doprovodí.

9. prosince přijeli na zámek Rochecotte nad řekou Loirou nedaleko obce Saint-Patrice. Dorothea ho pro sebe koupila asi před deseti roky a ráda zde přebývala.

Sestry se neviděly více než deset let, ale když Dorothea obdržela příslib, že Kateřina přijede, nebyla její návštěvou nadšena. Když se setkaly, zhrozila se, jak Kateřina zestárla a ztloustla, jak se jí zvýšil hlas a její řeč nabyla vídeňský přízvuk.

Horší však byl vnitřní neklid, který Kateřina podle slov Dorothey přinesla s sebou. Dorothea se necítila již delší dobu dobře, ale po příjezdu Kateřiny se její zravotní stav zhoršil. Objevily se vysoké horečky a byly obavy o její život.

19. prosince 1837 napsala Dorothea příteli Bacourtovi:

„Od příjezdu sestry jsem pociťovala silný nervový neklid, který se stále stupňoval, a to tak, že včera vypukl prudký zánět s vysokými horečkami. Cítím se velmi skleslá."

Na Silvestra nastal obrat k lepšímu. Nový rok přivítala Dorothea již společně s ostatními. Byl zde Talleyrand a děti a dostavili se i sousedé s blahopřáním. Když nemoc ustoupila, nabádal Talleyrand k návratu do Paříže. Sám jel napřed se sedmnáctiletou Paulinou, poslední dcerou Dorothey Périgordové. Dorothea ještě objela zámky a statky, aby se rozloučila.

Cestou do Paříže se Kateřina zastavila ve Versailles, kde navštívila starou přítelkyni hraběnku Trogoffovou. 10. ledna dorazily sestry do Talleyrandova paláce v rue St. Florentin, kde v prvním patře vedle apartmá Dorothey byly připraveny pokoje i pro Kateřinu.

Vévodkyně Zaháňská se v Paříži setkala s řadou známých z období vídeňského kongresu nebo přátel z Neapole. Nechala se představit prostřednictvím Dorothey i královně. Objevila se v nádherné toaletě a sestra musela přiznat, že vypadá velmi vznešeně.

Kateřina navštívila divadlo, obrazárnu v Louvru a naplno ožil i její zájem o politiku. Od poslední revoluce byl ve Francii opět ustaven parlament a Dorothea i Kateřina byly pozvány do Bourbonského paláce na zasedání. Hlavní slovo přednesl ministr zahraničních věcí Molé a jeho řeč sestry nadchla. Přítomna byla i kněžna Lievenová, která nyní žila v Paříži. Ale i když obě bývalé sokyně o sobě věděly, vyhnuly se přímému setkání.

Náladu kazila Talleyrandova nemoc. Nemohl chodit, musel být přenášen, a Kateřina se v březnu odhodlala k návratu do Vídně. Talleyrand zemřel 17. května 1838 ve věku osmdesáti čtyř let.

V srpnu se obě sestry sešly ještě jednou. Tentokrát v Heidelberku. Dorothea byla s dcerou Paulinou na cestě do Baden-Badenu, Kateřina s Emilií na cestě do Itálie.

V listopadu zemřel kníže von Hohenzollern-Hechingen, manžel sestry Pauliny.

Kateřina se z Itálie vrátila v březnu 1839 do Vídně, kde se zdržela do začátku června. Na léto odjela do Zaháně. Nemívala ve zvyku se zde dlouho zdržovat, ale tentokrát tu pobyla od června do září. Nebyla tu však sama. Přijely obě bývalé schovanky, Emilie a Marie. Vévodkyni našly smutnou, skleslou a hluboce nespokojenou. Často ji přepadaly záchvaty smutku a beznaděje. Mladým ženám se nepodařilo ji rozveselit. Nakonec usoudily, že Zaháň působí na vévodkyni depresivně svou rozlehlostí a tesknými vzpomínkami.

Doprovodily proto vévodkyni do Ratibořic v domnění, že milé prostředí nejoblíbenějšího sídla její chmury rozptýlí.

Před několika roky dala vévodkyně zhotovit oltářík, u něhož sloužil kněz z městečka mši. Karel Pleskač zaznamenal, že ke mši se vyzvánělo zvonkem umístěným pod zámeckou střechou a při mši se hrálo na harmonium. Vévodkyně s družinou nikdy na bohoslužbě nechyběla. V neděli dojížděla na mši do farního kostela ve Skaličce.

Na podzim 1839 byla vévodkyně v Ratibořicích naposled. Uvažovala prý ještě o tom, že na zimu odcestuje opět do Itálie a zjara se vrátí zase do Ratibořic. Ale sama si už nebyla jistá, jestli se její touha vyplní.

Ještě prosila Marii, aby ji do Itálie doprovodila, ale bývalá schovanka musela odmítnout. Doma čekaly děti, z nichž roční Marie byla nejmladší.

Koncem října, v předvečer návratu z Ratibořic do Vídně, si vévodkyně pozvala několik přátel, aby se s nimi rozloučila. Zatímco se podával čaj, na chvíli se vzdálila a napsala závěť. Když hosté odešli, svěřila se Emilii. Ta byla zlou předtuchou své schovanecké matky zdrcena.

Vévodkyně přijela do Vídně začátkem listopadu. 14. 11. 1839 napsala Marii:

„Ještě jsem se nerozhodla, jestli mám zůstat zde, nebo odjet na několik zimních měsíců do Itálie. Kdyby mě sestry nezrazovaly, seděla bych už v kočáře – tady je tma a dlouhá chvíle – a můj stesk mě stále táhne přes Alpy. Do země, kde se cítím ve vzpomínkách nejšťastnější, a to je na sklonku života nesmírně mnoho."

Vévodkyni sužovala dna. Pociťovala pichlavé bolesti v rukou, otékaly jí nohy a obličej. Emilie přičítala otoky otravě z barev na vlasy.

Pak se dostavily záchvaty dušnosti. Do domu ve Wollzeile přicházela za Kateřinou sestra Johana a páter František z kapucínského kláštera. Paulina ležela nemocná a nemohla sestru navštívit. Když služebná přispěchala, že je vévodkyni zle, nebylo už pomoci. Po obdržení posledního pomazání zemřela Kateřina Zaháňská 29. listopadu 1839 ve věku padesáti osmi let raněna mrtvicí.

Rakouský diplomat Philipp Neumann, o němž se říkalo, že byl nemanželským synem Metternichova otce, si zapsal do svého deníku: „Vévodkyně Zaháňská zemřela dnes dopoledne ve čtvrt na jedenáct na apoplexii. Potkal jsem ji poprvé v roce 1809. Byla tehdy jednou z nejkrásnějších žen své doby. Bohatá, elegantní, vtipná. Zůstala dlouho půvabná, teprve v posledních třech nebo čtyřech letech ztratila své kouzlo."

Zpráva o Kateřinině smrti zasáhla Metternicha velmi těžce. Byl tak rozrušen, že jeho žena Melanie se obávala o jeho život.

Truchlivá novina spěchala také do Paříže. Johana ji sdělila sestře Dorothee a připsala:

„Všichni lidé, kteří ji znali, pro ni truchlí a po právu vyzdvihují její klady. Konala mnoho dobrého a byla zajisté krásným, vzácným zjevením. Zda se cítila se všemi přednostmi, které jí darovalo nebe, šťastna, se neodvažuji tvrdit a tato pochybnost mi působí bolest."

Také v Ratibořicích a v Náchodě byli smutnou zprávou zasaženi. V Ratibořické idyle se dočteme, co si vyprávěli lidé po smrti vévodkyně:

Na zámecké půdě byly kovové věžní hodiny s vyrytým letopočtem 1703, přenesené sem z chvalkovického zámku. Dle lidové pověry, měl-li kdo z vrchnosti zemřít, hodiny se „mátly". Také před smrtí vévodkyně Zaháňské ručičky ukazovaly špatně a hodiny bily nepřetržitě, ač stroj nebyl porouchán.

První odpočinek našlo tělo Kateřiny Zaháňské v postranní kapli svatoštěpánského dómu ve Vídni. 18. března 1840 bylo převezeno do Náchoda, zde pietně přijato zástupy obyvatel a uloženo přechodně v zámecké kapli. Po dokončení kaple sv. Kříže v zaháňském parku bylo tam převezeno 21. ledna 1841.

V tomto romantickém gotickém kostelíčku, ve dne prosvětleném slunečními paprsky, byla rakev umístěna v bílém sarkofágu po levé straně oltáře a srdce uloženo do schrány v nice ve zdi.

Dědičkou vévodkyně Kateřiny Zaháňské se stala Paulina Hohenzollernová. Ale již roku 1840 koupil náchodské panství včetně Chvalkovic Karel Octavio hrabě z Lippe-Bisterfeldu a roku 1842 je prodal za 2 500 000 zlatých Jiřímu Vilémovi knížeti ze Schaumburg-Lippe. Tento rod spravoval Náchod a Ratibořice do roku 1945.

Vévodkyně Zaháňská už neviděla, jak po ní opouští řada jejích známých a přátel tento svět.

Hned v lednu 1840 zemřel ve Vídni ve věku čtyřiceti devíti let hrabě Karel Clam-Martinic a téhož roku i pruský král Fridrich Vilém III. První z obou rozbouřil o vídeňském kongresu srdce Dorothey Périgordové se všemi následky prudkého milostného vzplanutí, ten druhý krutě zranil Kateřininu hrdost brzy poté, co se stala vévodkyní Zaháňskou.

Následujícího roku následovali Kateřinu na onen svět dva mužové, na které vévodkyně nerada vzpomínala. Byl to kníže Vasilij Trubeckoj, její několikaměsíční melancholický manžel, a hrabě Alexandr Batowski, pro kterého opustila vévodkyně Kuronská muže a tři nezletilé dcery.

Odchod těchto čtyř ještě zaznamenala Paulina Hohenzollernová, než sama 8. ledna 1845 došla na konec své pozemské pouti. Byla pohřbena k matce do hrobu v Löbichau. Později byly ostatky obou žen převezeny do hrobky Petra Birona v Zaháni.

Zaháňské panství prodával v dražbě Paulinin syn Konstantin. Zakoupila je nejmladší ze čtyř sester Kuronských, Dorothea vévodkyně Dino, ke svému slezskému statku v Zatonii. Zaháň přijala za svou a strávila zde posledních sedmnáct let života.

Na rozdíl od Kateřiny, která zaháňské panství bez přičinění zdědila, ale nikdy se zde neusadila, musela je Dorothea draze zaplatit a zvolila ho po letech strávených ve Francii za své trvalé sídlo. Tak se stala Dorothea druhou vévodkyní Zaháňskou. Lénem a titulem ji obdaroval 6. 1. 1845 nový pruský král Fridrich Vilém IV., její berlínský přítel z dětských let.[2]

Když se Zaháně ujímala, napsala: „Vilemína z lásky k Itálii všeho zanechala. O svá panství ztratila zájem."

Dorothea se s elánem pustila do budování zámku i parku. Na jeho okraji dala vystavět nemocnici, která je v provozu dodnes. Z Paříže přivezla četné služebníky, ale najímala je i z okolí zámku. Z Ratibořic povolala Jana Pankla s rodinou a správu zámku ponechala nadále hraběti Schulenburgovi až do jeho smrti v roce 1856. Schulenburg byl pohřben na evangelickém hřbitově v Zaháni.

Revoluční rok 1848 odstavil Metternicha od kormidla rakouských dějin. Stál při něm celá desetiletí, ale v posledních letech již bez inspirace a bez ochoty jít s dobou.

Když Kateřina Zaháňská zemřela a v dražbě prodávali její psací stůl, získala ho kněžna Melanie Metternichová pro svého manžela. Nemohla ho obdarovat vhodnějším dárkem. Byl to právě ten stůl, který stával v pravém traktu Palmovského paláce a pro který Klemens kdysi kupoval ony drobné vzácné předměty, jež měly v každé chvíli vévodkyni připomínat pozorného a milujícího dárce. Stůl byl mistrovské dílo nábytkářského umění 18. století. Kdysi ho vlastnil vévoda de Choiseul, později Petr Biron a po něm jeho dcera Vilemína.

Pak u něj sedával Metternich. Zde mohl psát své *Paměti* a vzpomínat na nejpozoruhodnější ženu, která prošla jeho životem. Proto uchoval její a své milostné dopisy, rozhodnut ponechat je jako důkaz jejich vztahu, naplněn pocitem pýchy, že směl tuto ženu, byť pouze po dobu dvou let, nazývat svou láskou.

Tolikrát se v těchto dopisech dotýkal myšlenky na smrt. Dostavila se až 11. června 1859, dvacet let po odchodu Kateřiny Zaháňské. V té době už byl potřetí vdovcem a svá léta dožíval v Kynžvartu, západočeském panství, které vlastnili Metternichové od roku 1623.[3]

Ještě žila Johana, vévodkyně z Acerenzy, a bývalé schovanky Emilie a Marie. Louisa von Seignoret a její manžel Fritz von Piattoli zemřeli. Fritz se stal obětí povolání. Padl jako c.k. major, zasažen kulkou 6. 4. 1849 v době revolučních bouří v maďarském Gödölö u Isaszegu. Jeho žena Louisa zesnula v roce 1847 rovněž v Uhrách. Zůstala osiřelá dcera Marie.

Po smrti otce napsala Gustavu Partheyovi, který se po letech prožitých ve společném domě v Berlíně a na studiích v Heidelberku stal nejmilejším Fritzovým přítelem:

„Ztratil jsi drahého bratra. 6. t. m. padl můj milovaný otec u Isaszegu. Ó můj Bože, snad jsi mě zcela opustil! Prosím Tě, vyrozuměj své lidi, ale zejména milou babičku. Pro ni to bude strašná rána, vroucně se milovali." (Babičkou je míněna Johana z Acerenzy.)

Zachoval se dopis, který psala Fritzovi rok před svou smrtí jeho babička, vévodkyně Kuronská, když se dověděla, že Fritz chce zanechat studií a věnovat se vojenství. Dopis je datován v Paříži 12. ledna 1820:

„I když je vojenský stav sám o sobě čestný, v dobách míru neumožňuje žádnou skvělou kariéru. V občanských válkách bych si Tě nepřála vidět a války dobyvačné a obranné nelze při špatných finančních poměrech států, zaplať Pánbůh, očekávat. Proto využij všeho času ke studiu a k důkladnému vzdělání."

19. září 1862 zemřela v Zaháni Dorothea Périgordová. Zaháňské panství přešlo na jejího staršího syna Ludvíka Napoleona.

Jako poslední ze čtyř princezen Kuronských zůstala Johana. Jediná ze čtyř sester se dožila vysokého věku třiadevadesáti let. Ve svých devadesáti letech četla ještě bez brýlí, slyšela a pohybovala se jako mladá žena a měla hezké pevné písmo. Zůstala horlivou protestantkou, ale byla natolik tolerantní, že k jejím nejbližším přátelům patřili i stejně zanícení katolíci. Její dům ve Vídni, kde trávila obvykle zimu, byl denně zaplavován žádostmi o milodary. Nikoho nepropustila domů s prázdnou.

Na rozdíl od svých sester se Johana držela více v ústraní. Emilie o ní napsala:

„Její ušlechtilá a skromná bytost se vyznačovala nevýslovným kouzlem. Drobný žertík, kterým oslazovala rozhovor, zasáhl vždy to pravé místo... Vévodkyně Johana uctívala stromy, jako by v nich žily dryády... Nikdy se nikdo tolik nebál sněhu a nikdo tolik nemiloval růže jako ona..."

Poslední dcera vévody Petra Birona a Dorothey z Medem zemřela v Löbichau 11. dubna 1873.[4]

Dvě hrobky v Zaháni skryly ostatky členů vévodské rodiny. V jedné odpočívá manželský pár s dcerami Paulinou a Johanou a Petrovým prasynovcem, vnukem vévodova bratra Karla, v druhé Kateřina a Dorothea, které přestoupily v Římě ke katolické víře. K nim později přibyl i Dorothein syn Ludvík, další vévoda Zaháňský.

Dodnes šumí nad nádvořím zámku čtyři mohutné platany a stále se otvírá překrásný rozhled na park. Lidé v Zaháni ještě dnes vzpomínají vděčně na vévodkyni Dorotheu, která Zaháň milovala ze všech dcer nejvíce, ale i na Petra Birona a jeho prvorozenou dceru Kateřinu, kteří se rovněž nesmazatelně zapsali do historie zámku i města.

Doslov

V letošním roce uplynulo 180 let od vídeňského kongresu. 6. června 1815 byly ve vídeňském Hofburgu podepsány závěrečné dokumenty stvrzující platnost kongresových jednání.

Vídeňský kongres znamenal pro vévodkyni Zaháňskou období, kdy její hvězda zářila nejjasněji. Kateřina se právě v této době ocitla na vrcholu své fyzické a psychické zralosti a krásy.

Napoleon byl poražen a zúčastněné strany rokovaly o poválečném uspořádání Evropy. Tam, kde přetrvávaly třecí plochy, snažila se vévodkyně přispět svými originálními nápady a důvtipem. S ženskou jemností, trochu rafinovaně, téměř nenápadně, ale důmyslně.

Pruský král a ruský car se nemohli dohodnout na dělení Polska. Jejich spor se stal úhelným kamenem kongresových rokování. Ani Alexandr, ani Fridrich Vilém nebyli ochotni ustoupit od svých požadavků. Nakonec bylo dosaženo shody. Jen o Toruň a Lipsko se rozcházeli.

Kateřina Zaháňská se rozhodla pomoci „rozvázat" gordický uzel prostřednictvím malé, ale diplomaticky a psychologicky účinné alegorie.

Uspořádala v Palmovském paláci večerní zábavu a pozvala mezi vybranými hosty i ruského cara a pruského krále. Pro toto setkání připravila na nevelkém, nově instalovaném jevišti živý obraz.

Když se opona rozhrnula, objevily se na scéně tři krásné ženské postavy. Stály tam jako kamenné sochy: Eris, bohyně sváru, Bellona, bohyně války, a Iréna, bohyně míru. Znázorňovaly atributy problému, který vévodkyně chtěla řešit.

Diváky zaujala zejména Iréna, již představovala spanilá Julie Zichyová. Neutajilo se, že právě této mladé ženě je pruský král nejvíce nakloněn. Byla oděna v řecké roucho a klečela spoutána na zemi. Pak sebou pohnula, povstala, přistoupila až na samý okraj jeviště a promluvila lahodným hlasem a libozvučnou francouzštinou k „nejmocnějšímu a velkomyslnému Alexandrovi, jenž svět osvobodil a oblažil“, a poprosila ho, aby ji, ohrožený mír, zbavil pout a ochránil před démony sváru a války.

Tuto scénu, o níž tehdy nadšeně hovořila celá Vídeň, popsal i Alois Jirásek.

„Hle, kloní se, jakoby na kolena chtěla klesnout, vtom už car k ní přistoupil a pozvednuv ji, vedl ke králi pruskému, řka lichotně, že jemu především přísluší, aby spanilou bohyni zbavil těžkých pout.

Mohl-li nyní král odolati? A když mu car přitom řekl potichu: ‚Vzdávám se Toruně,‘ jak měl jinak odvětit nežli: ‚A já od Lipska upouštím.‘ Oba mocnáři se objali. Radost zavládla veškerou společností. Byli v ten okamžik všichni přesvědčeni, že nejtěžší otázka kongresu je vyřešena.

Hostitelka, naše ‚paní kněžna‘, hlavní dirigentka živého obrazu, byla toho večera jistě nemálo spokojena i hrda, že u ní zaplašeno hrozivé mračno a mír zachráněn.“

Ale nebyl to jen vídeňský kongres, co zaručilo vévodkyni Zaháňské nesmrtelnost. Zasloužila se o to také Barunka Panklová, která vyrůstala v rodině knížecích služebníků v Ratibořicích a jíž vévodkyně projevovala pozoruhodnou přízeň. Když se z Barunky stala česká spisovatelka Božena Němcová, zvěčnila portrét vévodkyně Zaháňské v postavě paní kněžny. Tak se obraz Kateřiny Zaháňské rozlétl s každým novým vydáním a s každým novým překladem Babičky téměř do celého světa.

Kateřina Zaháňská žije stále mezi námi. Nezestárlá a obklopena láskou. Ale i Božena Němcová věděla, že vévodkyně přes všechno bohatství a slávu není šťastna a hledá odpověď na otázku, kde štěstí najít.

Proč Kateřina Zaháňská strádala a trpěla pocitem marnosti a nenaplněného života? Byla bohatá a od přírody obdařena vzácnými dary: bystrým rozumem, nevšední krásou, vřelým citem a... neklidným srdcem. Osud jí však neumožnil plně využít nadání a elánu a trvale se uplatnit při plnění úkolů, k nimž cítila sílu a měla předpoklady. Nebylo jí dopřáno, aby svůj cit upnula k vlastním dětem, ani žít po boku milovaného muže, k němuž by mohla vzhlížet pro jeho moudrost, urozenost a význam.

Jak se sama vyjádřila, na cestě, na kterou vykročila, bylo možno najít pouze vidinu štěstí, ale nikdy ne štěstí.

Celý život se bála samoty. Představa samoty ji děsila. Nakonec zůstala sama.

Kdyby žila dnes, zastávala by s největší pravděpodobností místo ministryně nebo vyslankyně, jak to kdysi prohlásil Klemens Metternich.

Tělo vévodkyně Zaháňské odpočívá v zaháňském kostelíčku, její duch však zůstal v ratibořickém zámku. Stačí jen trochu obrazotvornosti a dotek s minulostí.

Když přijdu do Ratibořic, potkávám je tam všechny. Nejjasněji září oči Barunce a nejtajuplněji se usmívá Kateřina Zaháňská. Božena Němcová nebyla její dcerou. Ale vévodkyně znala tajemství Barunky Panklové.

Staré stromy v zámeckém parku se na ně pamatují a zpívají o nich svou staletou píseň.

Helena Sobková
V Praze 17. února 1995

Poděkování

Při shromažďování dokladů a různých informací pro tuto knihu mi pomohla řada institucí: Státní oblastní archiv v Zámrsku, Durynská univerzitní knihovna v Jeně, Státní ústřední archiv v Praze, Státní zámek v Ratibořicích, Památkový ústav v Pardubicích, Státní ústav památkové péče v Praze, Okresní muzeum v Náchodě, Archiv hl. města Prahy a Národní muzeum v Praze.

Všem těmto institucím a jejich pracovníkům srdečně děkuji za vytvoření optimálních podmínek pro studium dokumentů a získání potřebných fotokopií.

Díky jsem zavázána zejména ředitelce knihovny Národního muzea PhDr. Helze Turkové za zprostředkování mikrofilmů ze zahraničí, PhDr. Jaroslavě Hoffmannové ze Státního ústředního archivu v Praze za pomoc při zpracování rodokmenu Klemense Metternicha, PhDr. Evženu Lukešovi za pomoc při vyhledávání knih a různých odborných, zejména bibliografických údajů a prof. MUDr. Emanuelu Vlčkovi, DrSc., za pomoc při zjišťování identity portrétů Kateřiny Zaháňské a vypracování srovnávací analýzy.

Srdečně děkuji panu Günteru Brüninghausovi a jeho manželce Anně Louise, pravnučce Gustavy Armfeltové, kteří mi umožnili z rodinné sbírky publikovat některé dosud nezveřejněné portréty Kateřiny Zaháňské, Dorothey Talleyrandové, barona Gustava Moritze Armfelta a jeho dcery Gustavy.

Za pomoc při pořizování barevných fotografií zámeckých portrétů děkuji PhDr. Marii Mžykové a panu L. Bezděkovi ze Státního ústavu památkové péče v Praze, panu Vilému Maryškovi z Památkového ústavu v Pardubicích a panu Milanu Zálišovi a Ing. Janě Stránské ze Státního zámku v Ratibořicích.

Dále děkuji panu Vlastimilu Fialovi z Prahy za pomoc při práci v archivech, RNDr. Otovi Krčmářovi z Kartografie Praha, a. s., za ověřování zeměpisných názvů, panu Günteru Friedrichovi a jeho paní za opatření výpisů z rodových tabulí v Helsinkách a panu Marianu Swiatkovi ze Záhaně za informace regionálního charakteru. Děkuji také svému manželu Vladimírovi za pořizování fotodokumentace a doprovod na všech tuzemských i zahraničních cestách.

Poznámky

I/1 Opakovaně se objevují v tisku zprávy přiklánějící se k alternativě, že Kateřina Zaháňská, případně Klemens Metternich přicházejí v úvahu jako rodiče Boženy Němcové. Toto stanovisko zastával i Dr.Velen Fanderlik z Kanady. Byl potomkem Ivana Helceleta, důvěrného přítele Boženy Němcové, a v jejich rodině byla otázka původu B. Němcové předmětem diskusí. Dr. Fanderlik v dopise z prosince 1983 (xerokopie v archivu autorky) napsal: „Původ Boženy Němcové je zahalen dosud mlhou, ale čím dále se více prodírá na povrch pravda, že spisovatelka, narozená jako nemanželské dítě, kde její věk v křestním listě není uveden, a přijata pak Janem Panklem, nebyla jeho dítě, ale dcerou vévodkyně Zaháňské, kněžny dobrodějky z Babičky, a více než pravděpodobně Metternicha."

Tato hypotéza nemůže již dnes na základě nových poznatků o životě Kateřiny Zaháňské obstát. Kromě nemanželské dcery Gustavy nemohla mít vévodkyně další děti, i když po nich nesmírně toužila. Barunka nebyla její dcerou, ačkoliv její původ je nutno hledat v těsné blízkosti Kateřiny Zaháňské.

I/2 Korespondence Kateřiny Zaháňské a Klemense Metternicha, pokládaná dlouho za zničenou, byla v roce 1949 nalezena PhDr. Marií Ullrichovou na Metternichově zámku v Plasech. Byla součástí metternichovského archivu, v té době uloženého v dřívějším cisterciáckém konventu v kapli sv. Benedikta.

Korespondence sestává z 327 dopisů K. Metternicha a 278 dopisů vévodkyně Zaháňské. Dopisy byly včetně drobných lístků psaných oběma milenci a spolu s dalšími dopisy uloženy v černé kazetě tvaru a velikosti knihy. Značně poškozená kazeta se zlatou ořízkou, převázaná bílou stužkou, byla na hřbetě nadepsána: „Briefe der Herzogin von Sagan etc." Zažloutlé dopisy, psané většinou francouzsky, některé německy, velikosti 12,5 x 19,7 cm, byly uloženy v 5 balíčcích. Jsou dnes součástí metternichovského archivu „Acta Clementina", uloženého ve Státním ústředním archivu v Praze. Osud těchto dopisů byl ještě za života jejich pisatelů pestrý. Začátkem května 1814 byla celá korespondence u vévodkyně Zaháňské. Potvrzuje to dopis z 23. 5. 1814. Po dvou měsících si všechny vyžádal Metternich s tím, aby dopisy byly očíslovány. 28. 11. 1814 napsal Metternich Kateřině: „Mé vzpomínky najdeš jednou spolu s Tvými dopisy. Uložím je do stejné krabice, a až jednou odejdu z tohoto jeviště, přečteš si řádky, které doplní dopisy, co jsem Ti psal." Metternich chtěl tuto korespondenci zachovat pro budoucnost. Vedle projevů lásky a vývoje jejich vztahu obsahují dopisy cenné informace z politického dění i Metternichova stanoviska a rozhodování.

I/3 V programovém týdeníku TV Duha (č. 4 roč. II z 28. 1. 1994) byl uveřejněn článek PhDr. M. Ivanova „Známe rodiče Boženy Němcové?". Autor přináší dle vlastního vyjádření nezaručenou zprávu o existenci tří deníků Kateřiny Zaháňské, které údajně viděl „architekt J. K.". Jemu je měl v roce 1986 ukázat PhDr. Erik Bouza, bývalý vedoucí Okresního archivu v Opočně. Zpráva nebyla nikým z odborníků potvrzena. Ani další uvedené podrobnosti nesouhlasí se skutečností. E. Bouza 1. 1. 1986 zemřel a žádný z četných dopisů, které na téma Božena Němcová napsal, neobsahuje zmínku o denících. Rovněž manželka Dr. Bouzy nikdy o těchto denících neslyšela. Veškerá písemná pozůstalost K. Zaháňské je uložena v Státním oblastním archivu v Zámrsku, ovšem neobsahuje žádný deník K. Zaháňské.

M. Ivanov o Kateřině Zaháňské napsal: „Brühl cituje její deník (mluví tam o věrné Haničce – tedy Johance, dceři Jiřího Novotného a ‚babičky', jinak sestře paní Panklové)."

Rovněž tento výrok spočívá na neznalosti faktů. Komorná Hannchen, o které Brühl píše, nemá nic společného se zmíněnou Johankou Novotnou, dcerou „babičky" a tetou B. Němcové! Jde o komornou Johannu Ussinovou (U?), která sloužila již v roce 1813 u vévodkyně Zaháňské. Toho roku se jí dokonce v Praze narodila dcera. V té době však byla Johanka Novotná teprve sedmiletá. Stejného omylu se dopustil již dříve M. Novotný, který rovněž ztotožnil komornou Hannchen s Johankou Novotnou. (Viz *Život Boženy Němcové* str. 334 a str. 337.)

Na tuto chybu M. Novotného upozornil již Václav Černý v *Knížce o Babičce.*

Deník, kterého se Clemens Brühl dotýká, je pouze cestovní itinerář, vedený Kateřinou Zaháňskou po dobu její cesty po Sicílii od 10. 5. 1825 do 9. 6. 1825. Vévodkyně Zaháňská neměla ve zvyku psát deníky. Ale cesta po Sicílii byla tehdy pro ženu něco zcela neobvyklého a ctižádostivá Kateřina chtěla mít důkaz o tom, co všechno dokázala a prožila. Brühl o vévodkyni Zaháňské v knize *Die Sagan* na str. 288 napsal: „Jen málo písemností jí psaných se zachovalo, pouze několik zápisů do památníků, řada dopisů a právě jen tento cestovní deník. Když se čte, může člověk vyjádřit jen lítost, že vévodkyně nebyla horlivější pisatelkou…" Deník ze Sicílie byl v osobním vlastnictví Clemense Brühla. Toto je tedy jediný doložený deník K. Zaháňské.

II/1 Ruská carevna Kateřina II., zvaná Veliká (1729–1796), rozená princezna von Anhalt-Zerbst, nastoupila na trůn v roce 1762 a vládla po celé období vlády Petra Birona v Kuronsku.

II/2 Pro přebal knihy bylo použito portrétu vévodkyně Zaháňské, malovaného v roce 1827 v Římě známým a na vrcholu své umělecké dráhy stojícím Filippem Agricolou. Malíř vytvořil obrovský reprezentativní obraz vévodkyně ve stylu renesanční malby. Obraz visel v minulém století na zámku Cunzendorf (Chichy), nyní se údajně nachází ve Vatikánu. Reprodukci ze soukromé sbírky poskytl pracovník ratibořického zámku pan Milan Záliš. Fotografii pořídil pan Vilém Maryška z Ústavu památkové péče v Pardubicích.

Enderův obraz „dámy v bílém" z roku 1818 (viz. příloha), uváděný jako portrét Kateřiny Zaháňské, byl obestřen pochybnostmi, zda skutečně představuje vévodkyni Kateřinu Zaháňskou. Prof. MUDr. Emanuel Vlček, DrSc., dospěl prostřednictvím antropometrické srovnávací analýzy k jednoznačnému závěru, že žena zobrazená na tomto portrétu je Kateřina Zaháňská. Příslušný protokol je v archivu autorky.

Na ratibořickém zámku se nachází portrét „dámy v bílých šatech a v bílém klobouku", rovněž dílo vídeňského malíře Johanna Nepomuka Endera (1793–1845). I v tomto případě bylo uvažováno, zda portrétovaná žena není Kateřina Zaháňská. Modré oči dámy, jež seděla modelem, některé detaily a výraz tváře i skutečnost, že obraz byl do Ratibořic dovezen z jiného zámku, tento dohad vyvracejí.

III/1 Severní válka (1700–1721) byla válka mezi Švédy, Rusy a Poláky o moc nad Pobaltím. Válku vyvolal švédský král Karel XII. Porazil Dánsko v bitvě u Narvy (1700), poté Rusko a obrátil se proti Polsku. Petr I. porazil Švédy 1709 u Poltavy. Po nystadtském míru (1721) získalo Rusko pobřeží Finska a Rižského zálivu a stalo se baltskou velmocí. Do Kuronska přišli Rusové 1705.

III/2 Některé genealogické údaje z rodiny matky Kateřiny Zaháňské, Dorothey von Medem:

otec: Johann Fridrich von Medem (1722–1785)
1. žena: Luisa Dorothea von Korff (...–1758)
2 děti: Charlotta Elisabeth (20. 5. 1754–13. 4. 1833 v Drážďanech)
                 Johann Fridrich von Medem (1758–1778)
2. žena: Luisa Charlotta von Manteuffel (...–1763)
3 děti: Anna Charlotta Dorothea (3. 2. 1761–20. 8. 1821)
                 Karel Johann Fridrich (1762–1827)
                 Christoph Johann (1763–1838)

3. žena: Agnes Elisabeth von Brukken (1718–1784)
Elisa von der Recke byla provdána 20. 5. 1771
za saského komořího Georga Petra Magnuse von der Recke.
Rozchod 1776, rozvod 1781. Dcera Frederika (1774–1777).

IV/1 Simon André Tissot byl slavný švýcarský lékař (1728–1797), od 1780 ředitelem kliniky na univerzitě v Pavii.

V/1 Tekla Podleská-Batková (1764–1852) byla členkou divadla Petra Birona. Narodila se jako dcera mlynáře z Berouna. Ve zpěvu ji vyškolil německý skladatel Jan Adam Hiller z Lipska. Vyučil i její sestry Mariannu, Barboru a Josefu. Později působily všechny v zámeckém divadle v Kuronsku. Zde se Tekla provdala za člena vévodského orchestru flétnistu Víta Batku. Doprovázela vévodskou rodinu na cestě do Itálie a zde v roce 1785 dosáhla velkých úspěchů. Zpívala i árie z Mozartových oper. Roku 1815 se vrátila do Prahy, ale kontakty s rodinou Kuronských udržovala nadále. V Löbichau byla i v roce 1821 a zpívala s princeznou Paulinou a schovankami v zámeckém sboru. Přivezla s sebou i „svou malou Katynku", dceru sestry Marianny.

V/2 Boloňská Accademia Clementina byla založena papežem Klementem VII. roku 1570.

V/3 Stanislav II. August Poniatowski (1732–1798) byl od roku 1764 do roku 1795 králem polským. Byl milovníkem umění a povolal do země řadu významných architektů, sochařů a malířů. Za jeho vlády se stavěly paláce, chrámy, královská rezidence a probíhala řada hospodářských a politických reforem.

VI/1 Elisa von der Recke napsala v roce 1787 článek o Cagliostrových magických experimentech v Mitavě „Der entlarvte Cagliostro". Tato její studie, odhalující podvodný charakter pověstného „hraběte Cagliostra", jehož magickým kouzlům podlehlo v té době mnoho důvěřivých a pověrčivých lidí, vzbudila velký zájem i samotné carevny Kateřiny II. a její sympatie k mladé spisovatelce.

VI/2 Když v letech 1773–1777 opustili jezuité Klementinum, byly zdejší knihovní sbírky zásluhou Františka hr. Kinského roku 1777 prohlášeny Marií Terezií za Císařskokrálovskou veřejnou a univerzitní bibliotéku. V pamětní knize této knihovny v Praze (dnešní Národní knihovna) čteme na str. 14 podpisy členů skupiny, kteří 4. (14. ?) 7. 1791 knihovnu navštívili. Byli to: Dorothea Kuronská, Elisa von der Recke, komtesy Solmsová a Schlippenbachová, Julie von Vietinghoff, Elisabeth von Rutenberg, baron Klopner, tajný sekretář vévody Kuronského E. M. Plümert (?) a Philip Tassaert – malíř z Londýna (pocházející ze slavné anglické malířské rodiny).

261

VI/3 Kuronský palác v Berlíně Unter den Linden čp. 7 prodala Dorothea Périgordová včetně inventáře 12. 1. 1837 za 105 000 tolarů ruskému carskému dvoru. Později se stal sídlem ruského vyslanectví.

VII/1 Koupi býv. Černínského paláce čp. 386–8 (dříve čp. 358 a 361) v Karmelitské ulici na Malé Straně zprostředkoval Petru Bironovi synovec hraběte Černína, Josef hrabě Vratislav z Mitrovic, tehdejší městský hejtman a policejní ředitel. Dům byl 1796 přestavěn sloučením dvou domů. Vévoda dům jmenovitě neodkázal, ale určil, že bude sloužit vdově a princeznám. Paulina projevila přání Kuronský palác vlastnit, a tak ho odkoupila z rodinné pozůstalosti roku 1806 za 80 000 zlatých. V roce 1807 byl vybudován krásný taneční sál. Pseudorokoková kamna pocházejí až z roku 1866. Paulina prodala palác roku 1811 Janu Kaňkovi pro Viléma IX. kurfiřta hesenského za 90 000 zlatých. Po pádu Napoleona získal palác r. 1816 Charles kníže Rohan. Odtud název Rohanský palác. V držení Rohanů byl do roku 1945. Dnes je sídlem ministerstva školství.

Přítel rodiny Kuronských Jan Nepomuk Kaňka byl pražský advokát, skladatel a přítel Beethovenův. Byl synem apelačního rady Jana Kaňky a vnukem proslulého stavitele Maxmiliána Kaňky.

VII/2 Pozůstalost v Čechách po Petru Bironovi byla odhadnuta na 1,448 000 zlatých. Panství Náchod se statky Studnice a Řešetova Lhota na 1,202 000 zlatých, statek Chvalkovice se statky Sviňišťany a Bukovinka na 171 000 zlatých a Kuronský palác na Malé Straně na 50 000 a zařízení na 25 000 zlatých.

VII/3 Výňatek z *Rozmanité prosy* od Aloise Jiráska.

VIII/1 Gustava Armfeltová měla z prvního manželství tři syny a dceru. Její dcera Hedvika Johana Vilemína, narozená 1833, se provdala za pana von Wrede. U potomků této rodiny se přechovává dopis Kateřiny Zaháňské a G. M. Armfelta, vyzrazující dceři Gustavě okolnosti jejího narození.

IX/1 Císař Svaté říše římské národa německého František II. (1768–1835) se stal v roce 1806 (po přijetí mírových podmínek v Prešpurku jako důsledku prohrané bitvy u Slavkova) prvním císařem rakouským Františkem I. 16 západoněmeckých států se spojilo v Rýnský spolek a římské císařství v původní podobě přestalo existovat.

IX/2 Národní muzeum v Praze vlastní svatební šaty Marie Luisy, choti Napoleona I., šité na zakázku v pařížském módním salonu. Muzeum je dostalo ve 20. letech darem od pana Lašky, čes. konzula v Itálii. Jemu je darovala operní pěvkyně Dina Barberrini. Ta obdržela šaty darem od vévody parmského. Do Parmy se dostaly šaty spolu s Marií Luisou, která získala Parmu po pádu

Napoleona. Empírové šaty jsou zhotoveny z bavlněného tylu a vyšívané barevným hedvábím a kovovou lamelou. V dílně Národního muzea byly šaty restaurovány současnou restaurátorkou paní Dareou Doškovou. Informace podala PhDr. Věra Přenosilová z Národního muzea.

X/1   Benevento, enkláva v Itálii u Neapole, patřila v letech 1798–1815 Francouzům. V té době udělil Napoleon Talleyrandovi titul „kníže z Beneventa". Jmenoval ho navíc viceelectorem s titulem Výsosti (ten měli princové císařské rodiny), s pojmenováním Jasnosti (Serenissime) a s gáží 300 000 franků ve zlatě ročně. Toto gesto učinil Napoleon roku 1807, čtyři dny poté, co Talleyrand rezignoval na místo ministra. Povinnosti Talleyrandovy od této chvíle spočívaly jen v tom, že se musel při slavnostních příležitostech objevovat u dvora v oděvu z červeného sametu se zlatou výšivkou, v bílých atlasových kalhotech a stát po straně císařského trůnu.

XI/1   Knihy z ratibořické zámecké knihovny byly uloženy v tmavohnědých skříních a již v roce 1817 k nim byl pořízen soupis. Knihovna Kateřiny Zaháňské, nacházející se po její smrti zčásti ve Vídni, zčásti v Ratibořicích, obsahovala i knihy zakázané. Je z toho patrno, jak poslední desetiletí 18. století ovlivnila myšlení všech vrstev obyvatelstva, nevyjímaje ty, kdo patřili ke špičkám nobility. Podle hraběte z Bubna byla Kateřina Zaháňská také členkou zednářské Lóže římských dam, která vznikla z iniciativy barona Steina. Tato informace nebyla dosud ověřena.

XI/2   Karel Pleskač napsal, že v červnu 1813 se v Ratibořicích setkali car Alexandr, pruský král Fridrich Vilém III. a Metternich. Stejné stanovisko zastával později i Zdeněk Wirth a rovněž Alois Jirásek se zmiňuje o schůzce Metternicha a ruského cara v Ratibořicích. Dochovaná korespondence toto setkání nepotvrzuje. Schůzka cara Alexandra s Metternichem se uskutečnila na zámku v Opočně. Poté na Opočno zavítal i pruský král.

XIV/1   Výňatek je z knihy *Metternich and the duchess* od Dorothy Gies McGuiganové.

XIV/2   Alfred Windischgrätz (1787–1862) se oženil v červnu 1817 s Eleonorou Schwarzenbergovou (1796–1848). V té době byl již plukovníkem a stál na začátku závratné vojenské kariéry. Později se stal generálem a maršálem. Vévodkyni Zaháňskou přežil o 23 let. Ta naštěstí již nezažila, jak v roce 1848 obklíčil Prahu a z děl ostřeloval město, v němž prožila kus svého mládí.

XV/1   V archivu ve Finsku je uloženo 110 dopisů z korespondence Kateřiny Zaháňské s Armfeltem. (Zpráva od potomků Gustavy Armfeltové.)

XV/2   Matka Emilie von Gerschau byla dcerou berlínského poštovního úředníka. Zmíněný princ Louis Ferdinand se roku 1800 ucházel o Kateřinu Zaháňskou.

XV/3   Popisy tet Kláry Bresslerové, sester jejího otce, a Klářiny sestry Pauliny jsou uvedeny proto, že poskytují jediné informace o genetických rysech rodiny Bresslerů, z níž pocházela schovanka Klára.

XV/4   O uvedených rodičích Marie Luisy Pauliny, narozené 31. 10. 1805 v Kuronském paláci na Malé Straně, se z matrik dále dočítáme, že měli oddavky 4. 11. 1804 v Praze. Oba pocházeli z Mitavy a svědky při svatbě byli měšťanský malíř Johann Wizenz a služebník v obchodě Ignác Koyl. Kromě Marie není uvedeno narození dalšího dítěte, ale vedle úmrtí Marie 16. 6. 1806 je v matrice zaznamenáno, že 30. 8. 1808 zemřel jejich sedmnáctiměsíční syn Konstantin.

XV/5   Informace o dokumentech nacházejících se údajně v archivu v Zielené Góře (oddací list Jana Pankla a Terezie Novotné, prokazující, že měli svatbu v Zaháni, a dva dopisy kastelánky Jägerové /1831 a 1834?/, obsahující zprávu o Barunce Panklové) podal autorce ústně ředitel archivu Dr. Jerzy Piotr Majchrzak v roce 1988.

XV/6   Jde o články PhDr. J. Wagnerové a PhDr. A. Vinšálka v Plzeňském deníku, časopise Komenský i jinde.

XV/7   Hugo Rokyta: Emilie von Binzer, prototyp „komtesy Hortensie" v „Babičce" Boženy Němcové. Časopis Společnosti přátel starožitností, 65, 1957.

XVII/1   V roce 1872 vzpomíná Emilie von Gerschau na tři syny polního maršála Karla Schwarzenberga (1771–1820), s nimiž se seznámila roku 1819 na Orlíku: „Kníže Friedrich a kníže Edmund zůstali bezdětní a syn knížete Karla (1802–1858), nynější majitel Orlíku, je ‚Ultračech' a nepíše své jméno již dle německé ortografie." Šlo o prapradědečka dnešního knížete Karla Schwarzenberga. Proslul jako český vlastenec, který v českém sněmu a říšské radě prosazoval práva českých zemí. Byl předsedou Společnosti vlasteneckého Muzea v Čechách a zasazoval se o výstavbu Národního divadla.

Řada Karlů Schwarzenbergů ze zámku Orlík:
Karel Filip (1771–1820), Karel II. (1802–1858), Karel III. (1824–1904), Karel IV. (1859–1914), Karel V. (1886–1914), Karel VI. (1911–1985), Karel VII. (narozen 1937).

Tyto údaje byly převzaty z knihy Vl. Škutiny *Český šlechtic František Schwarzenberg*. Psaní o Boženě Němcové zde uvedené však obsahuje řadu omylů a nepřesností.

XVII/2 Hraběnka Trogoffová pocházela jako její manžel z Bretaně a s vévodkyní Zaháňskou se seznámila asi roku 1811 prostřednictvím Alfreda Windischgrätze. Hrabě Trogoff vstoupil do rakouské armády a čekal na návrat Bourbonů na francouzský trůn.

XVII/3 V genealogických tabulkách gothajského almanachu je datum narození Fabiána Dohny uváděno – na rozdíl od svatebního protokolu z České Skalice – 25. 6. 1802. Jeho potomci uvádějí datum narození 5. 8. 1802.

XVII/4 Cunzendorf má dnes název Chichy, Hohlstein Skaly, Wartenberg Syców. Hohlstein zdědil syn Pauliny z Hohenzollernů, Wartenberg přešel na druhou linii Bironů po Karlovi, bratru Petra Birona. Bironům náležely ve Slezsku ještě statky Zatonie, Otyň, Klenica, Nietków a Bytnica.

XVIII/1 Gustava Armfeltová byla do rodových tabulí hraběcího rodu č. 4 v Helsinkách (tabule 32c) zapsána jako dcera svobodného pána Fredrika Armfelta. 18. 9. 1812 ji adoptoval skutečný otec Gustav Moritz Armfelt a pozvedl ji do hraběcího stavu. Introdukce byla provedena 17. 9. 1818. Prvním manželem se stal 12. 11. 1825 její bratranec hrabě Magnus Reinhold Armfelt. Narodil se 18. 3. 1801 na panském sídle Viurila v obci Halikko, zemřel 29. 4. 1845 ve Štrasburku.

Gustava se podruhé provdala v Söderköpingu 21. 5. 1846 za guvernéra provincie Kuopio Johanna Augusta von Essen (nar. 11. 5. 1815 v obci Laihela, zemřel 26. 8. 1873 na panském sídle Rauhalinna v obci St. Karins). Toto manželství zůstalo bezdětné. Na stejném sídle zemřela 19. 5. 1881 Gustava Armfeltová ve věku 80 let.

Její děti: August Magnus Gustav (1826–1894), majitel rodinného sídla, Gustav Johann Filip (1830–1880), malíř a ředitel umělecké školy v Turku, Hedvika Johana Vilemína Gustava (1833–1882), Karel Magnus Moritz (1836–1890).

Ve Skandinávii žije na 60 potomků Gustavy Armfeltové. Nositeli rodinných tradic jsou zejména manželé Brüninghausovi z Finska, kteří kromě obrazů poskytli nejednu cennou informaci.

XVIII/2 V prosinci 1817 nabídl Ferdinand I., král obojí Sicílie, Talleyrandovi nevelké neapolské vévodství včetně titulu „vévoda de Dino". Kníže Talleyrand převedl predikát na synovce Edmonda a Dorotheu. Od té doby měla hraběnka Dorothea Périgordová titul „vévodkyně Dino". Po smrti Edmondova otce, Archambauda Talleyranda, obdržela i titul „vévodkyně Talleyrandová" a roku 1845 rovněž titul „vévodkyně Zaháňská".

XVIII/3 Údaje pro Metternichův rodokmen z Wurzbachova biografického lexikonu bylo nutno poopravit a doplnit podle úmrtních protokolů uložených v Státním ústředním archivu v Praze. Přesto nelze zaručit, že všechna data jsou již uvedena zcela bezchybně.

Klemens Metternich byl pohřben do rodinné hrobky, kterou dal vybudovat na svém druhém západočeském panství Plasy. Spolu s ním zde (podle úmrtních protokolů metternichovského archivu) odpočívá ještě 19 členů rodu Metternichů, tedy celkem 20 rodinných příslušníků. Po smrti K. Metternicha se stal dědicem statků syn Richard Klemens, po jeho smrti jeho bratr Pavel Klemens.

XVIII/4   Po smrti Johany z Acerenzy přešel zámek Löbichau na paní von Boyen, rozenou princeznu Bironovou, dceru knížete Gustava Birona, synovce Petra Birona (po bratru Karlovi). Posledním majitelem, jak ukazuje čtvrtý erb umístěný u vchodu zámku, byl Wolf von Tümpling (do roku 1945).

Všechny překlady z německých originálů nebo z textů do němčiny přeložených jsou dílem autorky. Pokud šlo o korespondenci Zaháňská – Metternich, posloužila pro překlady vedle knihy Marie Ullrichové i kniha Dorothy Gies McGuiganové. Pro lepší srozumitelnost byla v ojedinělých případech dlouhá souvětí rozdělena do dvou samostatných vět. Při překládání dominovala snaha po věrném překladu nad úsilím vyjádřit obsah slohově působivě, ale volně.

U některých přívlastků (např. vévodkyně Zaháňská, vévodkyně Kuronská apod.) bylo použito velkých začátečních písmen vzhledem k vžitému úzu. Rovněž křestní jména jsou v textu (výjimku tvoří genealogické přehledy) upravena dle zvyklostí uplatňovaných v české literatuře. Názvy zeměpisné byly z velké části ponechány v původní podobě, aby zůstal zachován dobový charakter. Vídeňský palác v Schenkenstraße, v němž bydlela vévodkyně Zaháňská, byl označen jako Palmovský palác podle německého Palais Palm.

Prameny a použitá literatura

A/ Prameny:

1. Deníky a korespondence z pozůstalosti Bironů v archivu Thüringer-Universitäts-und Landesbibliothek Jena.
2. Korespondence a další doklady z fondu Kuronské písemnosti v Státním oblastním archivu v Zámrsku.
3. Matriky křtů v Archivu hlavního města Prahy.
4. Úmrtní protokoly z pozůstalosti Metternichů ve Státním ústředním archivu v Praze.
5. Acta Clementina z pozůstalosti Metternichů ve Státním ústředním archivu v Praze. (Z toho pořízena výběrová databáze „Kancléř Metternich a jeho doba "na CD ROM.)

B/ Použitá literatura:

1. Brühl, Clemens: Die Sagan. Berlin 1941.
2. Gies McGuigan, Dorothy: Metternich, Napoleon und die Herzogin von Sagan. Wien – München – Zürich – Innsbruck 1979.
3. Metternich, Clemens – Sagan, Wilhelmine von: Ein Briefwechsel 1813–1815. Herausgegeben von Maria Ullrich. Graz – Köln 1966.
4. Binzer, Emilie von: Drei Sommer in Löbichau. 1819–1821. Stuttgart 1877.
5. Recke, Elisa von der: Tagebücher und Selbstzeugnisse. Leipzig 1984.
6. Parthey, Lili: Tagebücher aus der Berliner Biedermeierzeit. Herausgeg. von Bernard Lepsius. Berlin – Leipzig 1928.
7. Halada, Jan (krycí jméno, správně Šedivý Jaroslav): Metternich kontra Napoleon. Praha 1985.
8. Strobl von Ravelsberg, Ferdinand: Metternich und seine Zeit. 1773–1859. Bd. 1., 14, 437 s., 21 geneal. tab. v příloze. Wien und Leipzig 1906.
9. Norbert, Willy: Schloß Sagan. Velhagen-Klasings Monatshefte. Jg. 39. Juli 1925. Heft 11, s. 481–496.
10. Polišenský, Josef: Napoleon a srdce Evropy. Praha 1971.
11. Wirth, Zdeněk a kolektiv: Ratibořice. Státní zámek a Babiččino údolí. 3. vyd., v STN 1. Praha 1956.

12. Geyer, Moritz: Der Musenhof zu Löbichau. Eine literarhistorische Skizze. Altenburg 1882.
13. Pleskač, Karel: Ratibořická idyla. K stému výročí narození Boženy Němcové. Praha 1920.
14. Talleyrand, Dorothea de: Souvenirs de la Duchesse de Dino, publiés par petite-fille La comtesse Jean de Castellane. Paris s. a.
15. Ziegler, Philip: Die Herzogin von Dino, Talleyrands letzte Vertraute. München 1965.
16. Elbin, Günther: Macht in zarten Händen. Dorothea Herzogin von Kurland. München 1968.
17. Mühlsteinovi, Lada a Ludvík: Kraj mládí Boženy Němcové. Česká Skalice 1980.
18. Zacharasiewicz, Traute: Nachsommer des Biedermeier – Emilie von Binzer. Eine Freundin Adalbert Stifters. Linz 1983.
19. Gentz, Friedrich von: Tagebücher. Band 1.–4. Leipzig 1873–1874.
20. Rokyta, Hugo: Emilie von Binzer, prototyp „komtesy Hortensie" v „Babičce" Boženy Němcové. – Časopis Společnosti přátel starožitností, 65, 1957, s. 35–40.
21. Der grosse Brockhaus. Handbuch des Wissens in 20 Bänden, völlig neubearbeitete Auflage. Bd. 1, 12. Leipzig 1928, 1932.
22. Jirásek, Alois: Rozmanitá prosa. Obrázky a studie. – Sebrané spisy. Sv. 26. Praha 1930.
23. Jirásek, Alois: Na dvoře vévodském. – Ráj světa. Dva historické obrazy. Sebrané spisy. Sv. 16. 10. vyd. Praha 1929.
24. Wurzbach, Constant von: Biographisches Lexikon des Kaiserthums Österreich. T. 18, 28, 57, 58. (Hesla Metternich, Sagan, Windischgrätz, Wratislav.) Wien 1868, 1874, 1887, 1889.
25. Polívka, Eduard: Pražský rytec a medailér Antonín Guillemard. 1747–1812. Praha 1988.
26. Škutina, Vladimír: Český šlechtic František Schwarzenberg. Praha 1990.
27. Mašek, Petr: Modrá krev. Minulost a přítomnost šlechtických rodů v českých zemích. Praha 1992.
28. Fournier, August: Die Geheimpolizei auf dem Wiener Kongress. Wien 1913.
29. Kubíček, Alois: Rohanský palác v Praze na počátku XIX. století. – Časopis Společnosti přátel starožitností, 46, 1938, č. 1., s. 65–76. – Též zvl. otisk.
30. Kubíček, Alois: Rohanův palác. – Umění, 15, 1943–44, s. 369–374.
31. Hlavsa, Václav – Vančura, Jiří: Malá Strana – Menší Město pražské. Praha 1983.

32. Majchrzak, Jerzy Piotr: Na peryferiach historii. Zielona Góra 1987.
33. Wiktorski, Pawel: Na koniec wzeszlo slonce. Warszawa 1985.
34. Hejna, Antonín a kolektiv: Opočno. Státní zámek a památky okolí. Praha 1962.
35. Metternich, Clemens: Geist und Herz verbündet. Briefe an die Gräfin Lieven. Deutsche Übertragung von H. H. von Goigt – Alastan. Wien 1942.
36. Křížová, Květa: Šlechtický interiér 19. století. Praha 1993.
37. Holst, Niels von: Baltenland. Berlin s. a. (1938–1940?).
38. Slovník naučný. Red. F. L. Rieger. Díl 4. Praha 1865.
39. Sobková, Helena: Tajemství Barunky Panklové. Nové úvahy o narození a původu Boženy Němcové. 2. vyd. Praha 1992.
40. Welding, Olaf a kol.: Deutschbaltisches biographisches Lexikon 1710–1960. Köln – Wien 1970.
41. Thieme, Ulrich – Becker, Felix: Allgemeines Lexikon der Bildenden Künstler von der Antike bis zur Gegenwart. Bd. 5, 14. Leipzig 1911, 1921. (Hesla Canale, Grassi.)
42. Tarle, J. V.: Talleyrand. Praha 1950.
43. Černý, Václav: Knížka o Babičce a její autorce. Druhé doplněné a opravené vydání. Toronto 1982

Obsah

(I) Předmluva – – 7
(II) Portrét Kateřiny Zaháňské – – 9
(III) Bironové a Medemové – – 15
(IV) Tajná svatba – – 26
(V) Cesta do Itálie – – 35
(VI) Princezna Vilemína – – 46
(VII) Bez matky – – 58
(VIII) Smuteční rok – – 68
(IX) Vévodkyně Zaháňská – – 82
(X) Sestra Dorothea – – 94
(XI) Ratibořická paní – – 107
(XII) Osudová láska – – 124
(XIII) Návrat do Vídně – – 146
(XIV) Vídeňský kongres – – 162
(XV) Schovanky Kateřiny Zaháňské – – 189
(XVI) Löbichau – Dvůr múz – – 210
(XVII) Schulenburg – – 226
(XVIII) Kruh se uzavírá – – 242
Doslov – – 253
Poděkování – – 256
Poznámky – – 258
Prameny a použitá literatura – – 267

HELENA SOBKOVÁ
KATEŘINA ZAHAŇSKÁ

Přebal, vazbu a grafickou úpravu navrhl Pavel Hrach
Vydala Mladá fronta jako svou 5612. publikaci
Edice Osudy, svazek 8
Odpovědná redaktorka Božena Pravdová
Výtvarný redaktor Bohuslav Holý
Technický redaktor Petr Čížek
Tisk a vazba Moravská tiskárna, spol. s. r. o.,
771 64 Olomouc, Studentská 5
Rozsah 272 strany a 40 stran přílohy
Vydání první. Praha 1995. 13/34

Knihy Mladé fronty
si můžete objednat na adrese:
Mladá fronta, odbyt knih,
Chlumova 10, 130 00 Praha 3

Část rodokmenu knížecího rodu Metternich – Winneburg

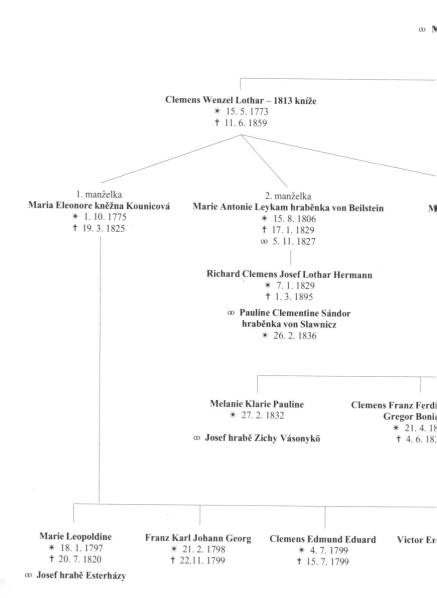

∞ M

Clemens Wenzel Lothar – 1813 kníže
✳ 15. 5. 1773
† 11. 6. 1859

1. manželka
Maria Eleonore kněžna Kounicová
✳ 1. 10. 1775
† 19. 3. 1825

2. manželka
Marie Antonie Leykam hraběnka von Beilstein
✳ 15. 8. 1806
† 17. 1. 1829
∞ 5. 11. 1827

M

Richard Clemens Josef Lothar Hermann
✳ 7. 1. 1829
† 1. 3. 1895

∞ **Pauline Clementine Sándor**
hraběnka von Slawnicz
✳ 26. 2. 1836

Melanie Klarie Pauline
✳ 27. 2. 1832

∞ **Josef hrabě Zichy Vásonykö**

Clemens Franz Ferd
Gregor Boni
✳ 21. 4. 18
† 4. 6. 18

Marie Leopoldine
✳ 18. 1. 1797
† 20. 7. 1820

∞ **Josef hrabě Esterházy**

Franz Karl Johann Georg
✳ 21. 2. 1798
† 22. 11. 1799

Clemens Edmund Eduard
✳ 4. 7. 1799
† 15. 7. 1799

Victor Er